14.09.04

B. Vopfanote

Yann Martels Roman »Schiffbruch mit Tiger« erzählt eine unerhört komische und weise Geschichte, die die Herzen im Sturm erobert: Pi Patel, der Sohn eines indischen Zoobesitzers und praktizierender Hindu, Christ und Muslim erleidet mit einer Hyäne, einem Orang-Utan, einem verletzten Zebra und einem 450 Pfund schweren bengalischen Tiger namens Richard Parker Schiffbruch. Bald stehen sich nur noch zwei gegenüber – der Tiger und Pi. Alleine treiben sie in einem Rettungsboot auf dem Ozean. Eine wundersame, abenteuerliche Odyssee beginnt.

»Der ungewöhnlichste Booker-Preisträger der letzten zehn Jahre – ein wagemutiges Buch«
Independent

Yann Martel wurde 1963 in Spanien geboren. Seine Eltern sind Diplomaten. Er wuchs in Costa Rica, Frankreich, Mexiko, Alaska und Kanada auf und lebte später im Iran, in der Türkei und in Indien. Er studierte Philosophie und wohnt derzeit in Kanada. »Schiffbruch mit Tiger« ist sein zweiter Roman, er war nominiert für den Governor General Award und den Commonwealth Writers Prize und gewann den Booker Prize 2002.

Unsere Adresse im Internet: www.fischerverlage.de

Yann Martel

Schiffbruch mit Tiger

Roman

Aus dem Englischen von
Manfred Allié und
Gabriele Kempf-Allié

Fischer Taschenbuch Verlag

Die Übersetzung wurde von
The Canada Council for the Arts gefördert.

Veröffentlicht im Fischer Taschenbuch Verlag,
einem Unternehmen der S. Fischer Verlag GmbH,
Frankfurt am Main, September 2004

Die Originalausgabe erschien 2001 unter dem Titel ›Life of Pi‹
bei Alfred A. Knopf, a division of Random House of Canada
© 2001 Yann Martel
Für die deutsche Ausgabe:
© 2003 S. Fischer Verlag GmbH, Frankfurt am Main
Satz: Pinkuin Satz und Datentechnik, Berlin
Druck und Bindung: Clausen & Bosse, Leck
Printed in Germany
ISBN 3-596-15665-3

à mes parents et à mon frère

Vorbemerkung des Autors

Dieses Buch ist entstanden, weil ich hungrig war. Das muss ich erklären. Im Frühjahr 1996 kam in Kanada mein zweites Werk, ein Roman, heraus. Es war kein Erfolg. Rezensenten wussten nichts damit anzufangen oder verurteilten es mit halbherzigem Lob. Leser ließen es liegen. Ich mühte mich, im Medienzirkus den Clown oder den Trapezkünstler zu spielen, aber es half alles nichts. Das Buch verkaufte sich nicht. In den Läden standen die Bücher in langen Reihen wie Schuljungen, die zum Fußball oder Baseball angetreten sind, und meines war der picklige, ungelenke Knabe, den keiner in seiner Mannschaft haben wollte. Es verschwand schnell und in aller Stille.

Allzu viel machte mir das Fiasko nicht aus. Ich hatte schon mit einer anderen Geschichte begonnen, einem Roman, der 1939 in Portugal spielte. Aber irgendwie war ich unruhig. Und ich hatte ein wenig Geld.

Also flog ich nach Bombay. So abwegig, wie es sich anhören mag, ist das nicht, wenn man sich erst einmal drei Dinge klarmacht: Dass es kein lebendiges Wesen gibt, dem eine Dosis Indien nicht die Unruhe austreibt; dass man dort auch mit wenig Geld weit kommt; und dass ein Roman, der im Jahr 1939 in Portugal spielt, nicht unbedingt viel mit Portugal und 1939 zu tun haben muss.

Ich war schon einmal in Indien gewesen, fünf Monate im Norden des Landes. Bei jener ersten Reise hatte ich keine Ahnung, was mich auf dem Subkontinent erwartete. Oder besser gesagt, ein einziges Wort hatte ich zur Einstimmung. Als ich einem Freund, der

7

das Land gut kannte, von meinen Reiseplänen erzählte, meinte er: »Die sprechen ein ulkiges Englisch in Indien. Sie mögen Wörter wie bamboozle.« Das fiel mir wieder ein, als mein Flugzeug in Delhi zur Landung ansetzte, und das Wort bamboozle war das eine, was mich auf den Ansturm, den Lärm, die Lebendigkeit des Irrsinns Indien vorbereitete. Bisweilen machte ich Gebrauch von dem Wort, und ich muss sagen, es hat sich gut bewährt. Zu einem Schalterbeamten am Bahnhof: »Das hätte ich ja nicht gedacht, dass die Fahrkarte so teuer ist. Ihr wollt mich doch nicht bamboozeln, oder?« Er lächelte und antwortete in seinem Singsang: »Nein, Sir! Hier wird nicht bamboozelt. Unsere Preise sind korrekt.«

Jetzt beim zweiten Mal wusste ich besser, auf was ich mich einließ, und ich wusste auch, was ich wollte. Ich wollte mir ein Quartier in einer alten hill station suchen, einem Kurort in den Bergen, und dort meinen Roman schreiben. Ich sah es vor mir, wie ich an einem Tisch auf einer großen Veranda sitzen würde, meine Notizen vor mir ausgebreitet und dazu eine dampfende Tasse Tee. Durch die grünen Hügel zu meinen Füßen zögen dicke Nebelschwaden, und die schrillen Schreie der Affen klängen mir in den Ohren. Das Wetter wäre perfekt: Morgens und abends ein dünner Pullover, tagsüber kurze Ärmel. Solcherart ausgestattet, würde ich zur Feder greifen und im Dienste einer höheren Wahrheit aus Portugal eine Fiktion machen. Denn darum geht es doch in Romanen, nicht wahr? Darum, die Wirklichkeit exemplarisch umzuformen. Sie so zu drehen, dass ihr Wesen hervorkommt. Hätte ich dafür nach Portugal fahren sollen?

Meine Zimmerwirtin würde mir Geschichten aus der Zeit erzählen, als sie die Engländer aus dem Land warfen. Wir würden besprechen, was es am nächsten Tag zum Mittag- und Abendessen gab. Wenn mein Arbeitstag zu Ende war, würde ich in den sanften Hügeln der Teeplantagen spazieren gehen.

Leider hatte der Motor meines Romans seine Mucken, er spuckte und spotzte, und schließlich ging er ganz aus. Es geschah in Matheran, nicht weit von Bombay, einem kleinen Erholungsort in den Bergen, wo es ein paar Affen gab, aber keine Plantagen. Nur

8

der verkrachte Schriftsteller kennt das Gefühl. Man hat ein gutes Thema, man schreibt gute Sätze. Man hat sich Gestalten einfallen lassen, die so vor Leben strotzen, dass sie eigentlich Geburtsurkunden bräuchten. Man hat sich eine Handlung für sie ausgedacht, die profund, einfach und ergreifend ist. Man hat recherchiert, hat alle Fakten beisammen – Geschichte, Gesellschaft, Klima, Küche –, alles, was man braucht, damit die Sache sich wirklich echt anfühlt. Die Dialoge sind das reinste Pingpongspiel und knistern nur so vor Spannung. Die Beschreibungen könnten farbiger, kontrastreicher nicht sein, die Details nicht aussagekräftiger. Der Erfolg scheint garantiert. Aber wenn man dann alles zusammenzählt, kommt nichts dabei heraus. So viel versprechend es aussah – es kommt der Augenblick, an dem man einsehen muss, dass jene Flüsterstimme im Hinterkopf, die man schon so lange nicht hören will, die schlichte, schreckliche Wahrheit sagt: Da wird nichts draus. Es fehlt etwas, es fehlt der Funke, der die Geschichte wirklich zum Leben erweckt, und das hat nichts damit zu tun, ob die Fakten stimmen und das richtige Essen auf den Tisch kommt. Innerlich ist die Geschichte tot, und daran lässt sich nichts mehr ändern. Es ist, das kann ich sagen, ein Stich ins Herz, in die Tiefe der Seele. Was bleibt, ist ein brennender Hunger.

Von Matheran gab ich per Brief Nachricht, dass mein Roman gescheitert war. Ich schrieb an eine fiktive Adresse in Sibirien, und als Absender gab ich eine genauso erfundene in Bolivien an. Ich sah noch zu, wie ein Postbeamter den Brief stempelte und in eine Kiste warf, dann saß ich da, todtraurig, entmutigt. »Und jetzt, Tolstoi?«, fragte ich mich. »Was ist der nächste große Plan, was willst du jetzt aus deinem Leben machen?«

Nun, ich hatte immer noch ein wenig Geld, und die Unruhe trieb mich nach wie vor. Ich stand auf und spazierte aus dem Postamt. Ich würde mich in Südindien umsehen.

Den Leuten, die mich fragten, was ich arbeite, hätte ich gern gesagt: »Ich bin Doktor«, denn in unseren heutigen Zeiten sind die Ärzte die Garanten von Magie und Wundertat. Aber ich bin sicher, schon im nächsten Augenblick wären an der Ecke zwei Busse zusammengestoßen, alle hätten mich erwartungsvoll angesehen, und *inmitten der Schreie der Verletzten hätte ich erklären müssen, dass es so nicht gemeint gewesen, dass ich Doktor der Jurisprudenz sei; auf die Bitte, ihnen bei der Anklage gegen die Behörden zu helfen, die für das Unglück verantwortlich seien, hätte ich eingestehen müssen, dass es eigentlich doch nur ein Magister in Philosophie sei; auf die aufgeregten Rufe, wo denn der tiefere Sinn einer so blutigen Tragödie zu suchen sei, hätte ich antworten müssen, dass ich mir Kierkegaard für später aufgehoben hätte, und immer so weiter. Da war es schon besser, ich hielt mich an die beschämende Wahrheit.*

Unterwegs bekam ich immer wieder einmal zu hören: »Schrift-steller? Tatsächlich? Da habe ich eine Geschichte für Sie.« Meist waren es nur kleine Anekdoten, zu wenig zum Leben und zu viel zum Sterben.

Schließlich kam ich in die Stadt Pondicherry, ein winziges un-abhängiges Unionsterritorium südlich von Madras, an der Koro-mandelküste. Was Größe und Bevölkerung angeht, fällt die Stadt in Indien kaum ins Gewicht, aber die Geschichte hat dafür gesorgt, dass sie etwas Besonderes ist. Denn Pondicherry war einmal die Hauptstadt eines äußerst bescheidenen Kolonialstaates, Franzö-sisch-Indien. Die Franzosen hätten mit Freuden den britischen Raj überflügelt, sie lechzten danach, aber sie brachten es auf nicht mehr als eine Hand voll kleiner Häfen. Fast dreihundert Jahre lang klammerten sie sich daran. Pondicherry verließen sie 1954, und zurück blieben schmucke weiße Häuser, breite Straßen im rechten Winkel, Straßen mit Namen wie rue de la Marine oder rue Saint-Louis, und Képis für die Polizisten.

Ich saß im Indian Coffee House an der Nehru Street. Es besteht aus einem einzigen großen Raum mit grünen Wänden und einer hohen Decke. Oben drehen sich Ventilatoren und halten die warme, feuchte Luft in Bewegung. Aller verfügbare Platz ist mit den glei-chen quadratischen Tischen ausgefüllt, jeder mit vier Stühlen. Man setzt sich, wo man Platz findet, auch zu anderen an den Tisch. Es gibt guten Kaffee und Käsetoast. Wer sich unterhalten will, findet leicht Gesellschaft. Und so kam es, dass ein rüstiger alter Herr mit strahlenden Augen und schlohweißem Haar mich ansprach. Ich bestätigte ihm, dass es in Kanada kalt ist und dass tatsächlich in manchen Gegenden Französisch gesprochen wird, ich erzählte ihm, wie gut es mir in Indien gefalle und so weiter und so fort – was eben geredet wird zwischen freundlichen, neugierigen Indern und fremden Rucksacktouristen. Als er erfuhr, was ich arbeite, machte er große Augen und nickte bedeutungsvoll. Besser, ich sah zu, dass ich weiterkam. Ich hielt die Hand in die Höhe, versuchte die Aufmerksamkeit des Kellners zu erlangen und wollte die Rechnung bestellen.

Dann sagte der alte Herr: »Ich habe eine Geschichte, die Ihnen den Glauben an Gott geben wird.«

Ich ließ die Hand sinken, aber ich war auf der Hut. Klopfte da ein Zeuge Jehovas an meine Tür? »Spielt Ihre Geschichte vor zweitausend Jahren in einer entlegenen Ecke des römischen Reichs?«, fragte ich.

»Nein.«

Ein muslimischer Missionar womöglich? »Spielt sie im Arabien des siebten Jahrhunderts?«

»Aber nein. Sie fängt hier in Pondicherry an, vor ein paar Jahren, und endet, darf ich zu meiner Freude sagen, in dem Land, aus dem Sie kommen.«

»Und gibt mir den Glauben an Gott.«

»Ja.«

»Da hat sie sich aber viel vorgenommen.«

»Nicht so viel, dass es unmöglich wäre.«

Der Kellner kam. Ich zögerte einen Moment lang. Ich bestellte zwei Kaffee. Wir machten uns miteinander bekannt. Der alte Herr hieß Francis Adirubasamy. »Bitte«, sagte ich, »erzählen Sie mir Ihre Geschichte.«

»Aber Sie müssen gut aufpassen«, antwortete er.

»Das werde ich.« Ich holte Bleistift und Notizblock hervor.

»Verraten Sie mir«, fragte er, »waren Sie im Botanischen Garten?«

»Erst gestern.«

»Sind Ihnen die Schienen der Miniatureisenbahn aufgefallen?«

»Ja.«

»Sonntags fährt auch heute noch ein Zug, zur Unterhaltung für die Kinder. Aber früher fuhren die Bahnen tagein, tagaus, jede halbe Stunde. Haben Sie die Bahnhofsnamen bemerkt?«

»Einer heißt Roseville, gleich neben dem Rosengarten.«

»Stimmt. Und der andere?«

»Das weiß ich nicht mehr.«

»Das Schild haben sie abgenommen. Der andere Bahnhof hieß Zootown. Das waren die beiden Haltestellen für die Miniatureisenbahn: Roseville und Zootown. Früher gab es im Botanischen Garten von Pondicherry nämlich einen Zoo.«

Er erzählte weiter. Ich machte mir Notizen, die Grundzüge der Geschichte. »Sie müssen mit ihm reden«, sagte er und meinte den, der die Geschichte erlebt hatte. »Ich habe ihn sehr, sehr gut gekannt. Heute ist er ein erwachsener Mann. Fragen Sie ihn alles, was Sie wollen.«

Später in Toronto suchte ich unter neun Spalten von Patels im Telefonbuch den Richtigen heraus, den Helden der Geschichte. Mein Herz pochte, als ich die Nummer wählte. Die Stimme, die sich meldete, klang kanadisch, mit indischem Unterton, leicht und doch unmissverständlich, wie ein Hauch Weihrauch in der Luft. »Das ist schon so lange her«, sagte er. Aber mit einem Treffen war er einverstanden. Es wurden viele daraus. Er zeigte mir das Tagebuch, das er damals geführt hatte. Er zeigte mir die vergilbten Zeitungsausschnitte, Dokumente seiner kurzen, kuriosen Berühmtheit. Er erzählte mir, was er erlebt hatte. Und immer machte ich mir Notizen. Fast ein Jahr darauf erhielt ich nach beträchtlichen Anstrengungen ein Tonband und einen Bericht vom japanischen Verkehrsministerium. Und als ich jenem Tonband lauschte, da stimmte ich Mr Adirubasamy zu. Es war tatsächlich eine Geschichte, die einem den Glauben an Gott geben konnte.

Ich fand es nahe liegend, dass Mr Patel sie größtenteils in der Ichform erzählt – mit seiner eigenen Stimme, durch seine eigenen Augen gesehen. Alle Fehler oder Unstimmigkeiten gehen jedoch zu meinen Lasten.

Einigen Leuten sollte ich danken. Am meisten, das liegt auf der Hand, Mr Patel – meine Dankbarkeit ist so unendlich wie der

Pazifische Ozean. Ich hoffe, dass er nicht enttäuscht von der Art ist, wie ich seine Geschichte erzählt habe. Mr Adirubasamy danke ich, dass er den Anstoß dazu gab. Dass ich sie vollenden konnte, habe ich drei Männern zu verdanken, deren Gewissenhaftigkeit uns allen ein Vorbild sein kann: Mr Kazuhiko Oda, derzeit an der japanischen Botschaft in Ottawa; Mr Hiroshi Watanabe von der Oika Shipping Company; und ganz besonders Mr Tomohiro Okamoto vom japanischen Verkehrsministerium, jetzt im Ruhestand. Ebenfalls zu Dank verpflichtet bin ich Mr Moacyr Scliar, der dem Projekt Leben einhauchte. Und zuletzt möchte ich meinen tief empfundenen Dank jener großen Organisation aussprechen, dem Canada Council for the Arts, ohne dessen Stipendium dieses Buch, das nichts mit Portugal im Jahre 1939 zu tun hat, nie Gestalt angenommen hätte. Mitbürger, wenn wir unsere Künstler nicht unterstützen, dann opfern wir die Phantasie unseres Landes auf dem Altar der Alltäglichkeit, und am Ende werden wir an nichts mehr glauben können und keiner unserer Träume wird mehr etwas wert sein.

ERSTER TEIL

Toronto und Pondicherry

Kapitel 1

Ich hatte so viel gelitten, ich war ein finsterer und trauriger Mensch geworden.

Wissenschaftliche Arbeit und der Trost der Religion brachten mich allmählich ins Leben zurück. Meinem Glauben, so abwegig er manch einem auch vorkommen mag, bin ich treu geblieben. Nach einem Jahr auf der High School ging ich an die Universität von Toronto und schrieb mich für einen Bachelor-Studiengang mit zwei Hauptfächern ein. Die beiden Fächer waren Religionswissenschaften und Zoologie. Im ersten widmete ich meinen Examensessay gewissen Aspekten der Kosmogonie Isaak Lurias, des großen Kabbalisten, der im 16. Jahrhundert in Safed tätig war. Als Abschlussarbeit in Zoologie schrieb ich eine Funktionsanalyse der Schilddrüse des Dreifingerfaultiers. Ich wählte das Faultier, weil es mit seinem Lebenswandel – ruhig, still, in sich gekehrt – meinem zerrütteten Ich ein wenig Trost bot.

Es gibt Zweifingerfaultiere und es gibt Dreifingerfaultiere, wobei das Unterscheidungsmerkmal die Vorderbeine sind, denn an den Hinterbeinen haben alle Faultiere drei Finger. Ich hatte das große Glück, dass ich einen Sommer lang das Dreifingerfaultier in den Dschungeln von Äquatorialbrasilien *in situ* studieren konnte. Es ist ein äußerst faszinierendes Geschöpf. Im Grunde ist die Trägheit sein einziger Wesenszug. Es schläft oder ruht im Durchschnitt zwanzig Stunden am Tag. Unser Team untersuchte die

Schlafgewohnheiten von fünf wild lebenden Dreifingerfaultieren, indem wir ihnen am frühen Abend, wenn sie eingeschlafen waren, leuchtend rote, mit Wasser gefüllte Plas-
tikschälchen auf die Köpfe stellten. Wir konnten sehen,
dass sie am nächsten Morgen, wenn sich im Wasser schon
die Insekten tummelten, noch immer an Ort und Stelle waren. Am regsten ist das Faultier bei Sonnenuntergang, wobei das Wort *rege* hier mit größtmöglicher Relativität zu verstehen ist. Das Tier bewegt sich in seiner charakteristischen
hängenden Haltung mit einer Geschwindigkeit von etwa
400 Metern die Stunde den Ast eines Baumes entlang. Am
Boden kriecht es, wenn es motiviert ist, mit einem Tempo
von 250 Metern die Stunde zu seinem nächsten Baum, das
heißt 440-mal langsamer als ein motivierter Gepard. Unmo-
tiviert legt es vier bis fünf Meter die Stunde zurück.

Über die Außenwelt erfährt das Dreifingerfaultier nicht
viel. Auf einer Skala von 2 bis 10, bei der die 2 für außeror-
dentliche Dumpfheit und 10 für extreme Wachheit steht,
stufte Beebe (1926) den Tast-, Geschmacks- und Gesichtssinn und das Gehör des Faultiers mit 2 ein, den Geruchssinn mit 3. Trifft man auf freier Wildbahn auf ein schlafen-
des Dreifingerfaultier, so genügt es in der Regel, es zwei-
oder dreimal anzustoßen, um es zu wecken. Es wird sich
dann schläfrig in jede erdenkliche Richtung umsehen, nur
nicht in die, aus der der Stoß kam. Warum es sich umsieht,
weiß man allerdings nicht, denn das Faultier sieht wie Mr
Magoo alles nur durch einen Nebel. Was das Gehör angeht,
ist ein Faultier nicht wirklich taub; es interessiert sich nur
nicht für Geräusche. Beebe berichtet, dass er neben schlafenden oder fressenden Faultieren Gewehre abfeuerte und
kaum eine Reaktion damit hervorrief. Und den etwas höher entwickelten Geruchssinn eines Faultiers sollte man
auch nicht überschätzen. Es heißt, sie könnten abgestorbe-
ne Äste riechen und dann meiden, doch Bullock (1968) berichtet, dass Faultiere »häufig« zu Boden fallen, weil sie
sich an abgestorbenen Ästen festhalten.

Man fragt sich, wie ein solches Tier überleben kann.

Es überlebt, weil es so langsam ist. Trägheit und Schläfrigkeit schützen es vor allen Gefahren, sie sorgen dafür, dass ein Jaguar oder Ozelot, dass Harpyien und Anakondas das Faultier überhaupt nicht wahrnehmen. Im Pelz des Faultiers gedeiht eine Algenart, die in der Trockenzeit braun und in der Regenzeit grün ist, und so fügt sich das Tier stets in das Moos und Blattwerk seiner Umgebung ein und wirkt wie ein Ameisen- oder Eichhörnchennest oder einfach nur wie ein Teil des Baumes.

Das Dreifingerfaultier lebt ein friedliches Vegetarierleben in vollkommenem Einklang mit seiner Umgebung. »Stets hat es ein gutmütiges Lächeln auf den Lippen«, schreibt Tirler (1966). Es ist ein Lächeln, das ich mit meinen eigenen Augen gesehen habe. Ich bin keiner, der leichtfertig menschliche Charakterzüge oder Gefühlsregungen auf Tiere projiziert, doch viele Male, wenn ich in jenem Monat in Brasilien ein ruhendes Faultier betrachtete, hatte ich den Eindruck, dass ich in der Gegenwart eines an den Füßen hängenden, tief in seine Meditation versenkten Jogis war oder eines ganz dem Gebet ergebenen Eremiten, in der Gegenwart von Wesen großer Weisheit, deren inneres Leben jenseits all meiner wissenschaftlichen Forschungen lag.

Manchmal gerieten mir meine beiden Studienfächer durcheinander. Manche meiner Kommilitonen bei den Religionswissenschaftlern – wirrköpfige Agnostiker, die nicht wussten, welche Seite oben war, allesamt der Vernunft ergeben, jenem Katzengold der Intelligenz – erinnerten mich an das Dreifingerfaultier; und das Dreifingerfaultier, ein so perfektes Beispiel für das Wunder des Lebens, erinnerte mich an Gott.

Mit meinen Naturkundekollegen war das Leben leicht. Naturwissenschaftler sind ein freundliches, gottloses, hart arbeitendes, biertrinkendes Volk, dessen Verstand mit Sex, Schach und Baseball beschäftigt ist, wenn er einmal nicht an Wissenschaft denkt.

Ich war, wenn ich mich selbst loben darf, ein ausgezeichneter Student. Vier Jahre hintereinander war ich der Beste am St. Michael's College. Ich errang jede Auszeichnung, die das Zoologische Seminar zu vergeben hatte. Und wenn ich bei den Religionswissenschaftlern keins bekam, dann lag das schlicht und einfach daran, dass dort keine vergeben wurden (jeder weiß, dass der Lohn für solche Studien nicht in irdischer Hand liegt). Ich hätte die Medaille des Generalgouverneurs bekommen, die höchste Ehre, die von der Universität Toronto an Undergraduates vergeben wird – nicht wenige angesehene Kanadier haben sie erhalten –, wäre da nicht ein rotgesichtiger Rindfleischesser mit einem Hals wie ein Baumstamm und einer unerträglich guten Laune gewesen.

Noch heute tut es ein wenig weh, dass ich übergangen wurde. Wenn man viel im Leben gelitten hat, dann ist jeder neue Schmerz entsetzlich und belanglos zugleich. Mein Leben ist wie ein Vanitasstillleben eines alten Niederländers: Ich habe stets einen grinsenden Totenschädel zur Hand, der mich an die Vergeblichkeit allen menschlichen Strebens gemahnt. Ich verspotte diesen Schädel. Ich sehe ihn an und sage: »Da bist du an den Falschen geraten. Du glaubst vielleicht nicht an das Leben, aber ich glaube nicht an den Tod. Mach, dass du weiterkommst.« Der Schädel lacht gehässig und rückt noch ein Stückchen näher, aber das wundert mich nicht. Es ist ja nicht die biologische Notwendigkeit, die den Tod immer die Nähe des Lebens suchen lässt – es ist der Neid. Das Leben ist so schön, dass der Tod sich in es verliebt hat, ein eifersüchtiger, gieriger Liebhaber, der an sich rafft, was er zu fassen bekommt. Aber das Leben macht mühelos den Sprung über das Vergessen, verliert ein Eckchen oder zwei, nichts Wichtiges, und Düsternis ist nichts als der flüchtige Schatten einer Wolke. Der Rotgesichtige bekam auch das Rhodes-Stipendium. Ich trage es ihm nicht nach und ich hoffe, dass er in Oxford glücklich und weise geworden ist.

Sollte Lakshmi, die Göttin des Reichtums, mir jemals wohlgesonnen sein, dann ist Oxford die fünfte auf der Liste der Städte, die ich noch besuchen möchte, bevor meine Tage vorüber sind, nach Mekka, Varanasi, Jerusalem und Paris.

Zu meinem Arbeitsleben weiß ich nichts zu sagen, nur dass eine Krawatte eine Schlinge ist, und auch wenn man sie falsch herum um den Hals hat, kann sie einen Mann erwürgen, wenn er nicht Acht gibt.

Kanada liebe ich. Mir fehlen die indische Hitze, das Essen, die Eidechsen an den Wänden, die Musicals im Kino, die Kühe, die durch die Straßen ziehen, das Krächzen der Krähen, sogar die Diskussionen über Cricket – aber Kanada liebe ich. Es ist ein wunderbares Land, wenn auch nach allen vernünftigen Maßstäben viel zu kalt, ein Land bewohnt von aufrechten, klugen Menschen, die alle dringend einen besseren Friseur bräuchten. Und in Pondicherry habe ich nichts, wohin ich zurückkehren könnte.

Richard Parker ist bei mir geblieben. Ich habe ihn nie vergessen. Darf ich sagen, dass ich ihn vermisse? Ich vermisse ihn. In meinen Träumen erscheint er mir noch. Eigentlich sind es Alpträume, aber Alpträume voller Liebe. So etwas gibt es, so seltsam ist das menschliche Herz. Bis heute verstehe ich nicht, wie er mich einfach so verlassen konnte, ohne einen Abschiedsgruß, ja ohne einen Blick zurück. Das ist ein Schmerz wie ein Axthieb nach meinem Herzen.

Die Ärzte und Schwestern im Hospital in Mexiko waren unendlich freundlich zu mir. Auch die anderen Patienten. Krebskranke, Unfallopfer, sobald sie meine Geschichte hörten, kamen auf Krücken und in Rollstühlen herüber, sie wollten mich sehen, mit ihren ganzen Familien, obwohl kein Einziger von ihnen Englisch sprach, und ich sprach kein Spanisch. Sie lächelten mich an, schüttelten mir die Hand, streichelten mir den Kopf, ließen Essen und Kleider als Geschenke auf meinem Bett zurück. Sie rührten mich so sehr, ich lachte und weinte in einem fort, ich konnte nicht anders.

Schon binnen ein paar Tagen konnte ich stehen, sogar ein, zwei Schritte gehen, trotz Schwindel und Übelkeit und meiner großen Erschöpfung. Bluttests ergaben, dass ich anämisch war, mit sehr hohem Natrium- und niedrigem Kaliumgehalt im Blut. Wasser sammelte sich in meinem Körper, und die Beine schwollen entsetzlich an. Es sah aus, als hätte mich jemand auf ein Paar Elefantenbeine gestellt. Mein Urin war ein tiefdunkles Gelb, fast schon Braun. Nach einer guten Woche konnte ich schon wieder einigermaßen gehen und konnte Schuhe anziehen, wenn ich sie nicht zuband. Meine Haut wurde heil, auch wenn ich heute noch Narben auf Schultern und Rücken habe.

Das erste Mal, als ich einen Wasserhahn aufdrehte, war das laute, entsetzlich verschwenderische Gurgeln und Sprudeln ein solcher Schock, dass ich mich nicht mehr auf den Beinen halten konnte und mir in den Armen einer Krankenschwester die Sinne schwanden.

Als ich zum erste Mal in Kanada in ein indisches Restaurant ging, aß ich mit den Fingern. Der Kellner sah mich kritisch an, dann sagte er: »Na, frisch vom Boot, was?« Ich erbleichte. Meine Finger, noch in der Sekunde zuvor Geschmacksknospen, die das Essen ein paar Augenblicke früher genossen als die Zunge, wurden schmutzig unter seinen Augen. Sie erstarrten wie Gauner auf frischer Tat ertappt. Ich wagte nicht sie abzulecken. Verstohlen wischte ich sie an meiner Serviette ab. Er wusste nicht, wie tief diese Worte mich verletzten. Wie Nägel, die mir ins Fleisch getrieben wurden. Ich griff zu Messer und Gabel. Ich hatte solche Werkzeuge kaum je benutzt. Mir zitterten die Hände. Mein Sambar schmeckte nach gar nichts mehr.

Kapitel 2

Er wohnt in Scarborough. Ein schmaler, kleiner Mann – höchstens eins fünfundsechzig groß. Dunkles Haar, dunkle Augen. An den Schläfen erstes Grau. Älter als vierzig kann er nicht sein. Angenehm kaffeebraune Farbe. Trotz des milden Herbstwetters zieht er für den Weg zum Lokal einen dicken Winterparka mit Pelzkapuze an. Ausdrucksvolles Gesicht. Spricht schnell, Hände ständig in Bewegung. Kein Smalltalk. Immer gleich zur Sache.

Kapitel 3

Meinen Namen habe ich nach einem Schwimmbad. Sehr merkwürdig, wenn man bedenkt, wie wasserscheu meine Eltern waren. Einer der ersten Geschäftspartner meines Vaters war Francis Adirubasamy. Er wurde ein guter Freund der Familie. Ich habe ihn immer Mamaji genannt – *mama* ist das tamilische Wort für Onkel und *ji* ist die Nachsilbe, mit der man in Indien Respekt und Zuneigung ausdrückt. Als junger Mann, lange bevor ich zur Welt kam, war Mamaji ein erfolgreicher Wettkampfschwimmer gewesen, der Champion von ganz Südindien. Und so sah er sein Leben lang aus. Mein Bruder Ravi hat mir einmal erzählt, dass Mamaji bei seiner Geburt nicht aufhören wollte, Wasser zu atmen, und der Arzt musste ihn, damit er nicht erstickte, an den Füßen packen und über seinem Kopf kreisen lassen, immer und immer im Kreis herum.

»Das hat ihn gerettet!«, sagte Ravi und machte über seinem eigenen Kopf wilde Handbewegungen. »Er musste husten, das Wasser kam raus, und von da an hat er Luft geatmet; aber sein ganzes Fleisch und Blut ist dabei in den Oberkörper gegangen. Deshalb ist seine Brust so kräftig und die Beine sind so dünn.«

Ich glaubte es ihm. (Ravi hat mich immer geärgert. Das erste Mal, dass er Mamaji in meiner Gegenwart »Mr Fish«

nannte, habe ich ihm eine Bananenschale ins Bett gesteckt.) Selbst als er schon über sechzig war und ein wenig gebeugt ging, als die Schwerkraft eines ganzen Lebens die bei der Geburt nach oben geschleuderten Muskeln wieder erdwärts gezogen hatte, schwamm Mamaji noch jeden Morgen im Pool des Aurobindo-Aschrams seine dreißig Bahnen.

Er mühte sich, meinen Eltern das Schwimmen beizubringen, aber das Äußerste, was er erreichte, war, dass sie am Strand bis zu den Knien ins Wasser gingen und groteske Ruderbewegungen mit den Armen machten; wenn sie das Brustschwimmen übten, wirkten sie, als kämpften sie sich durch den Dschungel und teilten mit den Armen das hohe Gras, und wenn sie kraulten, sahen sie aus, als liefen sie einen Berg hinunter und versuchten mit den Armen die Balance zu halten. Ravi legte ähnliches Geschick an den Tag.

Erst als ich auf den Plan trat, fand Mamaji einen willigen Schüler. Am Tag, an dem ich ins schwimmfähige Alter kam – und das, erklärte Mamaji zum Entsetzen meiner Mutter, sei mit sieben Jahren –, ging er mit mir hinunter an den Strand, breitete die Arme zum Meer und rief: »Das ist mein Geschenk für dich!«

»Und dann hätte er dich beinahe ersäuft«, sagte Mutter.

Ich hielt meinem Schwimmguru die Treue. Unter seinem aufmerksamen Blick strampelte ich mit den Beinen, wühlte mit den Händen den Sand auf und drehte mit jedem Zug den Kopf, um Luft zu holen. Ich muss ausgesehen haben wie ein Kind, das in Zeitlupe einen Wutanfall bekommt. Dann ging es ins Wasser, er hielt mich an der Oberfläche, und ich tat mein Bestes, um zu schwimmen. Es war weit schwieriger als an Land. Aber Mamaji war geduldig und machte mir Mut.

Als ich die Grundbegriffe zu seiner Zufriedenheit erlernt hatte, ließen wir das Lachen und das Kreischen hinter uns, das Durcheinander, das Platschen, die blaugrünen

Wellen und die tosende Brandung, und nun kam das ordentliche Rechteck, die gleichmäßige Tiefe (und das Eintrittsgeld) des Schwimmbeckens im Aschram.

Meine ganze Kindheit lang ging ich mit ihm dreimal die Woche dorthin, ein frühmorgendliches Ritual jeden Montag, Mittwoch und Freitag, so gleichmäßig im Takt wie die Bewegungen eines guten Brustschwimmers. Ich sehe es noch vor mir, wie dieser würdige alte Herr neben mir seine Kleider auszog, wie mit jedem sorgfältig abgelegten Stück mehr von seinem Körper zum Vorschein kam, wobei stets der Anstand gewahrt blieb und er sich ganz zum Schluss ein wenig abwandte und dann eine prachtvolle ausländische Profibadehose überstreifte. Er streckte sich, dann war er bereit. Alles war von epischer Schlichtheit. Der Unterricht und später die Übungen waren hart, aber es war eine große Befriedigung, wenn man eine Technik immer schneller und besser beherrschen lernte, immer und immer wieder, fast zur Hypnose, und das Wasser wandelte sich vom geschmolzenen Blei zum flüssigen Licht.

Ans Meer kehrte ich allein zurück, ein heimliches Vergnügen, zu dem mich die mächtigen Wogen lockten, die ihre kleinen Ausläufer in Wellen auf den Strand schickten, sanfte Lassos, mit denen sie ihren willigen indischen Indianerjungen fingen.

Einmal, ich muss ungefähr dreizehn gewesen sein, schenkte ich Mamaji zum Geburtstag meine zwei ersten Bahnen Schmetterlingsstil. Nach der zweiten war ich so erschöpft, dass ich ihm kaum noch zuwinken konnte.

Es wurde nicht nur geschwommen, es wurde auch vom Schwimmen geredet. Das Reden war der Teil, den Vater mochte. Je standhafter er sich weigerte, tatsächlich ins Wasser zu gehen, desto glühender malte er es sich aus. Das Fachsimpeln unter Schwimmern war seine Erholung nach alldem, was täglich bei der Arbeit im Zoo zu bereden war. Wasser ohne ein Flusspferd drin war so viel leichter zu beherrschen als Wasser mit.

Mamaji hatte dank der Großzügigkeit der Kolonialver-
waltung zwei Jahre lang in Paris studiert. Das war Anfang
der dreißiger Jahre, als die Franzosen noch alles daransetz-
ten, Pondicherry so französisch zu machen, wie die Briten
den Rest von Indien britisch machen wollten. Ich kann
mich nicht mehr erinnern, was Mamaji dort studiert hat. Sicher etwas, das mit Wirtschaft zu tun hatte. Er konnte
wunderbar Geschichten erzählen, aber auf seine Erlebnisse am Eiffelturm oder im Louvre oder in den Cafés der
Champs-Élysées wartete man vergebens. Alle seine Geschichten hatten mit Schwimmbädern und Schwimmwett-
bewerben zu tun. Da gab es zum Beispiel die Piscine Deligny, das älteste Schwimmbad der Stadt, dessen Anfänge
bis ins Jahr 1796 zurückreichten; es war ein offenes Boot,
am Quai d'Orsay festgemacht, und im Jahr 1900 der Aus-
tragungsort für die Schwimmwettkämpfe der Olympi-
schen Spiele. Doch keine der Zeiten wurde vom Internationalen Schwimmverband anerkannt, denn das Becken
war sechs Meter zu lang. Das Wasser in diesem Becken
kam direkt aus der Seine, ungeklärt und ungeheizt. »Es
war kalt und schmutzig«, sagte Mamaji. »Das Wasser war
schon durch ganz Paris geflossen, und so sah es auch aus.
Und die Leute, die drin badeten, haben dafür gesorgt, dass
es noch ekliger wurde.« Vertraulich flüsternd, mit scho-
kierenden Beispielen, mit denen er seine These unter-
mauerte, versicherte er uns, dass der Standard der Körper-
hygiene bei den Franzosen ausgesprochen niedrig war.
»Deligny war schon schlimm, aber noch schlimmer war das
Bain Royal, auch so eine Latrine an der Seine. Im Deligny
haben sie wenigstens die toten Fische rausgeholt.« Aber
trotz allem war und blieb es ein Olympiabecken, und das
machte es unsterblich. Mochte es auch noch so eine Jau-
chegrube sein, Mamaji sprach von Deligny stets mit einem
seligen Lächeln.

Besser war man in den Piscines Château-Landon, Rou-
vet oder Boulevard de la Gare dran. Das waren Hallenbä-

der, die rund ums Jahr geöffnet hatten. Sie wurden gespeist vom Kondenswasser der Dampfmaschinen der umliegenden Fabriken, das sauberer und wärmer war. Doch auch diese Bäder waren ein wenig unappetitlich und oft überfüllt. »Da war so viel Schleim und Auswurf im Wasser, dass man das Gefühl hatte, man schwimmt zwischen Quallen«, lachte Mamaji.

Die Piscines Hébert, Ledru-Rollin und Butte-aux-Cailles waren helle, moderne, geräumige Bäder, die ihr Wasser aus eigenen Brunnen bezogen. Sie waren der Maßstab, an dem andere städtische Schwimmbäder gemessen wurden. Außerdem gab es natürlich die Piscine des Tourelles, das andere Olympiabad der Stadt, eröffnet 1924, als die Spiele zum zweiten Mal in Paris ausgetragen wurden. Und es gab weitere, viele weitere.

Doch kein anderes Bad konnte es in Mamajis Augen mit dem Glanz der Piscine Molitor aufnehmen. Das war das Nonplusultra der Badekultur von Paris, ja der gesamten zivilisierten Welt.

»Es war ein Schwimmbad für die Götter. Der Schwimmclub des Molitor war der beste in ganz Paris. Es hatte zwei Becken, ein offenes und ein überdachtes. Beide waren so groß wie zwei kleine Ozeane. Beim Innenbecken waren immer zwei Bahnen reserviert, damit Wettkampfschwimmer üben konnten. Das Wasser war so klar und rein, man hätte seinen Kaffee damit kochen können. Rund um das Becken standen hölzerne Umkleidekabinen, blau und weiß auf zwei Etagen. Von oben konnte man hinuntersehen und alles beobachten. Es gab Angestellte, die die Kabinen mit Kreide markierten, zum Zeichen, dass sie besetzt waren, hinkende alte Männer, freundlich auf ihre bärbeißige Art. Selbst das größte Gebrüll, das lauteste Palaver machte ihnen nichts aus. Die Duschen spendeten wunderbar wohl tuendes heißes Wasser. Es gab ein Dampfbad und eine Turnhalle. Im Winter wurde das Außenbecken zur Eisbahn. Es gab eine Bar, eine Cafeteria, eine große

Sonnenterrasse, sogar zwei kleine Strände mit echtem Sand. Alles war Messing, Kacheln und Holz, alles blitzblank. Es war – es war …«

Es war das einzige Schwimmbad, bei dem Mamaji die Worte fehlten, das einzige, wo er in Gedanken so viele Runden schwamm, dass er sie nicht mehr beschreiben konnte.

Mamaji hatte seine Erinnerungen, Vater seine Träume.

So kam ich zu meinem Namen, als ich drei Jahre nach Ravi als letzter, willkommener Spross meiner Familie das Licht der Welt erblickte: Piscine Molitor Patel.

Kapitel 4

Unsere wackere Nation war gerade erst sieben Jahre alt, da bekam sie mit einem weiteren kleinen Territorium Zuwachs. Am 1. November 1954 trat Pondicherry der Indischen Union bei. Dieses große Ereignis musste angemessen gewürdigt werden. Ein Teil des Botanischen Gartens wurde mietfrei für eine grandiose Geschäftsidee zur Verfügung gestellt, und im Handumdrehen hatte Indien einen nagelneuen Zoo, eingerichtet und betrieben nach den modernsten, biologisch fundierten Prinzipien.

Es war ein riesiger Zoo, hektargroß, so weitläufig, dass man eine Eisenbahn brauchte, um ihn zu erkunden – auch wenn er, die Bahn eingeschlossen, immer kleiner wurde, je älter ich wurde. Heute ist er so klein, dass er in meinen Kopf passt. Man muss sich einen heißen, feuchten Ort vorstellen, sonnendurchflutet und in strahlenden Farben. Rund ums Jahr blühen die Blumen. Bäume, Büsche, Schlingpflanzen wuchern – Pipal- oder Bobäume, Flamboyants, rote Ixoren, Wollbäume, Jakarandas, Mangos, Jackbäume und viele andere, von denen man nie wüsste, wie sie heißen, wenn nicht hübsche Schildchen davor stünden. Es gibt Bänke. Auf den Bänken sieht man Männer ausgestreckt liegen und schlafen, oder es sitzen Paare darauf, junge Paare, die sich verstohlene Blicke zuwerfen und deren Hände sich zufällig beim Gestikulieren berühren. Plötzlich bemerkt man zwischen den hohen, schlanken Bäumen zwei Giraffen, die einen in aller Ruhe betrachten. Der Anblick ist nicht die einzige Überraschung. Schon im nächsten Augenblick bricht eine große Affentruppe in ein ohrenbetäubendes Geschnatter aus, das nur noch von den schrillen Schreien fremdartiger Vögel übertönt wird. Man kommt an ein Drehkreuz. Gedankenverloren zahlt man ein kleines Eintrittsgeld. Man geht weiter und kommt an eine niedrige Mauer. Was erwartet man hinter einer niedrigen Mauer? Wohl kaum eine flache Grube mit zwei mächtigen Indischen Nashörnern. Aber genau das findet man. Und wenn man sich dann umdreht, bemerkt man den Elefanten, der schon die ganze Zeit dort gestanden hat, so groß, dass man ihn gar nicht gesehen hat. Und was da im Teich steht, sind Flusspferde. Je länger man hinsieht, desto mehr sieht man. Willkommen in Zootown!

Bevor er nach Pondicherry kam, führte mein Vater ein großes Hotel in Madras. Aber Tiere waren schon immer seine Leidenschaft gewesen, und so kam er zum Zoo. Ein ganz natürlicher Schritt, könnte man denken, vom Hotelier zum Zooleiter. Aber das stimmt nicht. Ein Zoo ist in vielem das, was für den Hotelier der größte Alptraum ist. Man bedenke: Die Gäste verlassen nie das Zimmer; alle erwarten Vollpension; dauernd bekommen sie Besuch, oft laut und ungezogen. Man muss warten, bis sie sich einmal auf den Balkon bequemen, damit man ihr Zimmer sauber machen kann, und dann muss man warten, bis sie genug von der Aussicht haben und ins Zimmer zurückkehren, bevor man den Balkon putzen kann; und sauber gemacht werden muss viel, denn die Gäste sind rücksichtslos wie Säufer. Jeder weiß ganz genau, was er auf der Speisekarte haben will, jeder beklagt sich über den schlechten Service, und kein Einziger gibt jemals Trinkgeld. Um ehrlich zu sein, haben viele auch einen Zug zum Perversen. Entweder sind sie furchtbar gehemmt, und umso vehementer machen sich die unterdrückten Triebe dann von Zeit zu Zeit Luft, oder sie sind unverhohlen lüstern, und in beiden Fällen sorgen die unerhörtesten Sex- und Inzestorgien für Beschwerden am laufenden Band. Sind das etwa die Gäste, die man in seinem Gasthaus haben will? Der Zoo von Pondicherry war ein Quell von ein wenig Freude und weitaus mehr Kopfschmerz für Mr Santosh Patel – Gründer, Eigentümer, Direktor, Chef von dreiundfünfzig Angestellten und mein Vater.

Für mich war es das Paradies auf Erden. Ich habe an meine Kindheit im Zoo nur schöne Erinnerungen. Es war ein fürstliches Leben. Welcher Sohn eines Maharadschas hatte einen so prachtvollen Garten, in dem er spielen konnte? Welcher Palast hatte eine solche Menagerie? Mein Wecker in meinen Kinderjahren war ein Löwenrudel. Es war zwar keine Schweizer Uhr, aber man konnte sich darauf verlassen, dass sie sich jeden Morgen zwischen halb sechs und sechs die Seele aus dem Leib brüllten. Das Geschrei der Brüllaffen, die Pfiffe der Beos und das Krächzen der Molukkenkakadus war die Begleitmusik zum Frühstück. Wenn ich zur Schule ging, tat ich das nicht nur unter den wohlwollenden Blicken meiner Mutter, sondern auch dem der blitzäugigen Otter, der stämmigen amerikanischen Bisons und der Orang-Utans, die dazu gähnten und sich streckten. Unter den Bäumen hatte ich immer den Blick nach oben gerichtet, auf der Hut vor Pfauen, die einen bekackten. Besser, man hielt sich an jene Bäume, in denen die großen Kolonien von Flughunden hingen; in dieser frühen Morgenstunde war von ihnen kein anderer Angriff zu befürchten als das wilde Durcheinander ihres Pfeif- und Schnatterkonzerts. Auf dem Weg zum Ausgang hielt ich vielleicht noch an den Terrarien und sah mir die glitzernden Frösche an, grasgrün, gelb mit dunklem Blau oder braun und blassgrün. Oder es waren Vögel, die meine

Aufmerksamkeit erregten: rosa Flamingos und schwarze Schwäne und Goldhalskasuare, oder etwas Kleineres, Diamanttäubchen, Glanzstare, Inséparables, Nanday- und Goldbauchsittiche. Die Elefanten, die Seehunde, die Tiger und die Bären schliefen um diese Zeit noch, aber Paviane, Makaken, Mangaben, Gibbons, Gazellen, die Tapire, die Lamas, die Giraffen, die Mungos, das waren Frühaufsteher. Und jeden Morgen nahm ich, kurz bevor ich den Zoo durch das Hauptportal verließ, noch ein letztes Bild mit, etwas ganz Alltägliches und doch Unvergessliches: eine Schildkrötenpyramide, die schillernde Schnauze eines Mandrills, das vornehme Schweigen einer Giraffe, das Maul eines gähnenden Flusspferds, ein Ara, der mit Krallen und Schnabel den Drahtzaun emporklettert, das Begrüßungsklappern eines Schuhschnabels, der senile, lüsterne Gesichtsausdruck eines Kamels. All diese Reichtümer konnte ich im Vorbeigehen haben, auf dem Weg in die Schule. Am Nachmittag machte ich dann in Ruhe meine Experimente, wie es war, wenn ein Elefant einem die Kleider absuchte, in der friedlichen Hoffnung, dass er eine versteckte Nuss fand, oder ein Orang-Utan einem die Haare auf der Suche nach einem kleinen Läuseimbiss durchkämmte, das enttäuschte Schnaufen, wenn er einsehen musste, dass auf diesem Kopf nichts zu holen war. Ich wünschte, ich könnte die Vollkommenheit beschreiben, mit der ein Seehund ins Wasser glitt, ein Klammeraffe sich von Ast zu Ast schwang, ein Löwe auch nur seinen Kopf drehte. Doch unsere Sprache scheitert in solcher See. Besser, man malt sich in Gedanken die Bilder aus, wenn man es empfinden möchte.

Wie in der Natur sind auch im Zoo die besten Zeiten für einen Besuch der Sonnenauf- und der Sonnenuntergang. Das sind die Zeiten, zu denen die meisten Tiere zum Leben erwachen. Sie kommen aus ihren Verstecken hervor und schleichen auf Zehenspitzen ans Wasser. Sie zeigen ihre Prachtgewänder. Sie singen ihre Lieder. Sie lassen sich auf den anderen ein, vollführen ihre Rituale. Der Lohn für das aufmerksame Auge, das gespitzte Ohr, ist groß. Ich könnte die Stunden nicht zählen, die ich als stiller Zeuge der so kunstvoll stilisierten und so unendlich vielfältigen Erscheinungsformen des Lebens, der Zierde unseres Planeten, verbracht habe. Es ist etwas so Grelles, Schreiendes, Verrücktes und doch so Zartes, dass es alle Sinne benommen macht.

Über Zoos hört man fast genauso viel Unsinn wie über Gott und die Religion. Wohlmeinende, aber schlecht informierte Leute denken, Tiere in freier Wildbahn seien »glücklich«, weil sie »frei« sind. Die Leute haben dabei meist ein großes, gut aussehendes Raubtier vor Augen, einen Löwen oder Geparden (das Leben eines Gnus oder Erdferkels ist weniger spektakulär). Sie stellen sich das wilde Tier vor, wie es nach dem Verzehr einer Beute, die ihr Los gefügig ertragen hat, einen Verdauungsspaziergang durch die Savanne macht, damit es nach dem viel zu reichlichen Essen kein Fett ansetzt. Sie stellen sich vor, wie dieses Tier stolz und zärtlich für seinen Nachwuchs sorgt, wie die ganze Familie gemeinsam auf den Ästen eines Baumes sitzt, den Sonnenuntergang bewundert und dabei zufrieden seufzt. Das Leben der wilden Tiere, glauben sie, ist einfach, edel und sinnerfüllt. Dann wird ein solches Tier von den bösen Menschen gefangen und in eine winzige Gefängniszelle gesperrt. Mit seinem »Glück« ist es damit vorbei. Es sehnt sich entsetzlich nach seiner »Freiheit« und denkt nur noch daran, wie es entkommen kann. Wird ihm diese »Freiheit« zu lange verwehrt, wird das Tier zum bloßen Schatten seiner selbst, sein Wille gebrochen. So etwas glauben die Leute.

Aber es ist nicht wahr.

Das Leben der Tiere in der Wildnis wird von Zwang und Notwendigkeit bestimmt, sie leben in einem unerbittlichen System von Macht und Unterwerfung, in einer Welt, in der es Furcht im Überfluss gibt und Nahrung knapp ist, in der ein Revier rund um die Uhr verteidigt werden muss und Parasiten nie auszurotten sind. Was bedeutet in so einer Welt Freiheit? In der Praxis sind Tiere der Wildnis weder in der Zeit noch im Raum frei und auch nicht in ihren persönlichen Bindungen. In der Theorie – das heißt als rein physische Möglichkeit betrachtet – könnte ein Tier überallhin gehen und alle sozialen Konventionen und Grenzen seiner Spezies hinter sich lassen. Aber ein solcher Schritt ist im Tierreich noch unwahrscheinlicher, als bei unserer eigenen Gattung, wo zum Beispiel ein Kaufmann mit allen dazugehörigen Bindungen – an Familie, Freunde, die Gesellschaft – alles hinwerfen und sein Leben hinter sich lassen könnte, davonspazieren mit nichts als dem Kleingeld in der Tasche und den Kleidern am Leib. Wenn ein Mensch, das wagemutigste und intelligenteste aller Geschöpfe, nicht einfach hinaus in die Welt zieht und ein Fremder unter Fremden wird, warum sollte dann ein Tier, das von Natur aus weit konservativer ist, es tun? Denn genau das sind Tiere: konservativ, ja geradezu reaktionär. Die kleinsten Veränderungen bringen sie aus der Fassung. Sie wollen, dass die Dinge bleiben, wie sie sie kennen, Tag für Tag, Monat für Monat. Überraschungen sind ganz und gar nicht nach ihrem Geschmack. Man sieht das an ihrem Revierverhalten. Ein Tier, ob im Zoo oder in der Wildnis, bewohnt einen bestimmten Raum, wie Schachfiguren sich über ein Schachbrett bewegen – jeder Zug bedeutet etwas. Wenn eine Eidechse, ein Bär oder ein Reh an einer bestimmten Stelle steht, dann ist das genauso wenig zufällig, genauso wenig »frei« wie die Stellung eines Springers auf einem Schachbrett. Beide künden von einem Muster, einer Absicht. Ein Tier in der Wildnis nimmt immer wieder denselben Weg, Jahr für Jahr, und immer wieder aus demselben Grund. Wenn im Zoo ein Tier nicht an seinem gewohnten Platz in seiner gewohnten Haltung zur gewohnten Stunde ist, dann bedeutet das etwas. Vielleicht ist es nur der Niederschlag einer winzigen Veränderung in seiner Umgebung. Ein zusammengerollter Schlauch, den der Wärter vergessen hat, wirkt wie eine Bedrohung. Eine Pfütze ist entstanden und irritiert. Eine Leiter wirft einen Schatten. Aber es könnte auch mehr bedeuten. Im schlimmsten Falle könnte es das sein, was ein Zoodirektor am meisten fürchtet: ein Symptom, das Vorzeichen einer kommenden Katastrophe, ein Anlass, den Kot zu inspizieren, den Wärter ins Verhör zu nehmen, den Tierarzt zu rufen. Und alles nur, weil ein Storch anderswo steht und nicht an seinem üblichen Platz!

Aber zunächst wollen wir uns auf einen einzelnen Aspekt dieser Frage konzentrieren.

Wenn Sie zu einem Haus gingen, die Tür einträten, die Leute, die dort wohnen, hinaus auf die Straße scheuchten und riefen: »Geht! Ihr seid frei! Frei wie ein Vogel! Hinaus mit euch!« – meinen Sie, die Leute würden vor Freude tanzen? Bestimmt nicht. Vögel sind nicht frei. Die Leute, die Sie gerade vertrieben haben, würden protestieren: »Was gibt dir das Recht, uns hinauszuwerfen? Das ist unser Zuhause. Das gehört uns. Wir wohnen hier schon seit Jahren. Wir holen die Polizei, du Ganove.«

Sagen wir denn nicht: »Trautes Heim, Glück allein«? Und genau das sagen die Tiere auch. Tiere haben ein Revier. Das ist die Grundlage für ihre Orientierung. Nur in einem festen Revier können sie die beiden Aufgaben bewältigen, die ihnen die Wildnis ihr Leben lang stellt: nimm dich in Acht vor deinen Feinden, suche Nahrung und Wasser. Ein biologisch korrektes Zoogehege – ob Käfig, Grube, Insel, Pferch, Terrarium, Aquarium oder Volière – ist ein Territorium wie jedes andere; der einzige Unterschied ist die beschränkte Größe und die Nähe zum Revier der Menschen. Gewiss, es ist kleiner als in der Natur. Aber Reviere in der Natur sind nicht groß, weil die Tiere es gern haben, sondern weil die Notwendigkeit es fordert. In einem Zoo bieten wir den Tieren das, was wir uns selbst mit unseren Häusern bieten: wir konzentrieren auf engem Raum, was in der Wildnis weit verteilt ist. In früheren Zeiten war hier die Höhle, dort der Fluss, die Jagdgründe eine Meile entfernt, der Ausguck zwei Felsen weiter, und die Beeren wuchsen wiederum anderswo – und überall Löwen, Schlangen, Ameisen, Blutegel und Fingerhut –; heute kommt der Fluss aus dem Wasserhahn, und wir können uns gleich an unserem Schlafplatz waschen, wir können da essen, wo wir kochen, und wir können alles mit einer Mauer umgeben, die uns schützt und die uns hilft, es sauber und warm zu haben. Ein Haus ist ein komprimiertes Revier, in dem wir unsere Grundbedürfnisse in Sicherheit und in nächster Nähe erfüllen können. Das Gegenstück für ein Tier ist ein gutes Zoogehege (wobei, anders als in menschlichen Behausungen, die Feuerstelle oder Vergleichbares fehlt). Wenn ein Tier an diesem einen Ort alle Orte findet, die es braucht – einen Beobachtungsposten, einen Ruheplatz, Nahrung, Wasser, einen Platz, an dem es baden und sich pflegen kann und so weiter –, und wenn es feststellt, dass es gar nicht mehr jagen muss, weil alle Tage lang der Fressnapf gefüllt wird, dann wird ein Tier seinen Lebensraum im Zoo genauso in Besitz nehmen, wie es sich in einem neu gefundenen Raum in der Wildnis einrichten würde, es würde ihn erforschen und nach der Art seiner Spezies markieren, mit Urin vielleicht. Ist dieses Einzugsritual erst einmal beendet und das Tier hat sich eingerichtet, wird es sich nicht unsicher wie ein Mieter fühlen und schon gar nicht wie ein Gefangener, sondern eher wie ein Landbesitzer, und es wird sich in seinem Gehege genau so verhalten, wie es das in seinem Revier in der Wildnis tun würde – und es mit Zähnen und Klauen verteidigen, sollte jemand eindringen wollen. Ein solches Gehege wird ein Tier weder als besser noch als schlechter empfinden als die Wildnis; solange es die Bedürfnisse eines Tieres erfüllt, ist ein Revier, ob nun künstlich oder natürlich, einfach da, es wird nicht beurteilt, sondern als selbstverständlich genommen wie die Flecken eines Leoparden. Man könnte sogar anführen, dass ein Tier, könnte es mit Verstand seine Lebensbedingungen wählen, sich für den Zoo entscheiden würde, denn der Hauptunterschied ist, dass es im Zoo keine Parasiten und keine Feinde gibt, dafür Nahrung im Überfluss, anders als in der Wildnis, wo daran stets Mangel herrscht. Überlegen Sie doch: Würden Sie nicht auch lieber im Ritz leben, Zimmerservice und medizinische Versorgung kostenlos, statt auf der Straße, wo keiner sich um Sie kümmert? Aber Tiere können keine solchen Entscheidungen fällen. Sie nehmen, was sie finden, und richten sich damit ein, so gut es ihre Natur erlaubt.

Ein guter Zoo hat gute Demarkationslinien: Genau da, wo ein Tier uns mit seinem Urin oder sonst einem Sekret zu verstehen gibt: »Bleib draußen!«, sagen wir mit unseren Zäunen zu ihm: »Bleib drin!« Mit einem solchen Burgfrieden sind die Tiere stets zufrieden, und man kann entspannt einen Blick aufeinander werfen.

In der Fachliteratur finden sich massenhaft Berichte über Tiere, die die Möglichkeit hatten zu fliehen und die trotzdem geblieben sind oder die entflohen und zurückkehrten. Da ist zum Beispiel der Fall des Schimpansen, dessen Käfigtür unverschlossen geblieben war und sich geöffnet hatte. Der Affe geriet mehr und mehr in Panik, schrie laut und schlug – jedes Mal mit einem ohrenbetäubenden Knall – immer wieder die Tür zu, bis ein Besucher den Wärter holte, der die Ordnung wiederherstellte. In einem europäischen Zoo wurde einmal das Gatter zu einem Wildgehege offen gelassen, und ein Rudel Rehe entwich. Aus Furcht vor den Besuchern flohen sie in einen nahe gelegenen Wald, der einen eigenen Rehbestand hatte und weitere Tiere hätte ernähren können. Trotzdem kehrten die Zootiere schon bald in ihr Gehege zurück. In einem anderen Zoo ging ein Arbeiter frühmorgens zu seiner Baustelle, ein Bündel Bretter auf der Schulter, als zu seinem Schrecken aus dem Morgennebel ein Bär auftauchte und direkt auf ihn zukam. Der Mann ließ die Bretter fallen und lief um sein Leben. Die Zoobelegschaft machte sich sogleich auf die Suche nach dem entlaufenen Bären. Sie fand ihn in seiner Grube, wohin er über den umgestürzten Baum, der ihn auch in die Freiheit geführt hatte, zurückgeklettert war. Vermutlich hatte der Lärm der zu Boden prasselnden Bretter ihn erschreckt.

Aber ich will Ihnen nicht zur Last fallen. Ich will Ihnen die Zoos nicht anpreisen. Schließen Sie sie alle, wenn Sie wollen (und lassen Sie uns hoffen, dass das, was vom Tierleben noch bleibt, in dem überleben kann, was von der Natur noch bleibt). Ich weiß, die Menschen mögen keine Zoos mehr. Und keine Religion. Beide sind einem Trugbild, einer falschen Idee von Freiheit zum Opfer gefallen.

Den Zoo von Pondicherry gibt es nicht mehr. Seine Gruben sind mit Erde zugeschüttet, die Käfige niedergerissen. Wenn ich ihn heute besuche, dann besuche ich ihn am einzigen Ort, der ihm geblieben ist – in meiner Erinnerung.

Kapitel 5

Die Geschichte mit meinem Namen ist noch nicht zu Ende. Wenn jemand Bob heißt, dann fragt keiner: »Wie schreibt sich das?« Bei Piscine Molitor Patel ist das anders.

Manche glaubten, der Vorname heiße P. Singh; sie schlossen daraus, dass ich Sikh bin und fragten, wo mein Turban sei.

In Studientagen bin ich einmal mit Freunden nach Montreal gefahren. Abends wurde Pizza bestellt, und einmal war ich damit an der Reihe. Ich konnte den Gedanken nicht ertragen, dass wieder einer von den Frankokanadiern losprustete, wenn ich meinen Namen sagte, und als der Mann vom Pizzaservice am Telefon fragte: »Ihren Nam' bitte?«, antwortete ich auf Englisch: »I am who I am«, ich bin, wer ich bin. Eine halbe Stunde darauf kamen zwei Pizzas, adressiert an »Ian Hoolihan«.

Eine Weisheit sagt, dass Menschen, denen wir begegnen, uns verändern, und manchmal verändern sie uns so sehr, dass wir danach nicht mehr dieselben sind, ja nicht einmal mehr denselben Namen haben. Denken Sie an Simon, der zum Petrus wird, Matthäus, der einmal Levi hieß, Nathaniel, der sich zum Bartholomäus wandelte, Judas – nicht Ischariot –, der den Namen Thaddäus annahm; Simeon hatte einmal Niger geheißen, und Saulus wurde zum Paulus.

Mein römischer Soldat stand eines Morgens, als ich zwölf Jahre alt war, auf dem Schulhof. Ich war eben eingetroffen, und ein Geistesblitz des Bösen fuhr ihm durch seinen dumpfen Verstand. Er hob den Arm, zeigte mit dem Finger auf mich und brüllte: »He, da ist *Pisser* Patel!«

Im nächsten Augenblick lachten alle. Es verebbte, als wir zum Unterrichtsbeginn Aufstellung nahmen. Ich trat als Letzter in die Klasse, auf dem Haupt meine Dornenkrone.

Jeder weiß, wie grausam Kinder sind. Immer wieder drangen unerwartet, unvorbereitet die Worte über den Schulhof zu mir: »Ich muss mal. Wo ist denn hier für Pisser?« Oder: »Du stehst ja da an der Wand wie 'n Pisser.« Oder sonst etwas in dieser Art. Ich stand da wie erstarrt oder machte im Gegenteil umso beflissener mit dem weiter, womit ich gerade beschäftigt war, und tat, als hätte ich nichts gehört. Der Klang verschwand, aber der Schmerz blieb, so wie es weiter nach Pisse riecht, wenn sie schon längst getrocknet ist.

Selbst die Lehrer machten mit. Es muss die Hitze gewesen sein. Als der Tag voranschritt, weitete sich die Erdkundestunde, die am Morgen kompakt wie eine Oase begonnen hatte, zur Wüste Thar; die Geschichtsstunde, so lebendig, als der Tag noch jung war, trocknete ein; die Mathematikstunde, die so präzise ihren Anfang nahm, verlief im Sande. In der Erschöpfung des Nachmittags, als sie sich Stirn und Nacken mit ihren Taschentüchern wischten, vergaßen selbst die Lehrer, die mir nichts Böses, nicht einmal einen Lacher ernten wollten, das Versprechen des kühlen Nass, das mein Name war, und sprachen ihn aus schierer Trägheit auf seine beleidigende Weise aus. Es waren kaum wahrnehmbare Veränderungen der Laute, aber ich hörte sie doch. Ihre Zungen waren wie antike Wagenlenker, denen die Pferde durchgingen. Die erste Silbe, das *Pi*, bewältigten sie noch gut, aber dann wurde die Hitze zu groß, sie ließen den Rössern, die mit schäumendem Maul dahinstoben, die Zügel schießen, und es gelang ihnen nicht mehr, sie durch die zweite Silbe, das *scine*, zu steuern. Das Wort verlief sich, war kaum noch mehr als ein *se*, und schon war der Schaden angerichtet. Ich meldete mich, wollte eine Antwort geben, und wurde mit einem »Ja, Pisser?« drangenommen. Oft merkten die Lehrer überhaupt nicht, was sie da gerade gesagt hatten. Sie warteten, dann sahen sie mich fragend an, weil keine Antwort kam. Und manchmal war die ganze Klasse so niedergedrückt von der Hitze, dass keiner mehr reagierte. Kein Kichern, kein Lächeln. Aber ich hörte die Demütigung doch.

Mein letztes Jahr an der Sankt-Joseph-Schule verbrachte ich wie der verfolgte Prophet Mohammed in Mekka, Friede sei mit ihm. Doch so wie er seine Flucht nach Medina plante, die Hedschra, die zum Anfang der muslimischen Zeitrechnung werden sollte, so plante ich meinen Schulabgang als den Beginn einer neuen Ära.

Als ich die Joseph-Schule hinter mir hatte, ging ich aufs Petit Séminaire, die beste englischsprachige Privat-Oberschule in Pondicherry. Ravi war schon dort, und wie jeder jüngere Bruder hatte ich es schwer, als ich in die Fußstapfen des erfolgreichen älteren trat. Er war am Petit Séminaire der beste Sportler seiner Generation, ein perfekter Ballund ein gefürchteter Schlagmann, Captain der besten Cricketmannschaft der Stadt, der Kapil Dev von Pondicherry.

Dass ich schwimmen konnte, rührte keinen; es ist anscheinend ein Naturgesetz, dass Leute, die am Meer wohnen, nichts von Schwimmern halten, so wie Bergbewohner den Bergsteigern misstrauen. Aber nicht der Schatten, den mein großer Bruder warf, sollte mein Entkommen sein, auch wenn mir jeder Name lieber gewesen wäre als »Pisser«, sogar »Ravis Bruder«. Aber ich hatte einen besseren Plan.

Gleich am ersten Schultag setzte ich ihn in die Tat um, in der ersten Stunde. Ich saß zwischen anderen Schülern von Sankt Joseph in meiner Bank. Der Unterricht begann, wie stets der erste Schultag beginnt, mit dem Aufsagen der Namen. Jeder sagte seinen Namen, in der Reihenfolge, in der wir saßen.

»Ganapathy Kumar«, sagte Ganapathy Kumar.

»Vipin Nath«, sagte Vipin Nath.

»Shamshool Hudha«, sagte Shamshool Hudha.

»Peter Dharmaraj«, sagte Peter Dharmaraj.

Bei jedem Namen machte der Lehrer ein Häkchen auf seiner Liste und sah kurz auf, um sich das Gesicht einzuprägen. Ich war entsetzlich aufgeregt.

»Ajith Giadson«, sagte Ajith Giadson, vier Reihen weiter vorn …

»Sampath Saroja«, sagte Sampath Saroja, drei Reihen …

»Stanley Kumar«, sagte Stanley Kumar, zwei Reihen …

»Sylvester Naveen«, sagte Sylvester Naveen, direkt vor mir.

Jetzt war ich dran. Zeit, Satan in seine Schranken zu weisen. Auf nach Medina.

Ich sprang auf und lief an die Tafel. Bevor der Lehrer etwas einwenden konnte, griff ich mir ein Stück Kreide und schrieb mit, was ich sagte:

Ich heiße
Piscine Molitor Patel,
besser bekannt als

– ich unterstrich doppelt die ersten beiden Buchstaben meines Vornamens –

Pi Patel

Und um es noch deutlicher zu machen, fügte ich hinzu:

$$\pi = 3{,}14$$

und zeichnete einen großen Kreis, den ich dann mit einem Strich durch die Mitte in zwei Hälften teilte, damit auch der Letzte begriff, auf welchen Grundsatz der Geometrie ich anspielte.

Alles schwieg. Der Lehrer starrte die Tafel an. Mir stockte der Atem. Dann sagte er: »Gut, Pi. Setzen. Aber das nächste Mal fragst du um Erlaubnis, bevor du deinen Platz verlässt.«

»Jawohl, Sir.«

Er machte sein Häkchen hinter meinen Namen. Und sah den nächsten Jungen an.

»Mansoor Ahamad«, sagte Mansoor Ahamad.

Ich war gerettet.

»Gautham Selvaraj«, sagte Gautham Selvaraj.

Ich konnte wieder atmen.

»Arun Annaji«, sagte Arun Annaji.

Ein neuer Anfang.

Ich wiederholte das Kunststück bei jedem Lehrer. Wiederholung ist wichtig, ob man nun Tiere trainiert oder Menschen. Eingerahmt von zwei Jungen mit ganz gewöhnlichen Namen, stürmte ich nach vorn und schrieb, bisweilen unter grässlichem Quietschen, den Namen meiner Neugeburt an die Wand. Es dauerte nicht lange, und die Jungs sprachen im Gleichklang mit, ein Crescendo, das, nachdem alle in dem Augenblick, in dem ich die richtige Note unterstrich, Luft geholt hatten, so triumphal in meinem neuen Namen gipfelte, dass es der Stolz jedes Chorleiters gewesen wäre. Ich schrieb, so schnell ich konnte, und ein paar Jungs feuerten mich mit einem »Drei! Komma! Eins! Vier!« an, und das Konzert endete mit meinem Strich durch den Kreis, den ich mit einer solchen Vehemenz zog, dass die Kreidestücken flogen.

Wenn ich an jenem Tag die Hand hob – und ich tat es bei jeder Gelegenheit –, dann erteilten die Lehrer mir das Wort mit einer einzigen Silbe, die Musik in meinen Ohren war. Die Schüler schlossen sich an, selbst die Teufel von Sankt Joseph. Der Name setzte sich durch. Wahrlich, wir sind eine Nation von Baumeistern: kurz danach benannte ein Junge namens Omprakash sich in Omega um, ein anderer nannte sich Ypsilon, und eine Zeit lang hatten wir auch Gamma, Lambda und Delta. Aber ich war der Erste und Dauerhafteste unter den Griechen vom Petit Séminaire. Selbst mein Bruder, der Captain der Cricketmannschaft, Liebling der Stadt, fand Gefallen daran. In der folgenden Woche nahm er mich beiseite.

»Ich höre, du hast einen neuen Spitznamen?«, fragte er.

Ich blieb still. Was immer er sich an Gemeinheit ausgedacht hatte, würde ich ertragen müssen. Es gab kein Entkommen.

»Wusste ja gar nicht, dass du so für die Farbe Gelb schwärmst.«

Gelb? Ich sah mich um. Keiner durfte hören, was jetzt kommen würde, schon gar nicht die Schläger. »Ravi, was meinst du damit?«, flüsterte ich.

»Oh, mir ist das egal, Bruderherz. Alles ist besser als ›Pisser‹. Sogar ›Pipi‹.«

Als er sich davonmachte, sagte er noch: »Du siehst ziemlich rot im Gesicht aus.«

Aber er behielt es für sich.

Und so fand ich in dem griechischen Buchstaben, der aussieht wie ein Schuppen mit einem Wellblechdach drauf, in jener rätselhaften, irrationalen Zahl, mit der die Wissenschaftler das Universum begreifen wollen, meine Zuflucht.

Kapitel 6

Er ist ein ausgezeichneter Koch. Sein stets überheiztes Haus ist erfüllt von Essensduft. Sein Gewürzregal sieht aus wie ein Apothekerladen. Wenn er Schrank oder Kühlschrank öffnet, sehe ich viele Markennamen, von denen ich noch nie gehört habe; ich könnte nicht einmal sagen, in welcher Sprache die Etiketten sind. Wir sind in Indien. Aber auch die westliche Küche beherrscht er perfekt. Er macht mir die würzigsten und doch feinsten Makkaroni mit Käse, die ich je bekommen habe. Und um seine Gemüsetacos würde ihn ganz Mexiko beneiden.

Und noch etwas fällt mir auf: Alle Schränke sind zum Bersten gefüllt. Hinter jeder Tür, auf jedem Brett stehen säuberlich gestapelt Berge von Dosen und Päckchen. Ein Nahrungsvorrat, mit dem man die Belagerung von Leningrad überstehen könnte.

Kapitel 7

Ich habe Glück gehabt und bin in jungen Jahren an einige gute Lehrer geraten, Männer und Frauen, die Zugang zur finsteren Höhle meines Kopfes fanden und dort ein Streichholz entzündeten. Einer davon war Mr Satish Kumar, mein Biologielehrer am Petit Séminaire und ein kommunistischer Aktivist, der nie die Hoffnung aufgab, dass wir in Tamil Nadu uns ein Beispiel am benachbarten Kerala nehmen würden statt dass wir Filmstars ins Parlament schickten. Er war sehr merkwürdig anzusehen. Sein Schädel war kahl und spitz, doch darunter saßen die dicksten Backen, die ich je bei einem Menschen gesehen habe; ebenso weiteten sich die schmalen Schultern zu einem massigen Bauch, der an den Sockel eines Berges denken ließ, nur dass dieser Sockel in der Luft schwebte, denn mit einer abrupten Kante endete er da, wo der Hosengürtel ihn einzwängte. Ich habe nie verstanden, wie die stockdürren Beine das Gewicht tragen konnten, das auf ihnen ruhte, aber sie schafften es, auch wenn sie sich bisweilen anders bewegten als man erwartete – so als könnte er seine Knie in jede gewünschte Richtung knicken. Sein Körperbau war geometrisch: zwei Dreiecke, ein kleines und ein großes, saßen auf zwei parallelen Linien. Aber organisch, mit ziemlich vielen Warzen sogar und schwarzen Haarbüscheln, die zu den Ohren herauslugten. Und freundlich war er. Wenn er lächelte, nahm es die gesamte Basis seines Kopfdreiecks ein.

Mr Kumar war der erste Atheist, der mir begegnete. Ich erfuhr es nicht im Klassenzimmer, sondern im Zoo. Er war ein regelmäßiger Besucher, las sorgfältig Schilder und Beschreibungen und hatte für jedes Tier, das er sah, ein anerkennendes Wort. Jedes war für ihn ein Triumph der Logik und der Mechanik, und die gesamte Natur war einfach nur eine besonders schöne Illustration wissenschaftlicher Gesetzmäßigkeit. Wenn ein Tier den Drang zur Fortpflanzung verspürte, hieß das für ihn »Gregor Mendel«, nach dem Vater der Vererbungslehre, und wenn es die Muskeln spielen ließ, dann hieß es »Charles Darwin«, nach dem Begründer der Evolutionstheorie; was uns als Blöken, Zischen, Grunzen vorkam, waren für ihn nur einzelne Akzente im Chor der fremdländischen Schar. Wenn Mr Kumar den Zoo besuchte, dann kam er, um dem Universum den Puls zu horchen, und das Stethoskop seines Verstandes sagte ihm jedes Mal, dass alles in Ordnung, ja dass alles *Ordnung* war. Wenn er den Zoo verließ, fühlte er sich wissenschaftlich erquickt.

Das erste Mal, dass ich seine Dreiecksgestalt zwischen den Gehegen schaukeln sah, traute ich mich nicht zu ihm hin. So gern ich zu ihm in den Unterricht ging, war er doch eine Respektsperson und ich ein Untergebener. Ich fürchtete mich ein wenig vor ihm. Ich beobachtete ihn aus der Ferne. Er war eben an die Nashorngrube getreten. Die beiden Indischen Nashörner waren große Attraktionen im Zoo, und zwar wegen der Ziegen. Rhinozerosse sind gesel-

lige Tiere, und als Peak zu uns kam, ein in der Wildnis gefangener Jungbulle, litt er unter der Einsamkeit und fraß
von Tag zu Tag weniger. Als Übergangslösung, bis er ein
weibliches Tier fand, war mein Vater auf die Idee gekommen, ihm Ziegen zur Gesellschaft zu geben. Wenn es funktionierte, hatte er ein wertvolles Tier gerettet; wenn nicht,
kostete es ihn nur ein paar Ziegen. Es bewährte sich bestens. Peak und die Ziegenherde waren unzertrennlich,
selbst als seine Gefährtin Summit dazustieß. Jetzt umring-
ten die Ziegen die Schlammpfütze, wenn die beiden Nashörner badeten, und wenn die Ziegen ihre Tagesration
bekamen, stellten sich Peak und Summit hinter sie, als
wollten sie sie bewachen. Das Publikum war von der
Wohngemeinschaft begeistert.

Mr Kumar blickte auf und sah mich. Er lächelte und
winkte mich, wobei er sich mit einer Hand am Geländer
festhielt, zu sich herüber.

»Hallo, Pi«, sagte er.

»Hallo, Sir. Schön, dass Sie in den Zoo kommen.«

»Ich bin oft hier. Der Zoo ist mein Tempel, könnte man
sagen. Das hier« – er wies auf die Grube, »das ist interessant … Wenn wir Politiker wie die Ziegen und Nashörner
dort hätten, dann hätten wir weniger Sorgen in unserem
Land. Unsere Premierministerin hat zwar den Panzer eines
Nashorns, doch leider nichts von seiner Vernunft.«

Ich verstand nicht viel von Politik. Meine Eltern beschwerten sich zwar laufend über Mrs Gandhi, aber mir
sagte das nichts. Sie lebte weit im Norden, nicht im Zoo
und nicht in Pondicherry. Aber ich musste ja etwas antworten.

»Die Religion wird uns retten«, sagte ich. So weit ich
überhaupt zurückdenken konnte, hatte die Religion mir
am Herzen gelegen.

»Religion?« Mr Kumar grinste zufrieden. »Ich glaube
nicht an die Religion. Religion ist das Dunkel.«

Dunkel? Ich war verblüfft. Dunkelheit war doch das

Letzte, was Religion war. Religion war Licht. Wollte er mich prüfen? Sagte er »Religion ist das Dunkel«, so wie er manchmal im Unterricht Sachen sagte wie »Säugetiere legen Eier« und darauf wartete, dass jemand widersprach (»Aber nur das Schnabeltier, Sir«)?

»Es gibt keinen Grund, sich mit der naturwissenschaftlichen Erklärung der Welt nicht zufrieden zu geben – keinen Grund, etwas anderem zu glauben als unseren eigenen Sinnen. Ein klarer Verstand, ein aufmerksames Auge und ein wenig wissenschaftliche Erfahrung, und jede Religion ist als abergläubiges Geschwätz entlarvt. Gott gibt es nicht.«

Hat er das gesagt? Oder war das später, bei anderen Atheisten? Jedenfalls waren es Worte in dieser Art, und nie im Leben hatte ich so etwas gehört.

»Warum dem Dunkel Macht einräumen? Alles ist hier, alles ist eindeutig, wir müssen nur hinsehen.«

Er wies auf Peak. Nun bewunderte ich Peak wirklich sehr, aber ich war noch nie auf die Idee gekommen, in einem Rhinozeros den Quell der Erleuchtung zu sehen.

»Manche sagen«, fuhr er fort, »Gott sei 1947 gestorben, als unser Land geteilt wurde. Manche sagen, er starb 1971 im Krieg. Vielleicht war es auch erst gestern hier in Pondicherry in einem Waisenhaus. So etwas hört man von den Leuten, Pi. Als ich so alt war wie du, verbrachte ich meine Tage im Bett und rang mit der Kinderlähmung. Jeden Tag neu fragte ich mich: ›Wo ist Gott? Wo ist Gott? Wo ist Gott?‹ Aber Gott kam nie. Nicht Gott hat mich gerettet – es war die Medizin. Die Vernunft ist mein Prophet, und sie sagt mir, dass wir sterben, genau wie eine abgelaufene Uhr stehen bleibt. Das ist nur natürlich. Und wenn die Uhr nicht richtig läuft, dann muss sie hier und jetzt in Ordnung gebracht werden, und zwar von uns. Der Tag wird kommen, an dem wir die Produktionsmittel übernehmen, und dann herrscht Gerechtigkeit auf Erden.«

Das war alles ein wenig viel für mich. Der Ton gefiel

mir – tapfer und engagiert –, aber die Einzelheiten klangen bedrückend. Ich schwieg. Nicht aus Furcht, dass ich Mr Kumar verärgern könnte. Eher fürchtete ich, dass er mit ein paar hingeworfenen Worten etwas zerstören könnte, das mir so wertvoll war. Was, wenn seine Worte auf mich wirkten wie die Kinderlähmung? Das musste eine mächtige Krankheit sein, wenn sie Gott in einem Menschen töten konnte.

Er ging davon, schlingerte heftig in der schweren See, die der feste Erdboden war. »Vergiss nicht die Klassenarbeit am Dienstag. Immer fleißig lernen, 3,14!«

»Ja, Mr Kumar.«

Er wurde mein Lieblingslehrer am Petit Séminaire, ihm habe ich es zu verdanken, dass ich an der Universität von Toronto Zoologie studierte. Ich fühlte mich ihm verwandt. Zum ersten Mal erfuhr ich, dass die Atheisten meine Brüder und Schwestern im Glauben sind. Sie glauben an etwas anderes, aber jedes Wort, das sie sprechen, spricht vom Glauben. Genau wie ich gehen sie so weit, wie die Beine der Vernunft sie tragen – und dann machen sie den Sprung.

Ich will es ganz offen sagen. Es sind nicht die Atheisten, die ich nicht leiden kann, sondern die Agnostiker. Eine Zeit lang ist der Zweifel ein nützliches Mittel. Jeder von uns muss durch den Garten Getsemaneh. Wenn Christus zweifelte, dann sollten wir es ebenfalls tun. Wenn Christus eine qualvolle Nacht im Gebet verbrachte, wenn er vom Kreuz sein »Mein Gott, mein Gott, warum hast du mich verlassen?« herunterschrie, dann wird gewiss auch uns der Zweifel gestattet sein. Aber wir müssen über den Zweifel hinauskommen. Den Zweifel zur Lebensphilosophie zu erklären, das ist, als wählte man den Stillstand zum Transportmittel.

Kapitel 8

Wir Zooleute sagen gern: Das gefährlichste Tier im Zoo ist der Mensch. Allgemein gesprochen meinen wir damit, dass die Unersättlichkeit des Raubtiers Mensch den ganzen Planeten zu seiner Beute gemacht hat. Im spezielleren Sinne denken wir dabei an jene, die den Ottern Angelhaken zu fressen hinwerfen, den Bären Rasierklingen, den Elefanten Äpfel, in die sie Nägel gesteckt haben, überhaupt Gegenstände aller Art: Kugelschreiber, Büroklammern, Sicherheitsnadeln, Gummiringe, Kämme, Teelöffel, Hufeisen, Glasscherben, Ringe, Broschen und anderen Schmuck (und nicht nur billige Ohrstecker, sondern goldene Eheringe), Strohhalme, Plastikbesteck, Tennisbälle, Federbälle und so weiter. Ein Nachruf auf Zootiere, die daran gestorben sind, dass Menschen ihnen solche Dinge gegeben haben, würde Gorillas umfassen, Bisons, Störche, Nandus, Strauße, Seehunde, Seelöwen, Großkatzen, Bären, Kamele, Elefanten, Affen und so ziemlich jede Art von Singvogel, Wild und Wiederkäuer. Jeder Zoowärter kennt die traurige Geschichte von Goliath, dem Seeelefanten, einem prachtvollen Tier von zwei Tonnen Gewicht; er war der Star seines Zoos in Europa, alle Besucher liebten ihn. Er starb an inneren Blutungen, weil jemand ihn mit einer zerbrochenen Bierflasche gefüttert hatte.

Oft ist die Grausamkeit aber auch aktiver, unmittelbarer. Die Fachliteratur ist voll von Berichten über die Grausamkeiten, die Zootieren angetan werden: ein Schuhschnabel, der am Schock starb, als jemand ihm mit dem Hammer auf den Schnabel schlug; ein Elchbulle, dem ein Besucher mit dem Taschenmesser den Bart samt fingerlangem Hautstreifen abschnitt (derselbe Elch wurde ein halbes Jahr darauf vergiftet); ein Affe, dem der Arm gebrochen wurde, als er nach hingehaltenen Nüssen griff; ein Angriff mit der Säge auf die Hörner eines Rehs, mit dem Schwert auf ein Zebra; weitere Angriffe auf weitere Tiere, mit Spazierstöcken, Regenschirmen, Haarnadeln, Stricknadeln, Scheren, allem Möglichen, meist in der Absicht, ihnen die Augen auszustechen oder die Geschlechtsteile zu verletzen. Tiere werden auch vergiftet. Dazu kommen die bizarreren Übergriffe: Onanisten, die Affen, Ponies oder Vögel besudeln; ein religiöser Eiferer, der einer Schlange den Kopf abschlägt; ein Irrer, der einem Elch ins Gesicht pinkelt.

In Pondicherry hatten wir eher noch Glück damit. Bei uns gab es keine Sadisten, wie sie in europäischen und amerikanischen Zoos ihr Unwesen trieben. Trotzdem wurde uns einmal ein Goldhase gestohlen (und landete, vermutete Vater, im Kochtopf). Viele Vögel – Fasane, Pfauen, Aras – mussten Federn an Leute lassen, die etwas von ihrer Schönheit mit nach Hause nehmen wollten. Einmal erwischten wir einen Mann, der mit einem Messer ins Gehege der Zwergböckchen klettern wollte; er erklärte, er wolle den bösen Geist Ravana bestrafen (der im *Ramayana* Hirschgestalt annahm, als er Sita, die Gemahlin Ramas, entführte). Einen erwischten wir beim Diebstahl einer Kobra. Er war ein Schlangenbeschwörer, dessen eigene Schlange gestorben war. Beide hatten Glück: der Kobra blieb ein Leben voller Erniedrigung und schlechter Musik erspart, dem Mann ein womöglich tödlicher Biss. Manchmal mussten wir Leute zurechtweisen, die mit Steinen warfen, weil die Tiere ihnen zu träge waren und sie wollten, dass sie etwas taten. Und dann war da die Frau, der ein Löwe den Sari auszog. Sie drehte sich wie ein Jojo, denn dem tödlichen Ende zog sie die tödliche Schande dann doch vor. Und es war nicht einmal ein Unfall gewesen. Sie hatte sich vorgebeugt und dem Löwen das Ende des Saris hingehalten; was sie damit bezwecken wollte, haben wir nie erfahren. Verletzt wurde sie nicht; zahlreiche Männer eilten begeistert zu Hilfe. Die verlegene Erklärung, die sie für Vater hatte, war: »Wer hat denn je gehört, dass Löwen Baumwollstoff fressen? Ich dachte, Löwen sind Fleischfresser.« Die meisten Sorgen machten uns Leute, die die Tiere fütterten. Auch wenn wir noch so auf der Hut waren, konnte Dr. Atal, unser Tierarzt, immer schon aus der Zahl der Fälle mit Verdauungsstörungen schließen, welches die gut besuchten Tage im Zoo gewesen waren. Die Gastritis und Enteritis, die von zu vielen Kohlehydraten, vor allem Zucker, herkam, nannte er die »Bonbonkrankheit«. Aber manchmal wünschten wir uns, die Leute wären bei Bonbons geblieben. Leute glauben, ein Tier könne alles fressen und es würde ihm überhaupt nichts ausmachen. Das stimmt nicht. Wir hatten einen Lippenbären, der eine schwere Darmentzündung mit inneren Blutungen bekam, nachdem ein Mann ihn mit verdorbenem Fisch gefüttert hatte; der Mann dachte allen Ernstes, er tue ihm etwas Gutes damit.

Gleich hinter dem Kassenhäuschen hatte Vater in leuchtend roten Buchstaben die Frage an die Wand malen lassen: WELCHES IST DAS GEFÄHRLICHSTE TIER IM ZOO? Ein Pfeil wies auf einen kleinen Vorhang. So viele gespannte, neugierige Hände griffen nach diesem Vorhang, dass wir ihn regelmäßig erneuern mussten. Dahinter war ein Spiegel.

Aber ich lernte schmerzlich am eigenen Leibe, dass es für Vater ein Tier gab, das sogar noch gefährlicher war als wir, und eines, das ähnlich weit verbreitet war, auf jedem Kontinent, in jedem Lebensraum: die unverwüstliche Spezies *Animalus anthropomorphicus*, das Tier durch menschliche Augen gesehen. Wir kennen sie alle, haben vielleicht sogar einmal eines besessen. Ein Tier, das »knuddelig« ist, »lieb«, »freundlich«, »treu«, eines, das bei uns »glücklich« ist, das uns »versteht«. Solche Tiere lauern in Spielzeugläden und im Streichelzoo. Unzählige Geschichten werden über sie erzählt. Sie sind das Gegenstück zu den »bösen«, »blutrünstigen«, »verkommenen« Tieren, die jene Irrsinnigen auf den Plan rufen, von denen ich eben gesprochen habe, diejenigen, die ihre eigene Bosheit mit Regenschirm und Spazierstock an ihnen auslassen. In beiden Fällen sehen wir ein Tier an und blicken in einen Spiegel. Der Wahn, mit dem wir uns in den Mittelpunkt der Welt stellen, macht nicht nur den Theo-, sondern auch den Zoologen das Leben schwer.

Dass ein Tier ein Tier ist, etwas anderes als wir, etwas, das sein eigenes Leben unabhängig von uns führt, das ist eine Lektion, die ich zweimal gelernt habe: einmal von meinem Vater und einmal von Richard Parker.

Es war an einem Sonntagmorgen. Ich spielte still, mit mir allein. Dann rief Vater.

»Kinder, kommt her.«

Da stimmte etwas nicht. Sein Ton ließ in meinem Kopf ein Alarmglöckchen klingeln. Ich überlegte, ob ich ein reines Gewissen hatte. Ich fand schon. Es musste wohl Ravi sein, der wieder etwas ausgefressen hatte. Ich überlegte, was es diesmal gewesen war. Ich ging ins Wohnzimmer. Mutter war da. Das war ungewöhnlich. Kinder bestrafen war genau wie die Tierpflege in der Regel Vaters Domäne. Ravi kam als Letzter, und sein Ganovengesicht war ein einziges Schuldbekenntnis.

»Ravi, Piscine, ihr sollt heute etwas sehr Wichtiges lernen.«

»Muss das denn wirklich sein?«, wandte Mutter ein. Ihr Gesicht war gerötet.

Ich schluckte. Wenn Mutter, die sich sonst durch nichts aus der Ruhe bringen ließ, so sichtlich besorgt, ja ängstlich war, dann mussten wir in *ernsten* Schwierigkeiten sein. Ravi und ich sahen uns an.

»Jawohl, das muss es«, antwortete Vater grimmig. »Es wird ihnen vielleicht einmal das Leben retten.«

Unser Leben retten! Inzwischen klang kein Glöckchen mehr in meinem Kopf – es war ein ganzes Geläute, wie wir es von der Herz-Jesu-Kirche hörten, nicht weit vom Zoo.

»Aber Piscine?«, fragte Mutter noch einmal. »Er ist doch erst acht.«

»Piscine macht mir die meisten Sorgen.«

»Ich habe nichts getan!«, platzte ich heraus. »Das war Ravi, ganz egal, was es war. Ravi war's!«

»Was?«, protestierte Ravi. »Überhaupt nichts habe ich getan.« Er starrte mich finster an.

»Ruhe!«, rief Vater und hob die Hand. Er sah Mutter an. »Gita, du siehst doch, wie Piscine ist. Er ist jetzt in dem Alter, in dem Jungs sich herumtreiben und überall ihre Nase hineinstecken.«

Ich ein Herumtreiber? Ein Nasen-Hineinstecker? Das ist nicht wahr, das ist nicht wahr! Mutter, verteidige mich, flehte mein Herz, steh mir bei! Aber sie seufzte nur und nickte, zum Zeichen, dass sie ihn gewähren ließ.

»Kommt mit«, sagte Vater.

Wir zogen los wie Gefangene zur Hinrichtung.

Vom Haus ging es durch das Tor zum Zoo. Es war früh am Tag, und der Zoo hatte noch nicht für das Publikum geöffnet. Wärter und Gärtner gingen ihrer Arbeit nach. Ich sah Sitaram, meinen Lieblingswärter, bei den Orang-Utans. Er hielt inne und sah zu, wie wir vorüberzogen. Wir kamen an Vögeln, Affen, Klauentieren vorbei, an den Terrarien, den Nashörnern, den Elefanten, den Giraffen.

Wir kamen zu den Großkatzen, unseren Tigern, Löwen und Leoparden. Babu, der Wärter, wartete schon auf uns. Wir nahmen einen Pfad nach hinten, und er schloss die Tür zum Raubtierhaus auf, das mitten auf einer von Wassergräben umgebenen Insel lag. Wir traten ein. Die große, finstere Betonhöhle, kreisrund, war warm und stickig, und es roch nach Katzenurin. Rundum erstreckten sich die großen Käfige, durch dicke grüne Eisenstäbe voneinander getrennt. Ein gelblicher Lichtschein drang durch die Dachfenster ein. Durch die Käfigausgänge konnten wir das sonnenbeschienene Buschwerk der umgebenden Insel sehen. Die Käfige waren leer – bis auf einen: Mahisha, der Patriarch unter unseren bengalischen Tigern, durfte noch nicht nach draußen. Als wir eintraten, kam er sofort an die Käfigstäbe, mit einem furiosen Fauchen, die Ohren angelegt, die runden Augen fest auf Babu geheftet. Er fauchte so laut und wütend, dass das ganze Raubtierhaus zu beben schien.

Mir schlotterten die Knie. Ich drückte mich an Mutter. Auch sie zitterte. Selbst Vater brauchte einen Moment, bis er sich gefasst hatte. Nur Babu machte der Wutausbruch und der Blick, der ihn durchbohrte, nichts aus. Sein Vertrauen in die Eisenstangen war unerschütterlich. Mahisha ging nun in seinem Käfig auf und ab, immer bis an die Stangen.

Vater stellte sich vor uns hin. »Was für ein Tier ist das?« Er musste brüllen, damit wir ihn durch Mahishas Fauchen hören konnten.

»Ein Tiger«, antworteten Ravi und ich im Chor und bestätigten brav, was ja nicht zu übersehen war.

»Sind Tiger gefährlich?«

»Ja, Vater, Tiger sind gefährlich.«

»Tiger sind *sehr* gefährlich«, brüllte Vater. »Ihr müsst begreifen, dass ihr niemals – unter *keinen* Umständen – einen Tiger anfassen dürft; niemals dürft ihr ihn streicheln oder auch nur die Finger durch das Gitter stecken. Ist das klar? Ravi?«

Ravi nickte eifrig.

»Piscine?«

Ich nickte noch eifriger.

Trotzdem sah er mich weiter an.

Ich nickte mit solcher Vehemenz, dass ich mir schon ausmalte, wie im nächsten Moment mein Kopf abbrechen und zu Boden kugeln würde.

Ich möchte zu meiner Verteidigung anführen, dass ich zwar in Gedanken die Tiere mit menschlichen Eigenschaften ausstattete, bis sie das schönste Englisch sprachen – die Pfauen beschwerten sich wie britische Lords, dass ihr Tee zu kalt serviert werde, die Brüllaffen planten ihren Bankraub wie amerikanische Gangster im Film –, aber dabei nie aus den Augen verlor, dass es Phantasie war. Mit Absicht steckte ich diese wilden Tiere in selbst erfundene zahme Kostüme. Aber ich machte mir nichts vor – ich kannte die wahre Natur meiner Spielgefährten. Auch wenn ich angeblich die Nase überall hineinsteckte, war ich doch kein Dummkopf. Ich weiß nicht, wie mein Vater auf die Idee kam, sein jüngerer Sohn könne es gar nicht abwarten, zu einem gefährlichen Raubtier in den Käfig zu klettern. Aber wo immer er diese seltsame Sorge herhaben mochte – und Vater machte sich ja *ständig* Sorgen –, war er doch offensichtlich an jenem Morgen fest entschlossen, sich davon zu befreien.

»Ich werde euch zeigen, wie gefährlich Tiger sind«, fuhr er fort. »Ich will, dass ihr diese Lektion behaltet bis an euer Lebensende.«

Er sah Babu an und nickte. Babu ging hinaus. Mahishas Augen folgten ihm und blieben auf die Tür geheftet, durch die er verschwunden war. Ein paar Sekunden darauf kehrte er zurück, im Arm eine Ziege mit zusammengebundenen Beinen. Mutter hielt mich von hinten fest. Mahishas Fauchen wandelte sich zu einem Knurren in den tiefsten Tiefen seiner Kehle.

Babu schloss einen Käfig neben dem Tigerkäfig auf, öffnete die Tür, ging hinein, schloss die Tür und verschloss sie wieder. Stäbe und eine Schiebetür trennten die beiden Käfige. Sofort war Mahisha an den Trennstäben und versuchte die Pranke hindurchzustecken. Zu dem Fauchen stieß er nun auch noch schnaufende Laute aus, wie das *Wuff* eines Hundes. Babu legte die Ziege auf den Boden; ihre Flanken bebten, die Zunge hing ihr aus dem Maul, die Augen waren weit aufgerissen. Er band die Beine los. Die Ziege rappelte sich auf. Babu kam wieder nach draußen, nach derselben sorgfältigen Methode, mit der er den Käfig betreten hatte. Auf der Rückseite der Käfige, da wo es nach draußen auf die Insel ging, war der Fußboden etwa einen Meter höher als vorn, wo er auf derselben Höhe lag wie unser Boden draußen. Die Ziege erklomm diese zweite Etage. Mahisha, der nun nicht mehr auf Babu achtete, tat es ihr in seinem Käfig nach, in einer einzigen mühelosen, fließenden Bewegung. Er duckte sich und blieb dann still liegen; nur der langsam hin- und hergehende Schwanz zeugte von seiner Anspannung.

Babu ging an die Tür zwischen den beiden Käfigen und begann, sie aufzuziehen. In Erwartung seiner Beute verstummte Mahisha. Zwei Dinge hörte ich in der plötzlichen Stille – Vaters Worte »Vergesst diese Lektion niemals«, den Blick grimmig auf das Schauspiel geheftet; und das Meckern der Ziege. Sie musste schon die ganze Zeit geschrien haben, aber wir konnten sie nicht hören.

Ich spürte, wie Mutter mir die Hand auf mein pochendes Herz drückte.

Die Tür widersetzte sich mit einem schrillen Quietschen. Mahisha war außer sich – er sah aus, als würde er jeden Moment die Stäbe auseinander zwängen. Er schien hin- und hergerissen zwischen dem Impuls zu bleiben, wo er war – da wo er seiner Beute am nächsten war, sie aber nicht erreichen würde –, und jenem, zur weiter entfernten Tür im unteren Stock zu springen, die sich nun langsam öffnete. Er richtete sich auf und fauchte von neuem.

Die Ziege sprang in die Luft. Ich war überrascht – ich hatte keine Ahnung gehabt, dass Ziegen so hoch springen können. Aber auf der Rückseite des Käfigs war eine hohe, glatte Betonwand.

Plötzlich gab die Tür nach und öffnete sich. Wieder war alles still, nur das Meckern der Ziege und das Klicken der Hufe auf dem Boden war zu hören.

Ein schwarz-orangefarbener Blitz schoss vom einen Käfig in den anderen.

In der Regel bekamen die Großkatzen einmal die Woche nichts zu fressen, was die Nahrungsverhältnisse in der Natur nachahmte. Später fanden wir heraus, dass Vater Anweisungen gegeben hatte, Mahisha schon seit drei Tagen nicht mehr zu füttern.

Ich weiß nicht mehr, ob ich das Blut spritzen sah, bevor ich mich in Mutters Arme flüchtete, oder ob ich es später in der Erinnerung dazumalte, mit breitem Pinsel. Aber die

Ohren konnte ich nicht verschließen. Was ich hörte, versetzte mich in äußerste vegetarische Panik. Mutter scheuchte uns hinaus. Wir waren hysterisch. Sie kochte vor Wut.

»Wie kannst du so etwas machen, Santosh! Das sind Kinder! Die Angst werden sie ihr Leben lang nicht mehr los.«

Die Stimme war erregt und bebend. Ich sah die Tränen in ihren Augen. Gleich ging es mir besser.

»Gita, mein Täubchen, es ist doch zu ihrem Guten. Was wäre denn gewesen, wenn Piscine eines Tages die Hand durch die Gitterstäbe gesteckt hätte, weil er das schöne gelbe Fell streicheln wollte? Besser eine Ziege als er, oder nicht?«

Seine Stimme war leise, kaum mehr als ein Flüstern. Er sah zerknirscht aus. Noch nie hatte er sie in unserer Gegenwart »mein Täubchen« genannt.

Wir standen dicht an sie gedrängt. Er kam zu uns herüber. Das Schlimmste war überstanden, aber die Lektion war noch nicht vorbei.

Vater führte uns zu den Löwen und Leoparden.

»In Australien gab es einmal einen Verrückten, der hatte den schwarzen Karategürtel und dachte, er kann es mit den Löwen aufnehmen. Aber da hatte er sich verrechnet. Und zwar sehr. Am Morgen fanden die Wärter nur noch seine halbe Leiche.«

»Ja, Vater.«

Die Himalaja- und die Lippenbären.

»Ein Tatzenhieb von diesen putzigen Gesellen, und ihr könnt eure Eingeweide im ganzen Gehege einsammeln.«

»Ja, Vater.«

Die Flusspferde.

»Mit ihren lustigen Mäulern zerkauen sie eure Leiber zu Brei. Sie können schneller laufen als ihr.«

»Ja, Vater.«

Die Hyänen.

»Die kräftigsten Kiefer des Erdballs. Lasst euch nicht

erzählen, sie wären feige oder fräßen nur Aas. Sie sind es nicht und sie fressen alles! Die haben schon die ersten Stücke von euch im Maul, noch bevor ihr tot seid.«

»Ja, Vater.«

Die Orang-Utans.

»Stark wie zehn Männer. Sie brechen euch die Knochen wie dürre Äste. Ich weiß, wir hatten ein paar davon im Haus, als sie noch klein waren, und ihr habt mit ihnen gespielt. Aber jetzt sind sie groß und wild und unberechenbar.«

»Ja, Vater.«

Der Vogel Strauß.

»Sieht aus wie eine Witzfigur, oder? Aber glaubt mir, kaum ein Tier im Zoo hier hat mehr Kraft. Ein Tritt, und er bricht euch das Rückgrat.«

»Ja, Vater.«

Die Rehe.

»Was für anmutige Geschöpfe, nicht wahr? Wenn der Bock sich bedroht fühlt, greift er an, und die kurzen Geweihspitzen durchbohren euch wie Dolche.«

»Ja, Vater.«

Das Dromedar.

»Ein Biss von seinem sabbernden Maul, und euch fehlt ein Stück Fleisch.«

»Ja, Vater.«

Die schwarzen Schwäne.

»Ein Schnabelhieb knackt euch den Schädel. Mit einem Flügelschlag brechen sie euch den Arm.«

»Ja, Vater.«

Im Vogelhaus.

»Mit diesen Schnäbeln beißen sie euch die Finger durch wie Butter.«

»Ja, Vater.«

Die Elefanten.

»Keiner ist gefährlicher. Mehr Wärter und Besucher kommen durch Elefanten um als durch jedes andere Zootier. Ein junger Elefant wird euch in Stücke reißen und dann die Einzelteile zertrampeln. So ist es einem Unschuldsengel in Europa gegangen, der durch ein Fenster ins Elefantenhaus geklettert war. Die älteren Tiere haben mehr Geduld. Sie drücken euch wahrscheinlich an die Wand, oder sie setzen sich auf euch. Hört sich lustig an – aber malt es euch aus!«

»Ja, Vater.«

»Wir sind nicht bei allen gewesen. Aber glaubt nicht, die anderen Tiere sind harmlos. Alles Leben verteidigt sich, egal wie klein es ist. Jedes Tier ist wild und mörderisch. Es wird euch vielleicht nicht umbringen, aber es wird euch in jedem Falle verletzen. Es wird kratzen und beißen, und was habt ihr davon? Eine eitrige, geschwollene Wunde, hohes Fieber, zehn Tage Krankenhaus.«

»Ja, Vater.«

Wir kamen zu den Meerschweinchen, den einzigen anderen – neben Mahisha –, die auf Vaters Geheiß am Vorabend nichts zu fressen bekommen hatten. Vater schloss den Käfig auf. Er zog eine Tüte mit Futter aus der Tasche und streute es auf dem Boden aus.

»Seht ihr die Meerschweinchen?«

»Ja, Vater.«

Die Ärmsten waren so ausgehungert, dass sie sich kaum auf den Beinen halten konnten, und stürzten sich gierig auf ihre Kornähren.

»Also die« – er beugte sich vor und nahm eins in die Hand –, »die sind nicht gefährlich.« Die anderen Meerschweinchen liefen sofort davon.

Vater lachte. Er gab mir das quiekende Meerschwein in den Arm. Die Lektion sollte auf einer heiteren Note enden.

Das Tier saß verschüchtert auf meinem Arm. Ein Junges. Ich ging zum Käfig und setzte es vorsichtig wieder ab. Sofort lief es zu seiner Mutter. Der Grund dafür, dass diese Meerschweinchen nicht gefährlich waren – dass sie nicht mit Zähnen und Krallen blutige Wunden schlugen –, war, dass sie so gut wie zahm waren. In der freien Natur ein Meerschwein mit der bloßen Hand zu fassen, das wäre, als ob man in die Klinge eines Messers fasst.

Der Unterricht war vorüber. Ravi und ich schmollten und sahen Vater eine ganze Woche lang nicht an. Auch Mutter ging ihm aus dem Wege. Als ich an der Rhinozerosgrube vorüber kam, hatte ich das Gefühl, die Nashörner sähen traurig aus, als vermissten sie den Gefährten, der sein Leben gelassen hatte.

Aber wenn man seinen Vater nun einmal liebt, was will man da machen? Das Leben geht weiter, und man nimmt sich in Acht vor Tigern. Ich selbst war ja ohnehin so gut wie tot, weil ich Ravi eines Verbrechens bezichtigt hatte, das gar nicht existiert hatte. Noch Jahre später, wenn er in der Stimmung war, mich zu quälen, flüsterte er mir zu: »Warte nur, bis wir zwei alleine sind. *Die nächste Ziege bist du!*«

Kapitel 9

Im Mittelpunkt der Kunst und Wissenschaft des Zoobetriebs steht es, die Tiere an die Gegenwart von Menschen zu gewöhnen. Dazu muss man die Fluchtdistanz verringern – den Abstand, den das Tier zu einem Feind hält. Ein Flamingo in der Natur fühlt sich nicht bedroht, wenn man auf hundert Meter Abstand bleibt. Kommt man näher, geht er zunächst in Fluchtbereitschaft. Nähert man sich noch weiter, fliegt er auf und landet erst, wenn die Hundert-Meter-Distanz wiederhergestellt ist oder Herz und Lungen erschöpft sind. Jedes Tier hat seinen typischen Abstand, und jedes wacht auf seine Weise darüber: Katzen mit den Augen, Rehe mit den Ohren, Bären mit der Nase. Nähert man sich mit einem Fahrzeug einer Giraffe, lässt sie einen bis auf zehn Meter heran; kommt man hingegen zu Fuß, läuft sie schon bei fünfzig Metern davon. Winkerkrabben bringen sich in Sicherheit, wenn man bis auf drei Meter an sie herankommt; Brüllaffen regen sich, sobald man die Sieben-Meter-Grenze an ihrem Baum überschreitet; die Schwelle von Wasserbüffeln liegt bei fünfundzwanzig.

Unser Wissen über ein Tier sowie Nahrung, Unterkunft und der Schutz, den wir bieten, sind Mittel, die Flucht-distanz zu verringern. Wenn es gut geht, bekommen wir ein emotional stabiles, entspanntes Tier, das nicht nur bleibt, wo es ist, sondern gesund dabei bleibt, ein langes Leben lebt, immer seinen Teller leer isst, sich gemäß seiner Natur gesellig verhält und – stets das beste Zeichen – Nachwuchs bekommt. Ich weiß nicht, wie unser Zoo im Vergleich zu San Diego oder Toronto oder Berlin oder Singapur abge-schnitten hätte, aber einen guten Zooleiter hält nichts auf. Vater war ein Naturtalent. Was ihm an fachlicher Ausbil-dung fehlte, machte er durch Intuition und ein aufmerksa-mes Auge wieder wett. Er sah ein Tier an und wusste, wie ihm zumute war. Er kümmerte sich um seine Schützlinge, und zum Dank waren sie fruchtbar und mehrten sich, man-che davon im Übermaß.

Kapitel 10

Trotz allem wird es immer wieder Tiere geben, die aus ei-nem Zoo ausbrechen wollen. Tiere, die in unpassender Umgebung gehalten werden, sind das offensichtlichste Beispiel. Jedes Tier hat einen bestimmten Lebensraum, den es auch im Zoo braucht. Wenn sein Gehege zu sonnig ist oder zu feucht oder zu leer, wenn sein Platz zu hoch oder zu offen liegt, der Boden zu sandig ist, die Äste zu licht sind, um ein Nest zu bauen, wenn der Futtertrog zu tief steht, wenn es nicht genug Schlamm gibt, um sich darin zu suhlen – und tausend weitere Wenns –, dann ist das Tier nicht zufrieden. Es genügt nicht, die äußere Erscheinung seines Lebensraums in der Wildnis zu kopieren – was man nachbilden muss, ist das *Wesen* dieses Raums. Jede Einzelheit in einem Gehege muss genau richtig – anders gesagt, auf die Grenzen der Anpassungsfähigkeit des Tieres eingestellt – sein. Der Teufel soll die schlechten Zoos mit ihren schlechten Gehegen holen! Weltweit bringen sie die Zoos in Verruf.

Ebenfalls zum Ausbruch neigen Tiere, die man ausgewachsen in freier Wildbahn fängt; oft sind sie schon zu fest in ihrer Umgebung verankert, um sich an einem neuen Ort noch einmal von Grund auf neu zu orientieren.

Doch selbst Tiere, die im Zoo zur Welt gekommen sind und die Wildnis nie gesehen haben, Tiere, die bestens an ihr Leben im Gehege angepasst sind und Menschen nicht als Bedrohung empfinden, geraten bisweilen in eine Erregung, die sie zu Fluchtversuchen treibt. In jedem lebendigen Wesen gibt es eine Spur Irrsinn, die sich in unerwartetem, manchmal unerklärlichem Verhalten äußert. Dieser Irrsinn kann nützlich sein, er ist notwendig für die Fähigkeit, sich anzupassen; ohne ihn würde keine Tierart überleben.

Aber ob nun irrsinnig oder nicht, ganz gleich aus welchem Grunde ein Tier ausbrechen will, sollte eines den Zookritikern klar sein: Tiere fliehen nicht *irgendwohin*, sondern sie fliehen *vor etwas*. Etwas in ihrem Territorium hat ihnen Angst eingejagt – das Eindringen eines Feindes, der Angriff eines Artgenossen, ein Geräusch – und hat sie in die Flucht getrieben. Der Fluchtinstinkt gewinnt die Oberhand. Im Zoo von Toronto – ein sehr schöner Zoo übrigens – habe ich gelesen, dass Leoparden aus dem Stand sechs Meter hoch springen können. Die Mauer auf der Rückseite unserer Leopardengrube in Pondicherry war nur *fünf* Meter hoch; Rosie und Copycat sind also anscheinend nicht deswegen dort geblieben, weil sie nicht herauskonnten, sondern weil sie keinen Grund hatten zu gehen. Ein Tier, das aus dem Zoo flieht, begibt sich vom Bekannten ins Unbekannte – und wenn es etwas gibt, was ein Tier wirklich hasst, dann ist es das Unbekannte. Entflohene Tiere verstecken sich in der Regel an der ersten Stelle, die ihnen Sicherheit verspricht, und gefährlich werden sie nur dem, der ihnen dabei in die Quere kommt.

Kapitel 11

Nehmen wir zum Beispiel den Fall des schwarzen Leopardenweibchens, das im Winter 1933 aus dem Züricher Zoo entwich. Sie war noch nicht lange im Zoo und vertrug sich, soweit man sah, mit dem männlichen Leoparden. Spuren von Prankenhieben ließen aber doch auf ein angespanntes Eheleben schließen. Bevor eine Entscheidung gefällt war, was weiter getan werden sollte, zwängte sie sich durch ein Loch in ihrer Käfigdecke und entschwand in die Nacht. Als bekannt wurde, dass eine wilde Raubkatze sich irgendwo in der Stadt versteckt hielt, geriet die Bürgerschaft in Aufruhr. Fallen wurden aufgestellt und Jagdhunde losgelassen. Aber die befreiten den Kanton nur von den wenigen streunenden Hunden, die es dort gab. *Zehn Wochen* lang fand sich keine Spur von dem Leoparden. Schließlich stieß ein Gelegenheitsarbeiter auf ihn, unter einer Scheune vierzig Kilometer vor der Stadt, und erschoss ihn. In der Nähe wurden Überbleibsel von Rehen gefunden. Dass eine große, schwarze tropische Katze über zwei Monate lang im schweizerischen Winter überleben konnte, ohne dass jemand sie sah, und dass diese Katze nicht im Traum daran dachte, jemanden anzugreifen, zeigt, dass Tiere, die aus einem Zoo entweichen, keine entflohenen Sträflinge sind, sondern einfach nur Geschöpfe der Natur, die einen Platz zum Leben suchen.

Und das ist nur einer von vielen Fällen. Wenn Sie eine Stadt wie Tokio auf den Kopf stellten und kräftig schüttelten – Sie würden staunen, was da an Tieren herausfiele. Nicht nur Katzen und Hunde. Da spannen Sie besser den

Regenschirm auf, denn es würde Boa Constrictors, Komodowarane, Krokodile, Piranhas, Strauße, Wölfe, Luchse,
Wallabies, Manatis, Stachelschweine, Orang-Utans und
Wildsauen regnen. Und da dachten sie allen Ernstes, sie
könnten – ha! Mitten im mexikanischen Dschungel, das
stelle sich einer vor! Ha! Ha! Lächerlich, einfach lächerlich. Was die Leute sich denken!

Kapitel 12

*Manchmal wird er wütend. Das liegt nicht an mir (ich sage kaum
etwas), er redet sich selbst in Rage. Mit seiner eigenen Geschichte.
Die Erinnerung ist ein Ozean, und er hüpft hoch oben auf den
Wellen. Ich habe immer Angst, dass er einfach aufhört. Aber er redet weiter. Er will ja erzählen. Selbst nach so vielen Jahren geht
ihm Richard Parker nicht aus dem Sinn.*

*Er ist ein so liebenswürdiger Mann. Jedes Mal wenn ich ihn
besuche, kocht er mir ein südindisches Essen, ein vegetarisches
Festmahl. Ich habe ihm einmal gesagt, ich äße gern scharf. Ich weiß
auch nicht, wie ich auf eine dermaßen dumme Idee gekommen bin.
Das war gelogen. Löffel um Löffel Joghurt gebe ich hinzu. Aber es
nützt nichts. Jedes Mal dasselbe. Meine Geschmacksknospen stre-
cken alle viere von sich, ich werde puterrot, Tränen schießen mir in
die Augen, mein Kopf brennt lichterloh, und meine Eingeweide
winden sich in Qualen wie eine Boa Constrictor, die einen Rasen-
mäher verschluckt hat.*

Kapitel 13

Wenn Sie also in eine Löwengrube fallen, wird der Löwe
Sie nicht deswegen zerreißen, weil er Hunger hat – glauben Sie mir, Zootiere bekommen reichlich zu fressen –
oder weil er ein so blutrünstiger Geselle ist, sondern weil
Sie in sein Revier eingedrungen sind.

Deswegen, um das hier nebenbei zu erwähnen, muss ein Löwendompteur im Zirkus immer als Erster in den Ring gehen, und zwar so, dass die Löwen ihn sehen. Damit gibt er ihnen zu verstehen, dass der Ring *sein* Territorium ist und nicht ihres, und er unterstreicht es mit Rufen, Auf-den-Boden-Stampfen und Peitschenknallen. Die Löwen werden kleinlaut. Sie fühlen sich unterlegen. Sehen Sie doch nur, wie sie hereinkommen – die mächtigen Jäger, »Könige der Tiere«, kommen angekrochen, lassen den Schwanz hängen, drängen sich an den Rand der Manege, die stets rund ist, damit sie keine Ecke haben, in die sie sich drücken können. Die Manege wird beherrscht von einem höchst dominanten Mann, einem Super-Alphatier, und seinen Dominanzgesten müssen sie sich unterordnen. Also reißen sie das Maul auf, setzen sich auf Kommando, springen durch papierbespannte Reifen, kriechen durch Röhren, gehen rückwärts, machen Rollen. »Ein komischer Kerl«, denken sie benommen. »So einen Oberlöwen habe ich noch nie gesehen. Aber er hält das Rudel in Schuss. Die Speisekammer ist gut gefüllt und – seid mal ehrlich, Leute – man hat immer was zu tun. Immer nur dösen ist doch auf die Dauer ganz schön langweilig. Und wir müssen ja nicht Rad fahren wie die Braunbären oder Teller auffangen wie die Schimpansen.«

Aber der Dompteur sollte gut aufpassen, dass er auch immer das Super-Alphatier bleibt. Wehe ihm, wenn er ohne es zu merken auf den Betaplatz rutscht. Ein Großteil der Feindseligkeit und des aggressiven Verhaltens bei Tieren ist Ausdruck einer sozialen Unsicherheit. Das Tier, das vor Ihnen steht, will wissen, woran es ist – ob es über- oder ob es unterlegen ist. Das ganze Leben eines Tiers dreht sich um Rangstrukturen; der Rang entscheidet, wo und wann es fressen kann, wo es ruhen kann, wo es trinken kann und so weiter. Solange es seinen Rangplatz nicht kennt, lebt ein Tier in unerträglicher Anarchie. Es bleibt nervös, reizbar, gefährlich. Der Dompteur im Zirkus nutzt den Umstand, dass bei den höheren Tieren der Rangplatz nicht unbedingt durch brutale Gewalt bestimmt wird. Hediger (1950) schreibt: »Wenn zwei Geschöpfe sich begegnen, wird derjenige, dem es gelingt, den anderen einzuschüchtern, als der Ranghöhere anerkannt, und zu einer solchen Rangentscheidung ist nicht immer ein Kampf erforderlich; in manchen Fällen genügt die bloße Begegnung.« Worte eines weisen Tierkenners. Hediger war viele Jahre lang Zooleiter, zuerst in Basel, dann in Zürich. Er war ein Mann, der wusste, wie Tiere miteinander umgehen.

Mit Verstandeskraft lässt sich Körperkraft übertrumpfen. Den Aufstieg zum höchsten Rang verdankt der Dompteur der Psychologie. Die unnatürliche Umgebung, die aufrechte Haltung des Dompteurs, seine Ruhe, sein fester Blick, die Art, wie er furchtlos voranschreitet, sein seltsames Brüllen (denn so werden Peitschenknall und Trillerpfeife empfunden) – all das verwirrt und verunsichert die Löwen, aber es schafft klare Verhältnisse, und darauf kommt es ihnen ja in erster Linie an. Zufrieden überlässt die Nummer zwei der Nummer eins die Führung, und Nummer eins kann ins Publikum brüllen: »Und jetzt die Sensation, meine Damen und Herren, der Sprung durch den Feuerreifen ...«

Kapitel 14

Interessant ist, dass der Löwe, der am willigsten bei den Kunststücken des Dompteurs mitmacht, der Rangniederste im Rudel ist, das Omegatier. Er hat bei einem guten Verhältnis zum Super-Alpha-Dompteur am meisten zu gewinnen. Und es geht um mehr als die kleinen Happen zur Belohnung. Eine gute Beziehung zum Anführer schützt ihn vor den Angriffen der anderen. Dieses besonders willige Tier, das für die Zuschauer genauso »wild« aussieht wie die anderen, ist der Star der Show, und die streitlustigeren Beta- und Gammalöwen lässt der Dompteur als Statisten auf ihren bunten Fässern sitzen.

Dasselbe Verhalten kann man auch bei anderen Zirkustieren und im Zoo beobachten. Die sozial unterlegenen Tiere sind immer die, die sich am eifrigsten um ein gutes Verhältnis zum Wärter bemühen. Sie sind besonders treu, suchen besonders seine Gesellschaft, leisten am wenigsten Widerstand. Man hat es bei Großkatzen beobachtet, bei Bisons, bei Hirschen, bei Wildschafen, Affen und bei vielen anderen Tieren. Jeder, der sich in Zoos auskennt, kann Geschichten davon erzählen.

Kapitel 15

Sein Haus ist ein Tempel. Auf dem Flur hängt ein gerahmtes Bild Ganeshas, des Gottes mit dem Elefantenkopf. Rosig sieht er einen an, schmerbäuchig, eine Krone auf dem Kopf, ein Lächeln auf den Lippen; drei Hände halten Gegenstände, die vierte ist, die Handfläche nach außen, zum Segen oder zum Gruß erhoben. Er ist der Gott des Glücks, der, der alle Hindernisse überwindet, der Gott der Weisheit, der Gott der Gelehrsamkeit. Sehr simpatico. Ich muss ihn nur ansehen, schon bin ich gut gelaunt. Zu seinen Füßen wartet eine Ratte. Sein Reittier. Denn wenn der Gott Ganesha auf Reisen geht, dann reitet er auf einer Ratte. An der Wand gegenüber hängt ein schmuckloses hölzernes Kreuz.

Im Wohnzimmer steht auf einem Tischchen neben dem Sofa ein Bild der Muttergottes von Guadalupe, Blumen quellen aus ihrem offenen Umhang. Daneben, ebenfalls eine gerahmte Fotografie, die schwarz verhüllte Kaaba, das Allerheiligste des Islam, umgeben von der zehntausendfachen Schar der Gläubigen. Auf dem Fernseher steht eine Messingstatue, Shiva in Gestalt Natarajas, des Herrn des Tanzes, der die Bewegungen des Universums und den Fluss der Zeit beherrscht. Er tanzt auf dem Dämon der Dummheit, die vier Arme ausdrucksvoll ausgestreckt, ein Fuß auf dem

Rücken des Dämons, einer in der Luft. Wenn Nataraja mit diesem Fuß auftritt, heißt es, wird die Zeit innehalten.

In der Küche ist ein Schrein. Er hat ihn in einem Schrank eingerichtet, dessen Tür durch einen handgesägten Bogen ersetzt ist. Halb verborgen hängt dahinter eine gelbe Glühbirne und erleuchtet nachts das Heiligtum. Hinter dem kleinen Altar stehen zwei Bilder: seitlich noch einmal Ganesha, in der Mitte in einem größeren Rahmen, lächelnd und blauhäutig, Krishna als Flötenspieler. Beide haben, auf dem Glas des Bilderrahmens, rote und gelbe Puderflecken auf der Stirn. In einer Kupferschale auf dem Altar drei silberne Murtis, Götterfiguren. Er weist mit dem Finger darauf und erklärt mir, wer es ist: Lakshmi; Shakti, die Muttergöttin, in Gestalt der Parvati; und Krishna, diesmal als wonnig krabbelndes Baby. Zwischen den beiden Göttinnen liegt ein steinernes Shiva yoni linga, *das aussieht wie eine Avocado, aus deren Mitte sich ein stämmiger Phallus erhebt, ein Hindusymbol, das die männlichen und weiblichen Energien des Kosmos verkörpert. Auf der einen Seite der Schale steht auf einem Sockel ein kleines Schneckenhaus, auf der anderen ein silbernes Glöckchen. Überall liegen Reiskörner, dazu eine Blume, die eben zu welken beginnt. Viele Stücke tragen die gelben und roten Flecken.*

Auf dem Regalbrett darunter finden sich rituelle Gerätschaften: ein Krug mit Wasser, ein Kupferlöffel, eine Öllampe mit gewundenem Docht, Räucherstäbchen sowie Schälchen mit rotem und gelbem Puder, Reiskörnern und Zuckerwürfeln.

Im Esszimmer hängt ein weiteres Marienbild.

Oben im Arbeitszimmer sitzt gleich neben dem Computer ein Ganesha aus Messing mit gekreuzten Beinen, an der Wand hängt ein hölzernes Kruzifix aus Brasilien, und in der Ecke liegt ein grüner Gebetsteppich. Das Kruzifix ist eine sehr expressive Darstellung des Schmerzensmanns. Der Teppich hat einen Teil des Raumes für sich. Daneben auf einem niedrigen Bücherständer ein Band, mit einem Tuch abgedeckt. In der Mitte des Tuches steht, kunstvoll eingewoben, ein einzelnes arabisches Wort, vier Buchstaben: ein alif, zwei lams und ein ha. Der Name Gottes.

Auf dem Nachttisch eine Bibel.

Kapitel 16

Werden wir nicht alle geboren wie Katholiken – unwissend und ungläubig, bis jemand uns mit Gott bekannt macht? Und ist das geschehen, ist für die meisten von uns die Sache auch schon erledigt. Verändert sich etwas, ist es eher ein Verlust als ein Zugewinn; vielen Menschen geht anscheinend Gott im Laufe ihres Lebens verloren. Doch anders bei mir. Mein erstes religiöses Erlebnis verdanke ich einer älteren, traditionsbewussteren Schwester meiner Mutter, die mich fast noch als Neugeborenes mit in einen Tempel nahm. Tante Rohini war so begeistert, als sie ihren kleinen Neffen sah, da wollte sie die Muttergöttin an ihrer Freude teilhaben lassen. »Es wird ein symbolischer erster Ausflug«, sagte sie. »Ein Samskara!« Symbolisch war es. Es geschah in Madurai, ich hatte gerade erst eine siebenstündige Zugfahrt überstanden. Aber das spielte keine Rolle. Auf der Stelle brachen wir zu diesem hinduistischen Initiationsritus auf; Mutter trug mich im Arm, die Tante trieb sie voran. Eine bewusste Erinnerung an diesen ersten Tempelbesuch ist mir nicht geblieben, aber ein Weihrauchduft, ein Spiel von Licht und Schatten, eine Flamme, ein Farbfleck, etwas von der geheimnisvollen Würde des Ortes muss mich beeindruckt haben. Der Keim religiöser Begeisterung, nicht größer als ein Senfkorn, war gesät und ging in mir auf. Und bis zum heutigen Tag hat die Frucht nie aufgehört zu wachsen.

Ich bin Hindu, weil ich die kunstvollen roten Kegel aus Kumkumpulver liebe, die Körbe mit gelbem Kurkuma, die Blumengirlanden und Kokosnussstückchen, das Glöckchenklingeln, mit dem man Gott sagt, dass man da ist, die Trommeln und die schluchzende Flöte, das Patschen nackter Füße auf den Steinböden dunkler, von einzelnen Lichtstrahlen erhellter Korridore, den Duft von Weihrauch, die Flammen der Aratilampen, die im Dunkel kreisen, die leise gesummten Bhajans, die Segen spendenden Elefanten, die bunten Wandgemälde, die ebenso bunte Geschichten erzählen, die Stirn, auf der in wechselnden Farben stets dasselbe Wort steht – *Glaube*. All das waren Sinneseindrücke, denen ich ergeben war, lange bevor ich wusste, was sie bedeuteten oder wozu sie da waren. Meine Seele will es so. In einem Hindutempel fühle ich mich zu Hause. Ich spüre, dass etwas da ist – nicht persönlich, so wie man die Gegenwart eines anderen Menschen spürt, sondern etwas Größeres. Mein Herz stockt auch heute noch, wenn ich im Allerheiligsten das Murti sehe, das Bild des Göttlichen. Wahrlich, ein kosmischer, heiliger Schoß umgibt mich, ein Ort, an dem alles zur Welt kommt, und ich bin ein Glücklicher, der vordringt zum lebendigen Kern. Wie von selbst vereinen sich meine Hände zum Gebet. Ich sehne mich nach Prasad, dem süßen Opfer, das Gott uns gesegnet zurückgibt. Meine Handflächen warten auf das Feuer der heiligen Flamme, deren Segen ich meinen Augen und meiner Stirn bringe.

Aber Religion ist mehr als nur Ritus und Ritual. Dahinter steckt das, wofür Ritus und Ritual stehen. Und auch da bin ich Hindu. Die Welt mit Hinduaugen gesehen ist eine Welt voller Sinn. Es beginnt mit Brahma, der Weltseele, dem Rahmen, auf dem der Stoff des Lebens gewebt wird, mit allem Zierrat aus Zeit und Raum. Dann kommt Brahma nirguna, das Ungestaltete, Unbegreifliche, Unbeschreibliche, Unnahbare – mit unseren armseligen Worten nähen wir ihm ein Kleid – das Eine, das Wahre, das All, das Absolute, die Seele der Schöpfung, der Urgrund des Seins – und versuchen es passend zu machen, aber Brahma nirguna platzt doch immer wieder aus den Nähten. Wir bleiben sprachlos zurück. Zum Glück haben wir Brahma saguna, das Gegenständliche, und da passt das Kleid. Heute nennen wir es Shiva, Krishna, Shakti, Ganesha; es ist uns, innerhalb gewisser Grenzen, begreifbar; bestimmte Attribute sind auszumachen – liebevoll, gnädig, angsteinflößend –, und wir spüren, dass eine Beziehung möglich ist. Brahma saguna, das ist Brahma für unsere begrenzten Sinne begreiflich gemacht, die Weltseele, die nicht auf das Göttliche begrenzt ist, sondern sich in Menschen, Tieren, Bäumen ausdrückt, in einer Hand voll Erde, denn es gibt nichts auf der Welt, das nicht eine Spur des Göttlichen in sich trägt. Im Grunde ist Brahma nichts anderes als Atman, die spirituelle Kraft in uns, das, was man Seele nennen könnte. Die Seele des Einzelnen bezieht ihre Kraft aus der Weltseele, so wie ein Brunnen vom Grundwasser schöpft. Das, was das Universum über Gedanken und Sprache hinaus erhält, und das, was in unserem Inneren steckt und nach Ausdruck ringt, ist ein und dasselbe. Das Endliche im Unendlichen, das Unendliche im Endlichen. Wenn mich jemand fragen würde, wie Brahma und Atman zusammengehören, dann würde ich sagen, genau wie Vater, Sohn und Heiliger Geist – im Mysterium vereint. Aber eines ist klar: Atman versucht Brahma Gestalt zu geben, er sucht die Einheit mit dem Absoluten, er zieht wie ein Pilger durchs Leben, wo er geboren wird und stirbt und wieder geboren wird und wieder stirbt und noch einmal und noch einmal, bis es ihm gelingt, die irdischen Hüllen abzuschütteln, in denen er gefangen ist. Viele Wege führen zur Befreiung, doch die Mauer entlang dieser Wege ist stets dieselbe, die Strecke des Karma, wo der Weg zu unserer Befreiung bald kürzer, bald länger sein wird, je nachdem, wie wir unser Leben leben.

Das ist die heilige Essenz des Hinduismus, und ein Hindu bin ich mein ganzes Leben lang gewesen. Wenn ich weiß, was ich darüber weiß, dann kenne ich auch meinen Platz in der Welt.

Aber genug davon! Der Teufel soll die Fundamentalisten und Literalisten holen! Ich muss an eine Legende denken, die über Krishna erzählt wird, zu der Zeit, als er ein Kuhhirte war. Abend für Abend lädt er die Milchmädchen ein, mit ihm im Wald zu tanzen. Sie kommen und sie tanzen. Es ist finstere Nacht, das Feuer in ihrer Mitte lodert und prasselt, der Rhythmus der Musik wird immer schneller – die Mädchen tanzen und tanzen und tanzen mit ihrem Herrn, der so vielfache Gestalt angenommen hat, dass jedes ihn zugleich im Arm hat. Doch will ein Mädchen ihn ganz für sich haben, und als sie glaubt, Krishna tanze mit ihr und nur ihr allein, verschwindet er noch im selben Moment. Denn bei Gott soll es keine Eifersucht geben.

Ich kenne eine Frau hier in Toronto, an der hänge ich sehr. Sie war meine Pflegemutter. Ich nenne sie Tante, und das hört sie gern. Sie kommt aus Québec, und auch wenn sie jetzt schon seit über dreißig Jahren in Toronto lebt, spricht ihr Verstand Französisch, und sie versteht manche englischen Laute nicht. So ging es ihr, als sie zum ersten Mal von den Hare Krishnas hörte. Sie verstand »hairless Christians«, glatzköpfige Christen, und noch Jahre später nannte sie sie so. Ich habe den Irrtum aufgeklärt, aber im Grunde fand ich, dass sie gar nicht so unrecht hatte; denn Hindus, in ihrer großen Liebe zu allen Geschöpfen, sind tatsächlich haarlose Christen, genau wie Muslims, die Gott in allen Dingen sehen, bärtige Hindus sind, und Christen in ihrer Gottesfürchtigkeit sind Muslims mit Hut.

Kapitel 17

Die ersten Eindrücke sind die tiefsten; was danach kommt, muss sich dem einfügen, was uns geprägt hat. Die Grundzüge meines Glaubens verdanke ich dem Hinduismus: die Landschaft, die Städte und Flüsse, die Wälder und Schlachtfelder, die heiligen Berge und die Tiefen des Meers, wo Götter, Heilige, Gauner und gewöhnliche Menschen einander begegnen und in dieser Begegnung bestimmen, wer wir sind und warum wir sind. Der Hinduismus war das Land, in dem ich zum ersten Mal von der unendlichen, kosmischen Macht der Liebe erfuhr. Es war Krishna, der zu mir sprach. Ich hörte ihn und folgte ihm nach. Und in seiner Weisheit und in der Vollkommenheit seiner Liebe führte Krishna mich zu einem Menschen.

Ich war vierzehn Jahre alt und ein zufriedener Hindu, als mir an einem Ferientag Jesus Christus begegnete.

Es kam nicht oft vor, dass Vater sich im Zoo ein paar Tage freinahm, aber einmal fuhren wir nach Munnar, gleich hinter der Grenze zu Kerala. Munnar ist ein kleiner Kurort in den Bergen, umgeben von den höchstgelegenen Teeplantagen der Welt. Es war Anfang Mai, der Monsun hatte noch nicht eingesetzt. In den Ebenen von Tamil Nadu war es drückend heiß. Eine kurvenreiche fünfstündige Autofahrt brachte uns von Madurai herauf. Die Kühle dort oben war wie Pfefferminze. Wir taten, was Touristen taten. Wir besuchten eine Teemanufaktur. Wir unternahmen eine Bootsfahrt auf dem See. Wir besichtigten einen Bauernhof. Wir gaben im Nationalpark den Bergziegen Salz zu lecken. (»Die können Sie auch bei uns im Zoo sehen«, sagte Vater zu ein paar Schweizer Touristen. »Kommen Sie doch nach Pondicherry.«) Ravi und ich zogen durch die umliegenden Teeplantagen. Alles nur Vorwände, um uns ein wenig Beschäftigung zu verschaffen. Denn wenn der späte Nachmittag kam, hatten es sich unsere Eltern im Teesalon des üppig ausgestatteten Hotels so bequem gemacht wie zwei Katzen in einem sonnigen Fenster. Mutter las, Vater plauderte mit den anderen Gästen.

In Munnar gibt es drei Hügel. Sie sind nicht zu vergleichen mit den größeren Hügeln – Bergen, könnte man schon sagen – rings um die Stadt, aber gleich am ersten Morgen fiel mir beim Frühstück auf, dass sie doch etwas Besonderes waren: Auf jedem davon stand ein Gotteshaus. Der Hügel rechts von der Hotelterrasse, jenseits des Flusses, trug hoch oben an seiner Flanke einen Hindutempel; auf dem mittleren, ein wenig weiter entfernt, stand eine Moschee; und die Erhebung zur Linken krönte eine christliche Kirche.

An unserem vierten Tag in Munnar, als der Nachmittag

sich schon dem Ende zuneigte, stand ich auf dem Hügel zur Linken. Obwohl die Schule, die ich besuchte, nominell christlich war, war ich noch nie in einer Kirche gewesen und hätte mich auch jetzt nicht hineingetraut. Ich hatte nicht viel Ahnung von dieser Religion. Es gab kaum Götter, und sie galt als gewalttätig. Allerdings hatte sie gute Schulen. Ich umrundete die Kirche. Es war ein Gebäude, das nichts von dem verriet, was sich im Inneren verbergen mochte, mit dicken, schmucklosen hellblauen Mauern und hohen, schmalen Fenstern, durch die man nicht hineinsehen konnte. Eine Festung.

Ich kam ans Pfarrhaus. Die Tür stand offen. Ich versteckte mich hinter einer Ecke und sah mich um. Links von der Tür war ein kleines Holzschild mit der Aufschrift *Gemeindepfarrer* und *Kaplan* und zwei Schiebetäfelchen, die zeigten, ob die Pfarrer an- oder abwesend waren. Beide waren ANWESEND, informierte die Tafel mich in Goldbuchstaben. Einer war in seinem Büro beschäftigt, den Rücken zum Erkerfenster, der andere saß auf einer Bank an dem runden Tisch im Vorraum, wo offenbar Besucher empfangen wurden. Er saß mit dem Gesicht zu Tür und Fenstern und las in einem Buch – einer Bibel, nahm ich an. Er las ein paar Zeilen, dann blickte er auf, las ein paar Zeilen, blickte wieder auf. Er schien entspannt und doch ganz bei der Sache. Nach ein paar Minuten klappte er das Buch zu und legte es beiseite. Er faltete die Hände und saß einfach nur da, die Miene zufrieden, nicht erwartungsvoll, doch auch nicht bitter.

Die Wände des Vorraums waren weiß und schmucklos, die Tische und Bänke aus dunklem Holz, der Priester trug einen weißen Umhang – alles war ordentlich, einfach, schlicht. Ein Gefühl des Friedens erfüllte mich. Aber was mich mehr noch als die Stimmung dort faszinierte, was ich intuitiv begriff, das war, dass er einfach da war – geduldig, bereit –, für den Fall, dass jemand, egal wer es war, kam und mit ihm reden wollte. Ob jemand Trost in seinem

Schmerz suchte, ob er seine Zweifel teilen, sein Gewissen erleichtern wollte – er würde ihm zuhören, und das voller Liebe. Das Lieben war sein Beruf, und er würde Trost und Hilfe geben, wo immer er konnte.

Das rührte mich. Was ich da sah, stahl sich in mein Herz, und es pochte schneller davon.

Er erhob sich. Ich dachte, vielleicht stellt er jetzt sein Schildchen um, aber das tat er nicht. Er ging nur weiter nach hinten ins Pfarrhaus, sonst nichts, und ließ die Tür zwischen Vorraum und nächstem Zimmer genauso offen wie die Tür nach draußen. Das fand ich bemerkenswert, wie beide Türen weit offen standen. Er und sein Kollege waren offensichtlich weiter zum Gespräch bereit.

Ich wanderte zurück zur Kirche und fasste Mut. Ich ging hinein. Mein Magen zog sich zusammen. Ich hatte Angst, dass ich auf einen Christen stoßen würde, der mich anbrüllte: »Was hast du hier zu suchen, Ungläubiger? Willst du dieses Gotteshaus entweihen? Hinaus mit dir, auf der Stelle!«

Aber es war niemand da. Und es gab auch wenig zu erforschen. Ich ging nach vorn und sah mir das Heiligtum an. Ein Bild hing dort. War das ihr Murti? Ein Menschenopfer offenbar. Ein wütender Gott, den man mit Blut beschwichtigen musste. Frauen, die benommen in den Himmel starrten, wo fette Babys mit winzigen Flügeln flogen. Ein Vogel, der anscheinend etwas Besonderes war. Welcher davon war der Gott? An der Seitenwand des Sanktums hing eine bemalte Holzstatue. Dieselbe Opfergestalt wie auf dem Bild, geschunden, das Blut in kräftigen Farben gemalt. Ich starrte seine Knie an. Sie waren ganz aufgeschlagen. Die hellrote Haut klaffte auf wie Blütenblätter, und die Kniescheiben waren rot wie Feuerwehrautos. Ich konnte mir nicht erklären, was diese Folterszene mit dem Pfarrer im Pfarrhaus zu tun hatte.

Am nächsten Tag um die gleiche Zeit kam ich wieder. Wieder sagte das Schild ANWESEND, und diesmal ging ich hinein.

Katholiken gelten als streng, sie urteilen unerbittlich. Aber was ich bei Pater Martin kennen lernte, war ganz anders. Er war die Freundlichkeit in Person. Er bot mir Tee und Kekse an, in einem Teegeschirr, das bei jeder Berührung klapperte; er behandelte mich wie einen Erwachsenen, und er erzählte mir eine Geschichte.

Und was für eine. Das Erste, was mich fesselte, war, dass sie so unglaublich war. Was? Die Menschen sündigen, und Gottes Sohn zahlt die Zeche dafür? Ich stellte mir vor, wie Vater zu mir sagte: »Piscine, heute hat sich ein Löwe in die Lamagrube geschlichen und zwei Lamas gerissen. Gestern musste ein Rehbock dran glauben. Vorige Woche haben zwei von ihnen ein Kamel aufgefressen. Die Woche davor waren es Marabus und Graureiher. Und wer weiß, wer wirklich unseren Goldhasen geholt hat. So geht das nicht weiter. Es muss etwas geschehen. Die Löwen können ihre Sünden nur büßen, wenn sie als Nächsten dich fressen.«

»Da hast du Recht, Vater, das ist ja nur logisch und vernünftig. Ich wasche mir noch eben die Hände.«

»Halleluja, mein Sohn.«

»Halleluja, Vater.«

Was für eine verrückte Geschichte. Was für eine verquere Psychologie.

Ich bat ihn, mir noch eine andere zu erzählen, eine, die ein wenig einleuchtender war. Mit Sicherheit gab es da doch noch mehr – jede Religion hat massenhaft Geschichten. Aber Pater Martin erklärte mir, dass die Geschichten, die vorher kämen – und davon gebe es tatsächlich noch viele –, für die Christen nur Vorgeschichte seien. Im Grunde gebe es in ihrer Religion nur diese eine, und die reiche ihnen für alle Zeit.

An jenem Abend im Hotel war ich sehr still.

Dass ein Gott sich Anfeindungen gefallen ließ, konnte ich verstehen. Auch die Hindugötter haben mit Dieben, Aufsässigen, Erpressern und Thronräubern zu tun. Was ist denn das Ramayana anderes als der Bericht über einen einzigen grässlichen Tag im Leben Ramas? Anfeindungen, gewiss. Pech, sicher. Verrat, jederzeit. Aber *Erniedrigung? Tod?* Ich kann mir nicht vorstellen, dass Krishna zugelassen hätte, dass man ihn nackt auszog, ihn geißelte, verspottete, durch die Straßen zerrte und zum Schluss auch noch kreuzigte – und wohlgemerkt Menschen, nichts weiter. Nie hatte ich gehört, dass ein Hindugott gestorben wäre. Das offenbarte Brahman starb nicht. Teufel und Ungeheuer, die schon, genau wie wir Menschen, zu Tausenden und Millionen sogar – dazu waren sie schließlich da. Auch die Materie war vergänglich. Aber das Göttliche sollte vom Makel des Todes frei sein. Alles andere war unmöglich. Die Weltseele kann nicht sterben, nicht einmal ein einzelner Teil von ihr. Das war nicht richtig von diesem christlichen Gott gewesen, dass Er Seinen Avatar sterben ließ. Und der Tod des Gottessohns muss ja wohl echt gewesen sein. Wenn uns Gott am Kreuz das Leiden nur vorspielt, dann wird aus der Passion Christi eine Christusfarce. Der Sohn muss wirklich gestorben sein. Und Pater Martin versicherte mir, so sei es gewesen. Aber wenn ein Gott einmal tot war, dann haftet der Tod an ihm, selbst wenn er aufersteht. Der Sohn wird den Geschmack des Todes nicht mehr los. Die ganze Dreieinigkeit – man konnte sich vorstellen, wie grässlich es roch zur Rechten Gottes. Nicht nur in der Phantasie. Warum tat Gott Sich so etwas an? Warum überließ Er den Tod nicht den Sterblichen? Warum machte Er das Schöne schmutzig, die Vollkommenheit unvollkommen?

Aus Liebe. Das war Pater Martins Antwort.

Und was sollte man von dem Sohn halten? Es gibt die Erzählung vom kleinen Krishna, den seine Freunde zu Unrecht anschuldigen, er habe Schmutz gegessen. Seine Pflegemutter Yashoda stellt sich vor ihn hin und droht mit dem Finger. »Du sollst keinen Schmutz essen, du böser Junge!«, tadelt sie ihn. »Aber das habe ich nicht«, antwortet der Herrscher des Himmels und der Erde, der sich zum Spaß als armseliges Menschenkind verkleidet hat. »So, so!

Dann mach den Mund auf«, kommandiert Yashoda. Krishna tut wie ihm geheißen. Er öffnet den Mund. Yashoda bleibt die Luft weg. In Krishnas Mundhöhle sieht sie die gesamte unendliche Weite des Universums, alle Sterne und Planeten des Weltalls und den Raum zwischen ihnen, alle Länder und Meere der Erde und das Leben, das dort herrscht; sie sieht alle Tage der Vergangenheit und alle Tage der Zukunft, alle Gedanken und alle Gefühle, alles Mitleid und alle Hoffnung und die Dreigestalt der Materie; kein Kieselstein, keine Kerze, nicht die kleinste Kreatur fehlt, kein Dorf und keine Galaxie, und auch sich selbst sieht sie und jeden Krümel genau an seinem Ort. »Du kannst den Mund wieder schließen, Herr«, sagt sie ehrfürchtig.

Und da wäre die Geschichte von Vishnu in seiner Gestalt als Zwerg Vamana. Von Bali, dem König der Dämonen, fordert er nur so viel Land, wie er mit drei Schritten durchmessen kann. Bali lacht über den winzigen Bittsteller und seine noch winzigere Bitte. Er willigt ein. Sogleich nimmt Vishnu seine wahre kosmische Gestalt an. Mit einem Schritt ummisst er die ganze Erde, mit dem zweiten die Himmel, und mit dem dritten versetzt er Bali einen Tritt und befördert ihn in die Unterwelt.

Selbst Rama, der Menschlichste aller Avatare, war kein Feigling, auch wenn man ihn an seine Götternatur erinnern musste, als er in dem langen Kampf, in dem er seine Gemahlin Sita von Ravana, dem hinterhältigen Herrscher von Lanka, zurückeroberte, den Mut verlor. Er hätte sich von einem dürren Kreuz nicht aufhalten lassen. Und als es hart auf hart ging, wuchs er über seine armselige menschliche Gestalt hinaus, mit Waffen, die kein Mensch handhaben konnte, und einer Kraft, die kein Mensch hatte.

So soll ein Gott sein. Er soll Macht haben, er soll etwas vorstellen. Er soll die Bedrohten beschützen können und dem Bösen die Stirn bieten.

Dieser Sohn hingegen, der Hunger und Durst leidet,

der müde und traurig wird, der kleinlaut ist, sich hänseln und herumschubsen lässt, der sich mit Anhängern umgibt, die von nichts eine Ahnung haben, unter Gegnern, die keine Achtung vor Ihm kennen – was ist denn das für ein Gott? Das ist ein Gott, der zu menschlich geworden ist. Sicher, es gibt Wunder, meist im medizinischen Bereich, ein paar für das hungernde Volk; wenn es hochkommt, beschwichtigt Er einen Sturm oder geht ein paar Schritte übers Wasser. Das ist Magie in jämmerlichem Maßstab, kaum besser als ein Kartentrick. Jeder Hindugott kann das hundertmal besser. Dieser Sohn, der ein Gott ist, hat die meiste Zeit Seine Gleichnisse erzählt. Er *redet*. Und er geht zu Fuß. Dieser Sohn, der ein Gott ist, ist ein Fußgängergott, und das in einem heißen Land – Er geht wie ein gewöhnlicher Mensch, so weit die Sandalen ihn tragen, und wenn er sich einmal ein Transportmittel gönnte, dann war es ein einfacher Esel. Dieser Sohn ist ein Gott, der drei Stunden lang starb, der stöhnte, seufzte, klagte. Und das soll ein Gott sein? Was hat er denn, woran man sich ein Beispiel nehmen kann?

Liebe, sagte Pater Martin.

Und nur ein einziges Mal war dieser Sohn erschienen, vor vielen Jahren und weit fort? Bei einem obskuren Stamm im fernen Westasien, in der hintersten Ecke eines längst verschwundenen Weltreichs? Und hängt schon am Kreuz, bevor Er noch ein einziges graues Haar auf dem Kopf hat? Hinterlässt keine Nachkommen, nur ein paar verstreute Legenden, sein Werk ein paar Zeichnungen im Sand? Moment mal. Das ist nicht einfach nur Brahma mit einem Minderwertigkeitskomplex. Das ist Brahma als Feigling. Brahma, der kleinlich und unfair ist. Das ist Brahma, der gar nicht wirklich sichtbar wird. Wenn Brahma nur einen einzigen Sohn hat, dann muss er doch wenigstens vielfältige Gestalt annehmen, so wie Krishna bei den Milchmädchen, oder etwa nicht? Was konnte denn einen derartigen Geiz Gottes rechtfertigen?

Liebe, sagte Pater Martin noch einmal.

Da bleibe ich doch lieber bei meinem Krishna, danke schön. Krishna, das ist der Inbegriff eines Gottes für mich. Deinen zerlumpten und geschwätzigen Sohn kannst du behalten.

So bin ich diesem aufrührerischen Rabbi aus längst vergangenen Zeiten zum ersten Mal begegnet: mit Unverstand und Wut.

Drei Tage hintereinander kam ich zu Pater Martin zum Tee. Jedes Mal stellte ich zum Rasseln von Tasse und Teller, zum Klimpern des Löffels meine Fragen.

Die Antwort war immer dieselbe.

Er machte mir zu schaffen, dieser Sohn. Von Tag zu Tag fand ich Ihn empörender, entdeckte ständig neue Schwächen an Ihm.

Er ist *gehässig*! Eines Morgens in Bethanien hat Gott Hunger. Gott will Sein Frühstück. Er kommt zu einem Feigenbaum. Aber es ist nicht die richtige Jahreszeit, und an dem Baum hängen keine Früchte. Gott schmollt. »Nie wieder sollst du Früchte tragen«, knurrt der Sohn, und auf der Stelle verdorrt der Feigenbaum. So erzählt es Matthäus, und Markus bestätigt es.

Aber ich frage Sie, was kann denn der Feigenbaum dafür, dass keine Feigenzeit ist? Wer tut denn so etwas einem unschuldigen Feigenbaum an und lässt ihn verdorren?

Er beschäftigte mich. Tut es bis heute. Drei Tage lang habe ich nur an Ihn gedacht. Und je mehr ich über Ihn erfuhr, desto sicherer war ich, dass ich bei Ihm bleiben wollte.

Am letzten Tag, ein paar Stunden bevor wir Munnar verlassen wollten, stürmte ich den Hügel zur Linken hinauf. Heute kommt mir das ausgesprochen christlich vor. Das Christentum ist eine Religion, die es immer eilig hat. Man denke nur an die Welt, die in sieben Tagen erschaffen wird. Selbst wenn man es nicht wörtlich nimmt, kommt es einem doch arg gehetzt vor. Für jemanden, der in eine Religion geboren wurde, in der das Ringen um eine einzige Seele ein Stafettenlauf über viele Jahrhunderte sein kann, bei dem der Stab über unzählige Generationen weitergereicht wird, hat das Tempo des Christentums etwas Schwindelerregendes. Wenn der Hinduismus friedlich dahinfließt wie der Ganges, dann ist das Christentum Toronto in der Rushhour. Es ist eine Religion so stürmisch wie eine Schwalbe, so eilig wie eine Ambulanz. Es stampft nur einmal mit dem Fuß auf, es sagt mit einem Wort, was es zu sagen hat. In einem einzigen Augenblick ist man errettet oder verdammt. Die Wurzeln des Christentums reichen weit zurück, aber im Grunde existiert es immer nur im Hier und Jetzt.

Eilig lief ich den Hügel hinauf. Pater Martin war nicht ANWESEND – das Schildchen war auf die andere Seite geschoben –, aber Gott sei Dank war er doch da.

Noch atemlos vom Laufen keuchte ich: »Pater, ich will ein Christ sein.«

Er lächelte. »Das bist du schon, Piscine – in deinem Herzen. Wer Christus in seinem Herzen aufnimmt, der ist ein Christ. Hier in Munnar bist du Christus begegnet.«

Er tätschelte mir den Kopf. Eigentlich war es eher ein Schlag, es fühlte sich an wie WUMM-WUMM-WUMM.

Innerlich explodierte ich vor Freude.

»Wenn du wiederkommst, trinken wir wieder Tee, mein Sohn.«

»Ja, Pater.«

Es war ein gutes Lächeln, das er mir mit auf den Weg gab. Das Lächeln Christi.

Ich betrat die Kirche, ohne Furcht diesmal, denn nun war es ja auch mein Haus. Ich betete zum lebendigen Christus. Dann stürmte ich den Hügel zur Linken hinunter und den Hügel zur Rechten hinauf – damit ich Gott Krishna Dank sagen konnte, dafür, dass er mir Jesus von Nazareth geschickt hatte, dessen Menschlichkeit mir nicht mehr aus dem Sinn ging.

Kapitel 18

Der Islam folgte auf dem Fuße, noch nicht einmal ein Jahr später. Ich war inzwischen fünfzehn und sah mich in meiner Heimatstadt um. Das Muslimviertel lag nicht weit vom Zoo. Ein kleines, friedliches Viertel mit Halbmonden und arabischen Schriftzeichen an den Wänden.

Ich kam zur Mullah Street. Ich warf einen Blick auf die Jamia Masjid, die Große Moschee – natürlich nur von außen. Der Islam war ja noch verrufener als das Christentum – noch weniger Götter, noch mehr Gewalt, und keiner sagte über die muslimischen Schulen etwas Gutes –; ich blieb in der Tür stehen, auch wenn niemand dort war. Der Bau war klar und weiß, nur einige Kanten waren grün gestrichen, und erstreckte sich offen um einen freien Raum in der Mitte. Der Boden war ganz mit langen Strohmatten bedeckt. Zwei schlanke, sich verjüngende Minarette ragten umgeben von mächtigen Kokospalmen in den Himmel. Es war nichts eindeutig Religiöses an diesem Ort, ja überhaupt nichts Bemerkenswertes, aber er war angenehm freundlich und still.

Ich zog weiter. Jenseits der Moschee standen einstöckige Häuserzeilen mit kleinen überdachten Veranden. Sie sahen heruntergekommen und arm aus, die grünen Wände ausgebleicht. Eines der Häuser war ein Laden. Mir fiel ein Regal mit verstaubten Orangeadeflaschen auf, und es gab vier durchsichtige Plastikbehälter halb voll mit Süßigkeiten. Aber hauptsächlich wurde etwas anderes verkauft, etwas Flaches, Rundliches, Weißes. Ich ging näher hin. Es schien eine Art ungesäuertes Brot. Ich berührte eines mit dem Finger. Es fühlte sich steif an. Sie sahen aus wie drei Tage alte Nans. Wer isst denn so etwas, dachte ich. Ich nahm eines in die Hand und bog es, um zu sehen, wie hart es war.

»Möchtest du eins probieren?«, fragte eine Stimme.

Der Schreck warf mich fast um. Jedem von uns ist das

schon einmal geschehen: das Spiel von Licht und Schatten, die Farbflecken, in Gedanken ist man anderswo – und sieht nicht, was man direkt vor der Nase hat.

Keine anderthalb Meter von mir saß mit gekreuzten Beinen vor seinen Broten ein Mann. Ich hatte die Arme in die Höhe geworfen, und das Brot flog im hohen Bogen auf die Straße. Es landete in einem frischen Kuhfladen.

»Verzeihen Sie, Sir, bitte!«, rief ich aufgeregt. »Ich habe Sie nicht gesehen!« Am liebsten wäre ich davongelaufen.

»Halb so wild«, sagte er sanft. »Das holt sich noch eine Kuh. Nimm dir ein anderes.«

Er riss eines in zwei Hälften. Wir aßen miteinander. Es war hart und zäh, nicht leicht zu kauen, aber es machte satt. Ich wurde ruhiger.

»Und die backen Sie?«, fragte ich, weil mir nichts anderes einfiel.

»Ja. Komm, ich zeige es dir.« Er erhob sich von dem Podest, auf dem er gesessen hatte, und führte mich ins Haus.

Es war eine Hütte mit zwei Räumen. Der größere, ganz vom Ofen beherrschte war die Backstube, der andere, durch einen dünnen Vorhang abgetrennt, seine Schlafkammer. Der Boden des Backofens war ausgelegt mit glatten Kieselsteinen. Der Mann erklärte mir eben, wie das Brot auf diesen heißen Steinen gebacken wurde, da wehte der näselnde Ruf des Muezzins von der Moschee herüber. Es war, das wusste ich, der Ruf zum Gebet, aber ich hatte keine Vorstellung, was das bedeutete. Ich hatte erwartet, dass er die Gläubigen zur Moschee rief, so wie die Christen von der Glocke zur Kirche gerufen wurden. Aber es war anders. Der Bäcker brach mitten im Satz ab und sagte: »Entschuldige.« Er ging kurz in den Raum nebenan und kehrte mit einem zusammengerollten Teppich zurück, den er, wobei eine kleine Mehlwolke aufstob, auf dem Boden seiner Backstube ausbreitete. Und direkt vor meinen Augen, mitten an seinem Arbeitsplatz, betete er. Es war ein merkwürdiger Anblick, aber nicht er kam mir fehl am Platze vor, sondern ich. Zum Glück betete er mit geschlossenen Augen.

Er stellte sich aufrecht hin. Er murmelte etwas auf Arabisch. Er legte die Hände an die Ohren, Daumen an den Ohrläppchen, als horche er angestrengt auf Allahs Antwort. Er neigte sich vor. Er richtete sich auf. Er ging in die Knie und berührte mit Händen und Stirn den Boden. Er setzte sich auf. Er verneigte sich noch einmal. Er stand auf. Dann begann er mit allem von vorn.

Der Islam ist ja nichts weiter als eine Andachtsübung, dachte ich. Joga für die Beduinen, nicht zu anstrengend, weil es bei ihnen so heiß ist. Asanas ohne Schweiß, Himmel ohne Mühe.

Viermal machte er diese Übung und murmelte dabei unablässig. Als er fertig war – zum Schluss hatte er den Kopf nach rechts und dann nach links gewendet und danach ein paar Augenblicke lang still dagesessen, wie in Meditation –, schlug er die Augen auf, lächelte, trat neben seinen Teppich und rollte ihn mit einer einzigen Handbewegung zusammen, die von langer Routine sprach. Er brachte ihn zurück an seinen Platz nebenan. Dann kam er wieder zu mir. »Wo waren wir stehen geblieben?«, fragte er.

So hatte ich also zum ersten Mal einen Muslim beim Gebet gesehen – zielstrebig, energisch, ökonomisch, leise, faszinierend. Als ich wieder in der Kirche betete – auf den Knien, reglos, still vor Christus am Kreuz –, erschien immer wieder dies Bild vor meinen Augen, die kallisthenische Kommunion mit Gott, umgeben von Mehlsäcken.

Kapitel 19

Ich besuchte ihn wieder.

»Worum geht es bei eurer Religion?«, fragte ich.

Seine Augen leuchteten. »Es geht um Liebe.«

Ich möchte den Menschen sehen, der den Islam, den

Geist, der dahintersteckt, begreift und ihn nicht liebt. Es ist eine wunderbare Religion, voller Brüderlichkeit und Treue.

Die Moschee war ein in jedem Wortsinn offener Bau, offen für Gott und für die frische Luft. Wir saßen mit gekreuzten Beinen und lauschten dem Imam, bis die Stunde des Gebets gekommen war. Nun kam Ordnung in das bunte Durcheinander; alle erhoben sich und stellten sich Schulter an Schulter in Reihen auf; wo vorne etwas freiblieb, traten die Dahinterstehenden vor, bis die Gläubigen in geschlossenen Reihen standen. Es war ein schönes Gefühl, wenn die Stirn den Boden berührte. Als hätte man unmittelbar Kontakt mit dem Göttlichen.

Kapitel 20

Er war ein Sufi, ein muslimischer Mystiker. Er strebte nach *fana*, der Einheit mit Gott, und seine Beziehung zu Gott war persönlich und voller Liebe. »Wenn du auch nur zwei Schritte auf Gott zumachst«, sagte er immer, »kommt Gott dir entgegengelaufen!«

Er war ein sehr unauffälliger Mann – nichts an seinem Gesicht oder seiner Kleidung gab dem Gedächtnis Halt. Es wundert mich gar nicht, dass ich ihn anfangs nicht sah, als wir uns das erste Mal begegneten. Selbst als ich ihn schon sehr gut kannte, hatte ich jedes Mal von neuem Mühe, ihn zu erkennen. Er hieß Satish Kumar. Beides sind häufige Namen in Tamil Nadu, und der Zufall ist nicht so verblüffend, wie man denken könnte. Aber es machte mir doch Vergnügen, dass dieser fromme Bäcker, unauffällig wie ein Schatten und bei bester Gesundheit, und der kommunistische Biologielehrer und Wissenschaftsanbeter, der Berg von Mann, der, geschlagen von der Kinderlähmung, auf Beinen wie Stelzen daherkam, denselben Namen trugen. Mr und Mr Kumar lehrten mich Biologie und Islam. Mr und Mr Kumar verdanke ich es, dass ich Zoologie und Religionswissenschaften an der Universität von Toronto studierte. Mr und Mr Kumar waren die Propheten meiner indischen Jugend.

Wir beteten gemeinsam und übten uns im *dhikr*, dem Rezitieren der neunundneunzig offenbarten Namen Gottes. Er war ein *hafiz*, einer, der den Koran auswendig gelernt hat, und sang ihn in klaren, gedämpfen Tönen. Viel Arabisch konnte ich nicht, aber ich hörte mit Begeisterung zu. Die kehligen Laute, die langen, fließenden Vokale strömten, wenn auch unverstanden, wie ein freundlicher Bach dahin. Stundenlang saß ich am Ufer und blickte ins Wasser. Der Strom war nicht breit, nur die Stimme eines einzelnen Mannes, aber er war so tief wie die Welt.

Ich habe Mr Kumars Behausung eine Hütte genannt. Aber keine Moschee, keine Kirche, kein Tempel kam mir je so heilig vor. Oft genug trat ich aus dieser Backstube wie ein Gesegneter. Ich stieg dann auf mein Fahrrad, und wo ich fuhr, ließ ich eine Spur des Segens zurück.

Einmal fuhr ich nach einem solchen Erlebnis aus der Stadt hinaus, und auf der Rückfahrt kam ich an eine Stelle, ein wenig erhöht, wo ich links von mir das Meer und vor mir ein langes Stück des Weges sehen konnte, und plötzlich fühlte ich mich im Himmel. Es war eine Stelle, an der ich erst vor ein paar Minuten vorbeigekommen war, aber nun sah ich sie mit neuen Augen. Es war ein wunderbar intensives, wohliges Gefühl, eine paradoxe Mischung aus pulsierender Energie und tiefstem Frieden. Wo zuvor Straße, See, Luft und Bäume jedes mit seiner eigenen Stimme zu mir gesprochen hatten, sprachen sie nun in einer gemeinsamen Sprache, in der alles eins war. Der Baum sah die Straße, die wiederum spürte die Luft, die sich alles Umgebende mit der Sonne teilte. Jedes Element lebte im Einklang mit seinen Nachbarn, und alles war in Harmonie miteinander. Als Sterblicher war ich gekommen, als Unsterblicher fuhr ich davon. Ich kam mir vor wie der Mittelpunkt eines kleinen Zirkels, der im Zentrum eines weit größeren lag. Atman begegnete Allah.

Ein weiteres Mal spürte ich Gott mir so nahe. Es war in Kanada, viele Jahre später. Ich war zu Besuch bei Freunden auf dem Lande. Es war Winter. Ich hatte einen Spaziergang in den Feldern gemacht und kehrte zum Haus zurück. Es war ein klarer, sonniger Tag. In der Nacht war Schnee gefallen, und alle Natur lag unter einer weißen Decke verborgen. Als ich mich dem Haus näherte, blickte ich noch einmal zurück. Hinter mir lag ein Wäldchen, darin eine kleine Lichtung. Ein Lufthauch, vielleicht war es auch ein Tier, hatte einen Zweig in Bewegung gebracht. Pulverschnee rieselte herab und glitzerte im Sonnenlicht. In diesem goldenen Regen, in dieser sonnendurchfluteten Lichtung sah ich die Jungfrau Maria. Warum gerade sie, konnte ich nicht sagen. Ich war kein großer Marienverehrer. Aber es konnte niemand anderes sein. Ihre Haut war hell, sie trug ein weißes Kleid mit blauem Umhang; ich weiß noch, wie plastisch ich den Faltenwurf sah. Wenn ich sage, dass ich sie *sah*, trifft das die Sache nicht ganz, obwohl sie durchaus körperliche Gestalt hatte. Ich *spürte*, dass ich sie sah, es war eine Vision, die über das rein Sichtbare hinausging. Ich blieb stehen, sah genauer hin. Sie war wunderschön, eine Königin. Sie lächelte mir zu, und es war ein Lächeln der Liebe. Ein paar Sekunden, dann verließ sie mich wieder. Mir pochte das Herz, erschrocken und glücklich zugleich.

Die Gegenwart Gottes ist der höchste Lohn.

Kapitel 21

Ich sitze in einem Café in der Innenstadt und denke nach. Fast den ganzen Nachmittag habe ich mit ihm verbracht. Wenn ich bei ihm war, kommt mir die Selbstzufriedenheit meines eigenen Lebens schal vor. Wie hat er gesagt? »Die Dürre der Wirklichkeit, in der

keine Saat aufgeht« und »das Beste an der Geschichte«. Ich hole
Bleistift und Papier hervor und schreibe:

*Worte göttlichen Bewusstseins: moralische Verzückung, ein Gefühl
der Erhebung, des jubilierenden Glücks; ein höheres moralisches
Empfinden, wichtiger als das verstandesmäßige Begreifen der
Dinge; die Ordnung des Universums gemäß den Gesetzen der Moral, nicht des Intellekts; begreifen, dass das Grundprinzip unserer
Existenz das ist, was wir Liebe nennen, und dass diese Liebe sich
nicht immer klar oder eindeutig oder unmittelbar zeigt, aber doch
unausweichlich.*

*Ich halte inne. Was ist mit dem Schweigen Gottes? Darüber
denke ich nach. Dann füge ich hinzu: Der Verstand ist verwirrt,
aber er vertraut auf die Gegenwart Gottes und einen Sinn des Lebens.*

Kapitel 22

Ich kann sie mir ausmalen, die letzten Worte eines Atheisten: »Alles ist weiß – weiß! Alles ist Liebe! Gott!« – und
dann noch auf dem Sterbebett der Sprung in den Glauben.
Der Agnostiker hingegen, wenn er bis zuletzt seiner Vernunft treu bleibt, wenn er selbst das warme Licht, das ihn
schon umgibt, mit der Dürre der Wirklichkeit, in der keine
Saat aufgeht, erklären will, wird sagen: »N-nur eine Unter-
versorgung des H-hirns mit Sauerstoff.« Noch im letzten
Augenblick wird ihm die Phantasie fehlen, und er wird das
Beste an der Geschichte verpassen.

Kapitel 23

Glaube hält eine Gemeinschaft zusammen, und gerade das
sollte nun leider für mich zur Schwierigkeit werden. Anfangs wussten nur die, die nichts dabei fanden oder sich

darüber amüsierten, von meinen religiösen Praktiken, aber es dauerte nicht lange, bis auch diejenigen davon erfuhren, die sehr wohl etwas dabei fanden und ganz und gar nicht amüsiert waren.

»Was hat Ihr Sohn im Tempel zu suchen?«, fragte der Priester.

»Ihr Sohn ist in der Kirche gesehen worden«, sagte der Imam, »und hat sich bekreuzigt.«

»Ihr Sohn ist jetzt bei den Muslims«, klagte der Pandit.

Jawohl, sie sorgten dafür, dass es meinen bass erstaunten Eltern nicht verborgen blieb. Und erstaunt waren sie, denn sie wussten von nichts. Sie hatten keine Ahnung, dass ich gläubiger Hindu, Christ und Moslem war. Es gibt doch immer ein paar Sachen, die man als Teenager seinen Eltern nicht erzählt, oder? Jeder Sechzehnjährige hat seine Geheimnisse, nicht wahr? Aber das Schicksal wollte es, dass meine Eltern und ich und die drei Weisen, wie ich sie nennen will, uns eines Tages auf der Goubert-Salai-Esplanade begegneten, und so kam mein Geheimnis ans Licht. Es war ein schöner, heißer Sonntagnachmittag, ein Lüftchen wehte, und die Bucht von Bengalen glitzerte unter dem blauen Himmel. Die Leute aus der Stadt machten ihren Sonntagsspaziergang. Kinder tobten und lachten. Bunte Luftballons flogen auf. Die Eisverkäufer verkauften um die Wette. Warum sollte man an einem solchen Tag an Arbeit denken? Konnten sie denn nicht einfach vorübergehen, mit einem Nicken und einem Lächeln? Aber es sollte nicht sein. Es war uns beschieden, dass wir von den Weisen nicht nur einen trafen, sondern alle drei, und nicht nacheinander, sondern alle zusammen, weil offenbar jeder, als er uns sah, beschloss, dass der Augenblick gekommen war, mit dem Zoodirektor von Pondicherry ein Wörtchen über seinen ach so frommen Sohn zu wechseln. Als ich den Ersten sah, lächelte ich noch; als ich den Dritten erblickte, war das Lächeln schon zur entsetzten Fratze geworden. Als klar war, dass alle drei auf uns zuhielten, machte mein Herz noch einen Hüpfer, dann rutschte es mir in die Hose.

Die Weisen schienen verlegen, als sie merkten, dass sie alle drei dasselbe wollten. Jeder muss wohl von den beiden anderen gedacht haben, sie wollten uns in anderen Geschäften sprechen und hätten nur dummerweise denselben Augenblick gewählt. Unfreundliche Blicke wurden gewechselt.

Meine Eltern waren mehr als überrascht, als ihnen drei fremde Gottesmänner, alle drei mit schönstem Lächeln, in den Weg traten. Ich sollte dazu sagen, dass meine Familie alles andere als gläubig war. Vater sah sich als Vertreter des Neuen Indien – wohlhabend, modern und so säkular wie Eis am Stiel. Er hatte keinen Funken Frömmigkeit in sich. Er war Geschäftsmann, und für ihn steckte das Wort *geschäftig* darin, er war ein hart arbeitender vernünftiger Profi, den das Liebesleben seiner Löwen mehr interessierte als das Walten des Weltgeists. Sicher, neu ankommende Tiere ließ er von einem Priester segnen, und es gab im Zoo auch zwei kleine Schreine, einen für Ganesha, einen für Hanuman – beides Götter, die einem Zoodirektor gefallen mussten, denn der erste hatte einen Elefantenkopf, der zweite war ein Affe, aber Vater dachte dabei eher ans Geschäft, er wollte Public Relations, nicht seine Seele retten. Spirituelle Qualen kannte er nicht; es waren die finanziellen, die ihm den Schlaf raubten. »Eine einzige große Epidemie unter den Tieren«, sagte er immer, »und wir beschließen unsere Tage als Steineklopfer.« Mutter wusste zum Thema Religion nichts zu sagen, sie hatte keine Meinung dazu. Sie war als Hindu groß geworden und auf eine Baptistenschule gegangen; die beiden Einflüsse hatten sich exakt neutralisiert, und heraus gekommen war ein unbekümmerter Unglaube. Sie hatte wohl ihre Vermutungen, dass ich in diesen Dingen anders dachte, aber sie sagte nie etwas dazu, wenn ich als Kind die Comicversionen von Ramayana und Mahabharata verschlang und andere Göttergeschichten. Sie war einfach froh, wenn ich überhaupt las, egal welches Buch, solange es nichts Unanständiges war. Was Ravi anging: Hätte Gott Krishna statt der Flöte einen Cricketschläger in der Hand gehabt, wäre Christus ihm im Schiedsrichterdress erschienen, hätte Mohammed, Friede sei mit ihm, auch nur das leiseste Talent im Bowlingspiel gehabt, dann hätte vielleicht auch Ravi einmal fromm geblinzelt; aber so schlief er den festen Schlaf der Gottlosen.

Nach dem »Hallo« und dem »Guten Tag« kam ein verlegenes Schweigen. Der Priester brach es. »Piscine ist ein guter Christenjunge«, sagte er. »Ich hoffe, er wird bald im Kirchenchor singen.«

Meine Eltern, der Pandit und der Imam machten ein verdutztes Gesicht.

»Das muss ein Irrtum sein. Er ist ein guter Muslim. Nie versäumt er das Freitagsgebet, und er hat schon eine stattliche Zahl von Koranversen gelernt.« Sprach der Imam.

Meine Eltern, der Priester und der Pandit machten eine ungläubige Miene.

»Sie haben beide Unrecht«, meldete sich der Pandit zu Wort. »Er ist ein guter Hindu. Ständig sehe ich ihn im Tempel, er übt sich in *darshan* und *puja*.«

Meine Eltern, der Imam und der Priester waren verblüfft.

»Ein Irrtum ist ausgeschlossen«, beteuerte der Priester. »Ich kenne diesen Jungen. Das ist Piscine Molitor Patel, ein gläubiger Christ.«

»Ich kenne ihn ebenso gut«, versicherte der Imam, »und ich sage, er ist Muslim.«

»Unsinn!«, rief der Pandit. »Piscine ist als Hindu geboren, er lebt als Hindu und wird als Hindu sterben!«

Die drei Weisen starrten einander an, ungläubig, mit angehaltenem Atem.

Herr, lasse sie ihre Augen von mir abwenden, flüsterte ich im Innersten.

Aller Augen richteten sich auf mich.

»Piscine«, fragte der Imam ernst, »ist das wirklich wahr? Hindus und Christen sind Götzendiener. Sie haben viele Götter.«

»Und Muslims haben viele Frauen«, konterte der Pandit.

Der Blick des Priesters wanderte vom einen zum anderen. »Piscine«, flüsterte er beinahe, »nur Jesus kann deine Seele retten.«

»Dummes Geschwätz«, fuhr der Pandit ihn an. »Christen wissen nichts von Religion.«

»Schon vor langem sind sie vom Pfade Gottes abgekommen«, pflichtete der Imam ihm bei.

»Wo ist denn Gott in eurer Religion?«, schnaubte der Priester. »Ihr habt doch nicht ein einziges Wunder, das beweist, dass es Gott überhaupt gibt. Was ist denn das für ein Glaube, bei dem es keine Wunder gibt?«

»Es ist eben kein Zirkus, bei dem die Toten aus den Gräbern hüpfen! Uns Muslims ist das Wunder des Lebens gut genug. Ein Vogel in den Lüften, ein Regentropfen, die Ähren auf dem Felde – das sind unsere Wunder.«

»Nichts gegen Regen und Federvieh, aber wir wollen doch wissen, ob Gott mit uns ist.«

»Tatsächlich? Na, Gott hat ja gesehen, was er davon hatte, als er mit euch war – umbringen wolltet ihr ihn! Mit dicken Nägeln habt ihr ihn ans Kreuz geschlagen. Behandelt ein anständiges Volk so seine Propheten? *Uns* hat der Prophet Mohammed – Friede sei mit ihm – das Wort Gottes ohne erbärmlichen Firlefanz gebracht, und er ist als alter Mann gestorben.«

»Als ob das Wort Gottes einem jämmerlichen Kaufmann in der Wüste offenbart würde! Epileptische Anfälle hat er gehabt, vom Schwanken des Kamels; das hat nichts mit Gott zu tun. Oder es war ein Sonnenstich.«

»Ihr würdet etwas zu hören bekommen, wenn der Prophet – F.s.m.i. – noch am Leben wäre«, knurrte der Imam, die Augen zusammengekniffen.

»Aber das ist er eben nicht! *Wir* haben den lebendigen Christus, aber euer E.s.m.i., der ist tot, tot, tot!«

Der Pandit ließ sich nicht aus der Fassung bringen. Auf Tamilisch sagte er: »Die entscheidende Frage ist doch: Warum gibt Piscine sich mit *fremden* Religionen ab?«

Priester und Imam quollen fast die Augen aus den Köpfen. Sie waren beide Tamilen.

»Gott ist weltumspannend«, protestierte der Priester.

Der Imam nickte. »Es gibt nur einen Gott.«

»Und der eine Gott genügt den Muslims, dass sie am laufenden Band Unruhe und Aufruhr damit stiften. Dass der Islam nichts wert ist«, verkündete der Pandit, »sieht man doch daran, wie ungewaschen die Moslems sind.«

»Sprach der Sklaventreiber mit seinem Kastenunwesen«, schnaubte der Imam. »Hindus versklaven die Menschen und beten bunte Püppchen an.«

»Das goldene Kalb. Vor den Kühen werfen sie sich in den Staub«, stimmte der Priester ihm zu.

»Besser als vor einem Weißen! Christen sind die Lakaien des weißen Mannes. Sie sind eine Schande für alle farbigen Völker.«

»Schweinefleischesser und Kannibalen«, rief der Imam in Erinnerung.

»Piscine muss sich entscheiden« – der Priester biss die Zähne zusammen –, »ob er eine *echte* Religion will oder Ammenmärchen.«

»Ob er Gott verehren will oder Götzen«, sagte der Imam mit Grabesstimme.

»Unsere Götter«, zischte der Pandit, »oder Kolonialgötter.«

Schwer zu sagen, wessen Gesicht das roteste war. Es fehlte nicht viel, und sie wären mit Fäusten aufeinander losgegangen.

Vater hob die Hände. »Bitte, meine Herren, bitte!«, rief er. »Darf ich Sie daran erinnern, dass in unserem Lande Freiheit der Religion herrscht!«

Drei empörte Gesichter starrten ihn an.

»*Der* Religion!«, riefen die drei Weisen im Chor. Drei Zeigefinger hoben sich wie Ausrufezeichen, um zu betonen, dass es ein Singular war.

Die unbeabsichtigte Choreographie machte sie verlegen. Die Finger verschwanden eilig, und jeder seufzte und brummte für sich. Vater und Mutter blickten starr vor sich hin und wussten nicht, was sie sagen sollten.

Der Pandit brach den Bann. »Mr Patel, Piscines Frömmigkeit ist bewundernswert. In diesen schlimmen Zeiten ist es eine Wohltat, einen Jungen zu sehen, dem Gott so sehr am Herzen liegt. Da sind wir uns alle einig.« Der Imam und der Priester nickten. »Aber er kann nicht Hindu, Christ und Moslem zugleich sein. Das ist unmöglich. Er muss sich entscheiden.«

»Ich finde nicht, dass es ein Verbrechen wäre«, antwortete Vater, »aber Sie haben wohl Recht.«

Die drei murmelten Beifälliges und hoben, genau wie Vater, den Blick himmelwärts, weil sie anscheinend erwarteten, dass die Entscheidung von dort kommen müsse. Mutter sah mich an.

Das Schweigen lastete schwer auf meinen Schultern.

»Hmm, Piscine?« Mutter gab mir einen Stups. »Wie stehst du dazu?«

»Bapu Gandhi sagt, alle Religionen sind wahr«, plapperte ich los. »Ich will doch nur Gott lieben.« Ich blickte zu Boden, rot im Gesicht.

Meine Verlegenheit war ansteckend. Keiner sagte mehr etwas. Der Vorfall ereignete sich nicht weit von der Gandhi-Statue an der Esplanade. Der Mahatma schritt einher, Stock in der Hand, ein Koboldlächeln auf den Lippen, den Schalk in den Augen. Wahrscheinlich hatte er unsere Unterhaltung mit angehört, aber noch aufmerksamer, stellte ich mir vor, horchte er auf mein Herz. Vater räusperte sich und sagte ein wenig kleinlaut: »Das versuchen wir ja wohl alle – Gott zu lieben.«

Ich fand es zum Piepen, dass er das sagte, er, der, soweit meine Erinnerung zurückreichte, kein einziges Mal mit ernsthafter Absicht einen Tempel betreten hatte. Aber anscheinend waren es genau die Worte, die gebraucht wurden. Man kann doch einen Jungen nicht dafür tadeln, dass er Gott lieben will. Mit gequältem, eifersüchtigem Lächeln gingen die drei Weisen ihres Weges.

Vater sah mich kurz an, als wolle er etwas sagen, dann überlegte er es sich anders, fragte: »Will jemand ein Eis?«, und war schon zum nächstbesten Stand unterwegs, bevor wir etwas sagen konnten. Mutters Blick ruhte ein wenig länger auf mir, und ihr Ausdruck war zärtlich, doch auch perplex.

Das war meine erste Erfahrung mit dem Dialog der Weltreligionen. Vater kam mit drei Eiswaffeln zurück. Wir aßen sie, wie üblich, schweigend und setzten unseren Sonntagsspaziergang fort.

Kapitel 24

Ravi jubilierte, als er es erfuhr.

»Na, Swami Jesus, wann machst du deine Wallfahrt nach Mekka?«, fragte er und legte andächtig die Handflächen aneinander. »Du gehst doch auf den Hadsch, oder?« Er bekreuzigte sich. »Oder lieber nach Rom, Papst Pius?« Damit ich den Witz auch ja verstand, malte er den griechischen Buchstaben in die Luft. »Nur noch eine Frage der Zeit, bis du dir ein Stück von deinem Pimmel abschneiden lässt und bei den Juden eintrittst, hm? Wart's nur ab, bald rennst du am Donnerstag in den Tempel, am Freitag in die Moschee, am Samstag in die Synagoge und am Sonntag in die Kirche. Noch drei Religionen, dann hast du für den Rest deines Lebens frei.«

Und mehr in dieser Art.

Kapitel 25

Aber damit war die Sache noch nicht zu Ende. Es gibt ja immer diejenigen, die es sich zur Aufgabe machen, Gott zu verteidigen, als ob der Urgrund des Seins, dasjenige, das alles zusammenhält, schwach sei und ihre Hilfe bräuchte. Solche Leute gehen achtlos an einer von der Lepra entstellten Witwe vorbei, die um ein paar Münzen bettelt, sie lassen die zerlumpten Kinder am Straßenrand stehen und denken: »Was geht mich das an?« Aber wehe, sie glauben, jemand hätte ihren Gott gelästert. Dann schießt ihnen das Blut ins Gesicht, die Brust schwillt, sie schreien Zeter und Mordio. Man staunt, welches Maß an Empörung möglich ist. Eine Vehemenz, die einem Angst machen kann.

Diese Leute verstehen nicht, dass man Gott im eigenen Inneren verteidigen muss, nicht nach draußen. Ihre Wut müsste sie selbst treffen. Denn das Böse in der Öffentlichkeit ist nichts weiter als das Böse, das aus dem Inneren entwischt. Das Feld, auf dem das Gute sich schlagen muss, ist nicht die große Arena, sondern die Lichtung im eigenen Herzen. Aber das Los der Witwen und Straßenkinder ist hart, sehr hart, und ihnen, nicht Gott, sollte der Selbstgerechten eine Hilfe sein.

Einmal jagte mich ein Dummkopf aus der Großen Moschee. Als ich in die Kirche kam, sah der Priester mich so missbilligend an, dass er mir den Frieden Gottes vertrieb. Manchmal scheuchte ein Brahmane mich vom Darshan fort. Man berichtete den Eltern von meinen frommen Schandtaten in den ängstlichen, aufgeregten Tönen, in denen man einen Verräter beim Namen nennt.

Als ob solche Kleinlichkeit Gott zur Ehre gereichte.

Für mich ist Religion eine Frage der Würde, nicht der Gehässigkeit.

Ich ging nicht mehr zur Jungfrau der unbefleckten Empfängnis, sondern besuchte die Messe stattdessen bei der Jungfrau der Unschuldigen. Nach dem Freitagsgebet blieb ich nicht mehr bei meinen Glaubensbrüdern stehen. Ich ging zum Tempel, wenn es besonders voll war, damit die Brahmanen nicht zwischen Gott und mich treten konnten.

Kapitel 26

Ein paar Tage nach der Begegnung auf der Esplanade fasste ich mir ein Herz und ging zu Vater ins Büro.

»Vater?«

»Ja, Piscine.«

»Ich möchte mich taufen lassen, und ich hätte gern einen Gebetsteppich.«

Es dauerte eine Weile, bis meine Worte zu ihm durchgedrungen waren. Erst da blickte er von seinen Papieren auf.

»Wie bitte? Was?«

»Ich möchte im Freien beten können, ohne dass ich mir die Hose schmutzig mache. Und ich gehe auf eine christliche Schule, obwohl ich nicht einmal ein getaufter Christ bin.«

»Und warum willst du im Freien beten? Warum willst du überhaupt beten?«

»Weil ich Gott liebe.«

»Aha.« Meine Antwort schien ihn zu verblüffen, ja, sie war ihm offenbar peinlich. Er schwieg. Ich rechnete schon fast damit, dass er mir wieder ein Eis anbieten würde. »Das Petit Séminaire ist nur dem Namen nach christlich. Es sind viele Hindujungen dort, die keine Christen sind. Den guten Unterricht bekommst du auch ohne Taufe. Und besser wird er auch nicht, wenn du zu Allah betest.«

»Aber ich *will* zu Allah beten. Ich *will* Christ werden.«

»Beides geht nicht. Du musst dich entscheiden.«

»Und warum nicht beides?«

»Weil es zwei verschiedene Religionen sind! Die beiden haben überhaut nichts miteinander gemein!«

»Das hört sich aber da ganz anders an. Beide sagen, Abraham ist ihr Stammvater. Die Muslims sagen, der Gott der Christen und Hebräer ist derselbe wie der Gott der Muslims. Sie erkennen David, Moses und Jesus als Propheten an.«

»Was hat das mit uns zu tun, Piscine? Wir sind *Inder*!«

»Schon seit Jahrhunderten gibt es Christen und Moslems in Indien. Es heißt sogar, Jesus liegt in Kaschmir begraben.«

Er sagte nichts, sah mich nur mit gerunzelter Stirne an. Dann riefen die Zoogeschäfte.

»Sprich mit Mutter darüber.«

Sie las gerade.

»Mutter?«

»Ja, mein Schatz?«

»Ich möchte mich taufen lassen, und ich hätte gern einen Gebetsteppich.«

»Sprich mit Vater darüber.«

»Das habe ich schon. Er sagt, ich soll mit dir reden.«

»Tatsächlich?« Sie legte ihr Buch beiseite. Sie blicke ins Weite, zum Zoo hinüber. Ich bin sicher, Vater spürte in diesem Augenblick einen recht eisigen Lufthauch. Sie ging zum Bücherregal. »Ich habe hier ein Buch, das wird dir gefallen.« Sie hatte die Hand schon nach einem Band ausgestreckt. Robert Louis Stevenson. Ihre übliche Taktik.

»Das habe ich schon gelesen, Mutter. Schon dreimal.«

»Oh.« Ihr Arm wanderte ein Stück nach links.

»Conan Doyle auch«, sagte ich.

Der Arm ging nach rechts. »R. K. Narayan? Du kannst doch unmöglich schon alles von Narayan gelesen haben?«

»Mutter, diese Dinge sind mir wichtig.«

»*Robinson Crusoe*!«

»Mutter!«

»Aber Piscine!«, sagte sie. Sie setzte sich wieder in ihren

Sessel, mit einem Weg-des-geringsten-Widerstandes-Gesicht, was bedeutete, dass der Kampf nicht leicht werden würde und ich die richtigen Stellen treffen musste. Sie legte sich ein Kissen in den Nacken. »Vater und ich können uns über deinen religiösen Eifer nur wundern.«

»Es *ist* ein Wunder.«

»Hmmm. So meine ich das nicht. Hör mal, Schatz, wenn du wirklich fromm sein willst, dann musst du entweder Hindu oder Christ oder Moslem sein. Du hast doch gehört, was sie auf der Esplanade gesagt haben.«

»Warum denn nicht alle drei zusammen? Mamaji hat doch auch zwei Pässe. Er ist Inder *und* Franzose. Warum kann ich denn nicht Hindu, Christ und Moslem sein?«

»Das ist etwas anderes. Frankreich und Indien sind Nationen.«

»Und wie viele Nationen gibt es im Himmel?«

Sie überlegte. »Nur eine. Das ist der Unterschied. Eine Nation, ein Pass.«

»Im Himmel gibt es nur eine Nation.«

»Genau. Oder gar keine. Es ist nämlich gut möglich, dass im Himmel überhaupt nichts ist. Das sind schrecklich altmodische Sachen, mit denen du dich da abgibst.«

»Wenn es nur die eine Nation im Himmel gibt, sollten dann nicht alle Pässe dafür gelten?«

Sie schien unsicher.

»Bapu Gandhi sagt —«

»Ich weiß, was Bapu Gandhi sagt.« Sie fuhr sich mit der Hand über die Stirn. Sie sah wirklich erschöpft aus, meine Mutter. »Das darf doch nicht wahr sein«, stöhnte sie.

Kapitel 27

Später am Abend hörte ich meine Eltern miteinander reden.

»Hast du Ja gesagt?«, fragte Vater.

»Dich hat er doch auch gefragt. Du hast ihn zu mir geschickt«, entgegnete Mutter.

»Tatsächlich?«

»Tatsächlich.«

»Ich hatte sehr viel zu tun …«

»Jetzt hast du nicht viel zu tun. Sieht ganz so aus, als hättest du gerade überhaupt nichts zu tun. Wenn du in sein Zimmer gehst und ihm den Gebetsteppich unter dem Hintern wegziehst und ihm erklärst, was du von getauften Christen hältst, dann bitte. Ich habe nichts dagegen.«

»Aber nein.« Man hörte, wie Vater es sich im Sessel bequem machte. Es folgte eine Pause.

»Anscheinend bleiben die Religionen an ihm hängen wie Flöhe an einem Hund«, sagte er dann. »Ich verstehe das nicht. Wir sind doch eine moderne indische Familie, wir leben, wie es heute üblich ist, schon bald wird Indien ein aufgeklärtes, fortschrittliches Land sein – und wir ziehen einen Sohn groß, der sich für den wieder geborenen Sri Ramakrishna hält.«

»Wenn Mrs Gandhi das aufgeklärte, fortschrittliche Indien ist«, sagte Mutter, »dann weiß ich nicht, ob mir das gefällt.«

»Mrs Gandhi bleibt nicht ewig! Der Fortschritt ist nicht aufzuhalten. Das ist der Rhythmus, nach dem wir alle marschieren müssen. Die Technik schafft uns ein besseres Leben, gute Ideen breiten sich aus – das sind Naturgesetze. Wer sich von der Technik nicht helfen lässt, wer sich guten Ideen widersetzt, der macht sich selbst zum Dinosaurier! Davon bin ich überzeugt. Mrs Gandhi und ihr Starrsinn werden vergehen. Das Neue Indien kommt.«

(Mrs Gandhi sollte schon bald vergangen sein. Und das Neue Indien, oder zumindest eine Familie davon, suchte sich seine Zukunft lieber im fernen Kanada.)

»Hast du gehört, was er gesagt hat?«, fuhr Vater fort. »›Bapu Gandhi sagt, alle Religionen sind wahr‹?«

»Ja.«

»*Bapu* Gandhi? Gehört Gandhi für den Jungen jetzt zur Familie? Nach Väterchen Gandhi, was kommt dann? Onkel Jesus? Und was ist das für ein Unsinn – er geht doch nicht wirklich zu den *Muslims*, oder?«

»Anscheinend doch.«

»Ein Muslim! Gut, ein gläubiger Hindu, das kann ich verstehen. Einer, der gleichzeitig Christ sein will, wird schon merkwürdiger. Aber meinetwegen. Christen gibt es hier schließlich schon lange – der heilige Thomas, Franz Xaver, die Missionare und so weiter. Die guten Schulen haben wir ihnen zu verdanken.«

»Stimmt.«

»Das kann ich begreifen. Aber ein *Muslim*? Diese Leute haben nichts mit unserer Tradition gemein. Das sind Fremde hier.«

»Sie sind auch schon sehr lange hier. Es gibt hundertmal mehr davon als von den Christen.«

»Trotzdem. Sie gehören hier nicht hin.«

»Vielleicht ist es ja ein anderer Rhythmus des Fortschritts, nach dem Piscine marschiert.«

»Willst du ihn auch noch verteidigen? Ist es dir etwa egal, wenn er sich für einen Muslim hält?«

»Was können wir tun, Santosh? Er hat es sich in den Kopf gesetzt, und er schadet ja keinem damit. Vielleicht ist es nur eine Phase. Vielleicht vergeht es genauso wie Mrs Gandhi.«

»Warum kann er denn nicht wie normale Jungen in seinem Alter sein? Sieh dir Ravi an. Der hat nichts anderes im Kopf als Cricket, Filme und Musik.«

»Und du meinst, das ist besser?«

»Nein, natürlich nicht. Ach, ich weiß auch nicht. Es war ein anstrengender Tag.« Er seufzte. »Ich bin gespannt, wie weit er die Sache noch treibt.«

Mutter kicherte. »Letzte Woche hat er ein Buch namens *Imitatio Christi* gelesen.«

»Die *Nach*ahmung Christi!«, rief Vater. »Wirklich, ich frage mich, wie weit er noch gehen wird.«

Sie lachten.

Kapitel 28

Ich liebte meinen Gebetsteppich. Es war zwar nichts Besonderes daran, aber für mich war es ein Stück von großer Schönheit. Ich bin heute noch unglücklich, dass ich ihn verloren habe. Wo immer ich ihn ausbreitete, gewann ich sogleich das Fleckchen Erde darunter und die Umgebung lieb, und das ist für mich ein eindeutiges Zeichen, dass es ein guter Gebetsteppich war, weil er mir immer ins Gedächtnis rief, dass die Erde von Gott geschaffen ist und dass jeder Flecken auf ihr gleichermaßen heilig ist. Das Muster, golden auf rotem Untergrund, war schlicht: ein einziges schmales Rechteck, auf der einen Seite eine dreieckige Spitze, die die Qibla anzeigte, die Richtung, in die man sich zu verneigen hatte, umgeben von kleinen Schnörkeln wie Rauchwölkchen oder die Akzentzeichen einer fremden Sprache. Der Flor war weich. Wenn ich betete, waren die kurzen, unverknoteten Quasten am einen Ende des Teppichs nur Zentimeter von meiner Nasenspitze entfernt, am anderen Ende nur Zentimeter von den Zehenspitzen – eine anheimelnde Größe, mit der man sich überall auf dieser weiten Erde zu Hause fühlen konnte.

Ich betete im Freien, weil ich es schön fand. Meistens rollte ich meinen Teppich hinter dem Haus aus, in einer Ecke des Gartens. Es war ein ferner Winkel im Schatten eines Korallenbaums, an einer Mauer, die ganz mit Bougainvilleen bedeckt war. In Blumentöpfen stand entlang der Mauer eine lange Reihe von Weihnachtssternen. Auch in den Baum waren die Bougainvilleen schon hineingewachsen. Der Kontrast zwischen den violetten Tragblättern und den scharlachroten Blüten des Baums war wunderschön anzusehen. Und wenn der Baum blühte, war er der reinste Vogelbauer mit Krähen, Hirten- und Rosenstaren, mit Schwätzern, Honigsaugern und Papageien. Die Mauer erstreckte sich im stumpfen Winkel rechts von mir. Vor mir und nach links hin, jenseits des weichen, durchbrochenen Baumschattens, lag die sonnenverbrannte offene Fläche des Gartens. Natürlich sah es nicht immer gleich aus; alles wandelte sich nach Wetter, Tages- und Jahreszeit. Aber in meinem Gedächtnis habe ich ein so klares Bild, als sei alles unveränderlich gewesen. Nach einer Linie, die ich in den blassgelben Boden geritzt hatte und sorgfältig pflegte, verneigte ich mich gen Mekka.

Anfangs blickte ich oft nach dem Gebet auf und sah, dass Vater, Mutter oder Ravi mich beobachteten, aber nach einer Weile hatten sie sich an den Anblick gewöhnt.

Bei meiner Taufe ging es ein wenig beklommen zu. Mutter fügte sich ins Unvermeidliche, Vater stand mit steinerner Miene dabei und Ravi konnte zum Glück nicht mitkommen, weil er auf einem Cricketmatch war (was ihn allerdings nicht davon abhielt, die Sache ausgiebig zu kommentieren). Das Wasser rann mir über Gesicht und Nacken, und auch wenn es nur ein Becher voll war, erquickte es mich wie ein Monsunregen.

Kapitel 29

Warum ziehen Leute fort? Was bringt sie dazu, ihre Wurzeln auszureißen und alles Vertraute zurückzulassen, aufzubrechen zu einem großen Unbekannten jenseits des Horizonts? Warum den Mount Everest der Behörden besteigen und sich wie ein Bettler dabei fühlen? Warum in einen fremden Dschungel gehen, wo alles neu, anders und gefährlich ist?

Die Antwort ist überall die gleiche: Sie ziehen fort, weil sie auf ein besseres Leben hoffen.

Die mittleren 1970er waren schwierige Jahre in Indien. Das sah ich an den tiefen Furchen, die auf Vaters Stirn erschienen, wenn er die Zeitung las. Oder aus dem, was ich von den Gesprächen zwischen ihm und Mutter und Mamaji und anderen mitbekam. Nicht dass ich diesen Gesprächen nicht hätte folgen können – sie interessierten mich nur einfach nicht. Die Orang-Utans waren nach wie vor versessen auf Chapattis, den Affen war das Neueste aus Delhi immer noch egal, Nashörner und Ziegen lebten weiterhin in Eintracht miteinander, die Vögel zwitscherten, die Wolken brachten Regen, die Sonne schien, die Erde atmete, Gott war da – es war alles in Ordnung mit der Welt.

Schließlich hielt mein Vater Mrs Gandhi nicht mehr aus. Im Februar 1976 stürzte Delhi die Regierung von Tamil Nadu, die Mrs Gandhi mutiger als andere kritisiert hatte. Premierminister Karunanidhi »bat« um seine Entlassung, und was macht die Absetzung einer Lokalregierung schon für einen Unterschied, wenn ohnehin seit acht Monaten die Verfassung des ganzen Landes suspendiert ist? Aber für Vater hatte sich Mrs Gandhi damit nun vollends zum Diktator über ganz Indien aufgeschwungen. Keiner hatte den Kamelen im Zoo ein Haar gekrümmt, und doch brachte dieser Vorfall für Vater das Fass zum Überlaufen.

»Bald kommt sie zu uns und erzählt uns, ihre Gefängnisse sind voll«, brüllte er, »sie braucht mehr Platz. Können wir bitte Desai zu den Löwen stecken?«

Morarji Desai war ein Oppositionspolitiker. Nicht gerade ein Freund von Mrs Gandhi. Es quälte mich, wie die Sorgen an Vater nagten. Meinetwegen hätte Mrs Gandhi persönlich den Zoo in die Luft jagen können, wenn nur Vater wieder froh geworden wäre. Wenn er nur nicht so gelitten hätte. Es ist schlimm für einen Sohn, wenn er sieht, dass sein Vater krank vor Sorge ist.

Aber Sorgen machte er sich nun einmal. Kein Geschäft ohne Risiko, und je kleiner das Geschäft, desto mehr riskiert man das Hemd am Leibe. Ein Zoo ist eine Kulturinstitution. Wie eine öffentliche Bibliothek, wie ein Museum dient er der Volkserziehung und der Wissenschaft. Und ist gerade deswegen kein allzu profitables Unternehmen, denn Gemeinwohl und volle Kassen vertragen sich, sehr zum Kummer meines Vaters, nicht gut. Wir waren eben keine reiche Familie, jedenfalls bestimmt nicht nach kanadischen Maßstäben. Wir waren eine arme Familie, der durch Zufall eine Menge Tiere ins Haus gekommen war, und zwar in ein Haus, das ihr nicht gehörte. Das Leben eines Zoos hängt genauso am seidenen Faden wie das Leben der Tiere in der Wildnis. Er ist kein so großer Betrieb, dass er auf das Gesetz nicht angewiesen wäre, aber auch kein so kleiner, dass er sich durchmogeln könnte. Damit ein Zoo wächst und gedeiht, braucht er eine demokratische Regierung, freie Wahlen, Redefreiheit, Pressefreiheit, Versammlungsfreiheit, Rechtsstaatlichkeit und alles, was sonst noch in der indischen Verfassung festgeschrieben ist. Ohne das kann keiner einen Zoobesuch genießen. Schlechte Politik, noch dazu wenn sie auf unabsehbare Zeit schlecht bleiben wird, ist schlecht fürs Geschäft.

Leute ziehen fort, weil sie die Unsicherheit nicht mehr aushalten. Weil das Gefühl sie zermürbt, dass sie sich noch so abmühen können und trotzdem nichts erreichen werden, dass das, was sie in einem Jahr aufbauen, andere in einem Tag wieder einreißen werden. Weil sie nicht mehr an die Zukunft glauben, nicht für sich und schon gar nicht für ihre Kinder. Weil sie zu dem Schluss gekommen sind, dass sich nie etwas ändern wird und dass Glück und Wohlstand nur anderswo zu finden sind.

Das Neue Indien in Vaters Kopf wurde brüchig, und schließlich fiel es ganz auseinander. Mutter willigte ein. Wir würden uns davonmachen.

Die Ankündigung kam beim Abendessen. *Kanada!* Andhra Pradesh, unser Nachbar im Norden, wäre schon Ausland gewesen, Sri Lanka, ein Katzensprung übers Meer, die Rückseite des Mondes. Da kann man sich ausmalen, wie uns Kanada vorkam. Kanada war schlicht und einfach unvorstellbar. Es war wie Timbuktu, ein Name, der nichts anderes bedeutete als unendlich weit fort.

Kapitel 30

Er ist verheiratet. Ich stehe kopfunter, ziehe gerade meine Schuhe aus, da höre ich ihn sagen: »Darf ich vorstellen – meine Frau.« Ich blicke auf, und da steht sie neben ihm … Mrs Patel. »Hallo«, sagt sie und hält mir lächelnd die Hand hin. »Piscine hat mir schon viel von Ihnen erzählt.« Das kann ich im umgekehrten Fall nicht sagen. Ich hatte keine Ahnung. Sie ist auf dem Weg zur Arbeit, wir unterhalten uns nur ein paar Minuten lang. Sie ist ebenfalls Inderin, spricht aber eher mit kanadischem Akzent. Zweite Generation vermutlich. Sie ist ein wenig jünger als er, die Haut ein wenig dunkler, das lange schwarze Haar zu einem Zopf geflochten. Blitzende dunkle Augen, stattliche weiße Zähne. Unter dem Arm hat sie einen weißen Laborantenkittel, noch in der Tüte aus der Reinigung. Sie arbeitet in einer Apotheke. Als ich sage: »Schön, Sie kennen zu lernen, Mrs Patel«, antwortet sie: »Sagen Sie doch Meena.« Die beiden tauschen einen flüchtigen Kuss, dann ist sie fort zum Samstagsdienst.

Dieses Haus ist mehr als nur eine Schachtel voller Bilder. Jetzt fallen mir die kleinen Anzeichen auf, dass zwei Menschen hier wohnen. Sie waren von Anfang an da gewesen, aber ich hatte sie nicht gesehen, weil ich nicht damit gerechnet hatte.

Er ist ein schüchterner Mann. Das Leben hat ihn gelehrt, nicht mit dem zu prahlen, was ihm das Wertvollste ist.

Stammen die Anschläge auf meinen Verdauungstrakt von ihr?

»Heute habe ich ein ganz besonderes Chutney für Sie gekocht«, erklärt er strahlend.

Nein, die gehen auf sein Konto.

Kapitel 31

Einmal sind sie sich begegnet, Mr und Mr Kumar, der Bäcker und der Lehrer. Der erste Mr Kumar hatte sich einen Zoobesuch gewünscht. »So viele Jahre, und ich bin noch nie da gewesen. Dabei ist es gleich nebenan. Würdest du ihn mir zeigen?«, fragte er.

»Aber ja, natürlich«, antwortete ich. »Das wäre mir eine Ehre.«

Wir verabredeten uns für den nächsten Tag nach der Schule, am Haupteingang.

Den ganzen Tag über machte ich mir Sorgen. »Dummkopf!«, hielt ich mir vor. »Warum hast du dich nicht anderswo verabredet? Du weißt doch, was für ein Betrieb am Haupteingang herrscht. Hast du vergessen, wie unscheinbar er ist? Da wirst du ihn niemals sehen!« Und wenn ich an ihm vorbeiging und ihn nicht erkannte, war das eine Kränkung. Er würde denken, ich hätte es mir anders überlegt und wollte nicht mit einem armen muslimischen Bäcker gesehen werden. Ohne ein Wort würde er wieder fortgehen. Wütend würde er nicht sein – er würde meine Entschuldigung gelten lassen, dass mir die Sonne ins Gesicht geschienen habe –, aber in den Zoo würde er nie wieder gehen. Ich sah es genau vor mir, wie es kommen würde. Ich *musste* ihn erkennen. Ich würde mich verstecken und erst hervorkommen, wenn ich sicher war, dass er es war. Das war eine gute Idee. Aber schon früher war mir aufgefallen, dass ich ihn immer dann, wenn ich mich besonders anstrengte, ihn zu erkennen, am wenigsten sah. Anscheinend war es gerade die Anstrengung, die mir den Blick verstellte.

Zur verabredeten Stunde bezog ich Posten vor dem Haupteingang und rieb mir die Augen mit beiden Händen.

»He, was machst du da?«

Das war Raj, ein Freund.

»Ich habe zu tun.«

»Wieso reibst du denn so die Augen?«

»Lass mich in Ruhe.«

»Komm, wir gehen in die Beach Road.«

»Ich warte auf jemanden.«

»Na, wenn du dir so die Augen reibst, wirst du ihn bestimmt nicht sehen.«

»Danke für den Rat. Viel Spaß in der Beach Road.«

»Wie wär's mit Government Park?«

»Ich sage doch, ich kann hier nicht weg.«

»Nun komm schon.«

»Bitte, Raj. Ein andermal.«

Er ging. Ich rieb mir wieder die Augen.

»Kannst du mir bei den Matheaufgaben helfen, Pi?«

Ajith, noch ein Freund.

»Nachher. Jetzt nicht.«

»Hallo, Piscine.«

Das war Mrs Radhakrishna, eine Freundin von Mutter. Ich brauchte eine Weile, bis ich sie los war.

»Entschuldige. Kannst du mir sagen, wo die Laporte Street ist?«

Ein Fremder.

»Da drüben.«

»Wie viel kostet der Eintritt in den Zoo?«

Noch ein Fremder.

»Fünf Rupien. Das Kassenhäuschen ist gleich hier vorn.«

»Ist dir das Chlor ins Auge gekommen?«

Mamaji.

»Hallo, Mamaji. Nein, das nicht.«

»Ist dein Vater da?«

»Ich glaube schon.«

»Dann bis morgen früh.«

»Ja, Mamaji.«

»Da bin ich, Piscine.«

Die Hände, die ich wieder an die Augen geführt hatte, erstarrten. Die Stimme. Fremd auf eine vertraute Art, vertraut auf fremde Art. Ich spürte, wie aus der Tiefe mein Lächeln emporkam.

»*Salaam alaykum*, Mr Kumar! Wie schön, Sie zu sehen.«

»*Wa alaykum as-salaam*. Was ist mit deinen Augen?«

»Nicht der Rede wert. Nur ein bisschen Staub.«

»Sie sehen ganz rot aus.«

»Halb so schlimm.«

Er ging zum Kassenhäuschen, aber ich rief ihn zurück.

»Aber nein. Nicht für Sie, Meister.«

Stolz gab ich dem Kontrolleur zu verstehen, dass Mr Kumar Gast des Hauses sei, und führte ihn in den Zoo.

Alles war ein Quell des Staunens für ihn. Dass die Hälse der Giraffen lang waren, weil die Bäume hoch waren, dass die Raubtiere Vegetarier zur Nahrung hatten und die Vegetarier Gras, dass manche Geschöpfe bei Tage, manche bei Nacht hervorkamen, dass jene, die scharfe Schnäbel brauchten, scharfe Schnäbel hatten, und jene, die flinke Beine brauchten, flinke Beine. Es machte mich glücklich, dass er so beeindruckt war.

Sein Kommentar war ein Vers aus dem Heiligen Koran: »Und verborgen in allem ist die Botschaft für jene, welche wachen Sinnes sind.«

Wir kamen zu den Zebras. Mr Kumar hatte von solchen Tieren noch nie gehört, geschweige denn eines gesehen. Er war verblüfft.

»Das sind Zebras«, erklärte ich.

»Habt ihr sie mit dem Pinsel angemalt?«

»Aber nein. Sie sind von Natur aus so.«

»Was geschieht, wenn es regnet?«

»Nichts.«

»Die Streifen verlaufen nicht?«

»Nein.«

Ich hatte ein paar Karotten mitgebracht. Eine war noch übrig, eine besonders große. Ich holte sie aus der Tüte. Zu meiner Rechten hörte ich ein Knirschen im Kies. Es war Mr Kumar, der mit seinem üblichen Schlingergang ans Geländer kam.

»Hallo, Sir.«

»Hallo, Pi.«

Der Bäcker, ein bescheidener, doch würdevoller Mann, nickte dem Lehrer zu, und dieser nickte zurück.

Ein aufmerksames Zebra hatte meine Karotte bemerkt. Es drehte die Ohren und scharrte leise mit dem Huf. Ich brach die Karotte in zwei Hälften und gab die eine Mr Kumar, die andere Mr Kumar. »Danke, Piscine«, sagte der eine, »Danke, Pi« der andere. Mr Kumar war der Schnellere und hielt die Hand über den Zaun. Mit dicken, kräftigen schwarzen Lippen packte das Zebra gierig die Karotte. Mr Kumar ließ nicht los. Das Zebra biss hinein und biss eine Hälfte ab. Geräuschvoll kaute es den Leckerbissen ein paar Sekunden lang, dann schnappte es nach dem Rest, wobei die Lippen Mr Kumars Fingerspitzen berührten. Er ließ die Karotte los und streichelte dem Zebra die weiche Nase.

Nun war Mr Kumar an der Reihe. Er verlangte nicht ganz so viel von dem Zebra. Als es die halbe Karotte zwischen den Lippen hatte, ließ er los. Sogleich beförderten die Lippen sie weiter in den Mund.

Mr und Mr Kumar machten glückliche Gesichter.

»Ein *Zebra*, sagst du?«, fragte Mr Kumar.

»So heißen sie«, antwortete ich. »Sie gehören zur selben Familie wie Esel und Pferd.«

»Der Rolls-Royce unter den Equiden«, sagte Mr Kumar.

»Was für ein wunderbares Geschöpf«, sagte Mr Kumar.

»Dieses hier ist ein Grantzebra«, erklärte ich.

»*Equus burchelli boehmi*«, sagte Mr Kumar.

»*Allahu akbar*«, sagte Mr Kumar.

»Wie schön es ist«, sagte ich.

Wir standen da und sahen es an.

Kapitel 32

Es gibt viele Beispiele für Tiere, die sich mit ungewöhnlichen Lebensbedingungen einrichten. Es handelt sich durchweg um das, was wir beim Menschen Anthropomorphismus und entsprechend bei den Tieren Zoomorphismus nennen: ein Tier sieht einen Menschen oder ein anderes Tier als Vertreter der eigenen Art an.

Der berühmteste Fall ist zugleich der am weitesten verbreitete: der Schoßhund, der seine menschlichen Gefährten so sehr ins Reich der Hunde aufgenommen hat, dass er sich sogar mit ihnen paaren will – wie jeder Hundebesitzer, der schon einmal seinen verliebten Freund vom Bein eines verlegenen Besuchers zerren musste, bestätigen wird.

Unser Goldhase verstand sich bestens mit dem südamerikanischen Paka, und die beiden schliefen wohlig aneinander gekuschelt, bis der Erstere gestohlen wurde.

Von der Rhinozeros-und-Ziegen-Herde war schon die Rede, von Zirkuslöwen auch.

Es gibt bezeugte Berichte über schiffbrüchige Seeleute, die von Delphinen über Wasser gehalten wurden, so wie diese Meeressäuger einander helfen, wenn sie in Not sind.

Die Literatur erwähnt den Fall eines Hermelins, das mit einer Ratte zusammenlebte, andere Ratten jedoch sofort riss, wie Hermeline es gewöhnlich tun.

Wir hatten selbst einmal einen Fall, wo das übliche Raubtier-Beute-Verhältnis aufgehoben war. Wir hatten eine Maus, die mehrere *Wochen* lang unter den Vipern lebte. Andere Mäuse, die wir ins Terrarium steckten, waren binnen zwei Tagen verschwunden, doch dieser kleine braune Methusalem baute sich ein Nest, legte mehrere Depots für die Körner an, mit denen wir ihn fütterten, und verbrachte seine Tage mitten unter den Schlangen. Wir fanden das so erstaunlich, dass wir sogar ein Schild aufstellten, das die Zoobesucher auf die Maus aufmerksam machte. Als das Ende schließlich kam, war es kurios: eine junge

Viper biss sie. Wusste diese Viper nichts vom Sonderstatus der Maus? War sie nicht genügend sozialisiert? Wie dem auch sei, die junge Viper biss die Maus, doch verschlungen wurde sie – und zwar auf der Stelle – von einem erwachsenen Tier. Wenn es einen Zauber gab, dann hatte die junge Schlange ihn gebrochen. Von da ab ging alles wieder seinen Gang, und die Mäuse verschwanden binnen des üblichen Zeitraums im Vipernschlund.

Hündinnen ziehen in Zoos oft Löwenbabys groß. Obwohl die Löwenkinder bald größer sind als die Betreuerin und auch weit gefährlicher, zeigen sie stets Respekt vor ihrer Mutter, und sie verliert nie den Gleichmut oder das Gefühl der Autorität über ihren Wurf. Schilder müssen aufgestellt werden, die erklären, dass der Hund kein Futter für die Löwen ist (wir mussten auch eines aufstellen, das darauf hinwies, dass Rhinozerosse Pflanzen fressen und keine Ziegen).

Wie lässt sich Zoomorphismus erklären? Kann denn ein Nashorn nicht Groß und Klein unterscheiden, dicke Lederhaut von weichem Fell? Weiß ein Delphin nicht, wie ein Delphin aussieht? Ich würde die Antwort eher bei etwas suchen, von dem ich schon gesprochen habe, und zwar bei jenem Maß Wahnsinn, das, wenn auch auf den seltsamsten Umwegen, stets zum Guten der Natur ist. Der Goldhase brauchte genau wie das Rhinozeros einen Gefährten. Die Zirkuslöwen wollen gar nicht wissen, dass ihr Anführer ein schwächlicher Mensch ist, Hauptsache, sie haben ein gutes Leben ohne das Durcheinander, das ihnen so verhasst ist. Und die Löwenkinder würden umfallen vor Schreck, wenn sie wüssten, dass ihre Mutter ein Hund ist, denn das würde bedeuten, dass sie mutterlos sind, das schlimmste Unglück, das sich ein junger Warmblüter überhaupt vorstellen kann. Ich bin sicher, selbst die erwachsene Viper spürte in ihrem nicht gerade großen Verstand eine Art Bedauern, als sie die Maus verschlang, das Gefühl, dass sie gerade die Chance zu etwas Besserem vertan hatte, den

Sprung verpasst, der sie über die triste, einsame Reptilien-realität hinausgebracht hätte.

Kapitel 33

Er zeigt mir Erinnerungsstücke. Zuerst die Hochzeitsfotos. Eine Hinduhochzeit vor unverkennbar kanadischer Kulisse. Er in jüngeren Jahren, sie in jüngeren Jahren. Ihre Hochzeitsreise haben sie zu den Niagarafällen gemacht. Und waren glücklich. Das Lächeln beweist es. Wir gehen in der Zeit zurück. Bilder aus seinen Studententagen an der U of T: mit Freunden, vor St. Mike's, in seinem Zimmer, an Diwali in der Gerrard Street, als Prediger an der Basiliuskirche im weißen Talar, in einem anderen weißen Kittel im Labor der Zoologischen Fakultät, bei der Abschlussfeier. Immer mit einem Lächeln, doch seine Augen sprechen eine andere Sprache.

Bilder aus Brasilien, mit zahlreichen Dreifingerfaultieren in situ.

Mit dem nächsten Umblättern machen wir den Sprung über den Pazifik – und da ist so gut wie nichts. Die Kamera war immer dabei, versichert er mir, bei den üblichen wichtigen Ereignissen, aber alles ist verloren gegangen. Die wenigen Aufnahmen, die da sind, hat Mamaji nach den Ereignissen zusammengesucht und ihm geschickt.

Ein Bild zeigt den Zoo, aufgenommen beim Besuch eines hohen Politikers. In Schwarzweiß enthüllt es mir eine fremde Welt. Auf dem Foto drängen sich die Menschen um den Kabinettsminister der Union, der im Mittelpunkt der Aufmerksamkeit steht. Im Hintergrund eine Giraffe. Fast am Rand der Gruppe erkenne ich einen jüngeren Mr Adirubasamy.

»Mamaji?«, frage ich und zeige auf ihn.

»Ja«, sagt er.

Neben dem Minister steht ein Mann, Hornbrille, das Haar sehr ordentlich gekämmt. Den könnte ich mir als Mr Patel vorstellen, nur das Gesicht ist runder als das seines Sohns.

»Ist das Ihr Vater?«, frage ich.

Er schüttelt den Kopf. »*Ich weiß nicht, wer das ist.*«

Ein paar Sekunden Pause folgen, dann sagt er: »*Vater hat das Bild gemacht.*«

Auf derselben Seite ist noch ein weiteres Gruppenfoto, größtenteils Schulkinder. Er tippt mit dem Finger darauf.

»*Das ist Richard Parker*«, *sagt er.*

Ich sehe genau hin, versuche von der äußeren Erscheinung auf die Persönlichkeit zu schließen. Leider ist es wieder nur schwarzweiß und ein wenig unscharf. Ein Bild aus besseren Tagen, ein sorgloser Schnappschuss. Richard Parker hat den Kopf abgewendet. Er merkt gar nicht, dass er fotografiert wird.

Die gegenüberliegende Seite ist ganz von einem Farbfoto des Swimmingpools im Aurobindo-Aschram ausgefüllt. Es ist ein schönes großes Freibad mit kristallklarem Wasser, einem makellos blauen Boden und einem Tiefbecken zum Springen.

Ein Bild auf der nächsten Seite zeigt den Eingang zum Petit Séminaire. Auf dem Torbogen steht das Motto der Schule: Nil magnum nisi bonum. *Es gibt nichts Großes ohne das Gute.*

Und das ist alles. Vier unbedeutende Fotografien, die Erinnerung an eine ganze Kindheit.

Er wird ernst.

»*Das Schlimmste ist*«, *sagt er,* »*dass ich kaum noch weiß, wie meine Mutter aussah. In Gedanken sehe ich noch ein Bild, aber es ist flüchtig. Wenn ich versuche, sie mir genauer anzusehen, verschwindet sie. Mit ihrer Stimme geht es genauso. Sähe ich sie auf der Straße wieder, würde alles zurückkommen. Aber das wird wohl kaum geschehen. Es ist so furchtbar traurig, wenn man das Bild der Mutter verliert.*«

Er klappt das Album zu.

Kapitel 34

Vater sagte: »Wir stechen in See wie Kolumbus!«

»Aber der wollte *nach* Indien«, wandte ich grimmig ein.

Wir verkauften den Zoo, vom ersten bis zum letzten

Tier. An ein neues Land, ein neues Leben. Die Transaktion sollte nicht nur unserer Menagerie eine glückliche Zukunft sichern, sondern auch die Auswanderung finanzieren, und es sollte noch eine gute Summe übrig bleiben, mit der wir in Kanada neu anfangen konnten (obwohl es, wenn ich heute daran denke, lächerlich wenig war – was lassen wir uns doch vom Mammon blenden!). Wir hätten unsere Tiere auch an indische Zoos verkaufen können, aber die amerikanischen zahlten besser. CITES, die *Convention on International Trade in Endangered Species*, war eben in Kraft getreten, und damit war es mit dem Fangen von Tieren in freier Wildbahn vorbei. Die Zukunft der Zoos lag nun bei anderen Tiergärten. Der Zoo von Pondicherry machte genau im richtigen Augenblick zu. Die Leute rissen sich um unsere Tiere. Am Ende gingen die meisten an den Lincoln Park Zoo in Chicago und den eben erst aufgebauten Tierpark von Minnesota. Aber ein paar sollten auch nach Los Angeles, Louisville, Oklahoma City und Cincinnati.

Und zwei kamen in den Kanada-Zoo. So sahen jedenfalls Ravi und ich es. Wir wollten nicht fort. Wir wollten nicht in ein Land, über das ständig Stürme fegten und in dem im Winter astronomische Minusgrade herrschten. Keiner hatte je von einer kanadischen Cricketmannschaft gehört. Allerdings hatten wir Zeit, uns an den Gedanken zu gewöhnen, denn die Vorbereitungen dauerten über ein Jahr. Nicht für uns, meine ich. Für die Tiere. Wenn man bedenkt, dass Tiere ja weder Kleider noch Schuhe haben, keine Möbel, keine Bettwäsche, kein Geschirr, keine Toilettenartikel, dass ihnen die Nationalität nichts bedeutet, dass sie sich den Teufel um Pässe, Geld, Arbeitserlaubnis, Schulen, Mieten, Krankenhäuser kümmern – wenn man also, kurz gesagt, bedenkt, wie leicht ihr Leben ist, dann ist es schon erstaunlich, wie schwierig es ist, sie an einen anderen Ort zu bringen. Mit einem Zoo umziehen, das ist, als wolle man mit einer ganzen Stadt umziehen.

Der Verwaltungsaufwand war kolossal. Literweise Wasser wurde allein für das Anfeuchten von Briefmarken gebraucht. *Sehr geehrter Mister So-und-so* Hunderte von Malen geschrieben. Man machte Angebote. Hörte Seufzer. Brachte Zweifel zum Ausdruck. Nörgelte. Legte Entscheidungen an höherer Stelle vor. Einigte sich über Preise. Besiegelte per Handschlag. Unterzeichnete auf der gestrichelten Linie. Gratulierte. Brauchte Herkunftsnachweise. Brauchte Gesundheitszeugnisse. Brauchte Exportgenehmigungen. Brauchte Importgenehmigungen. Holte Auskünfte über Quarantänebestimmungen ein. Organisierte den Transport. Gab ein Vermögen für Telefongespräche aus. Es ist ein alter Witz im Zoogewerbe, dass der Papierberg, der notwendig ist, um eine Spitzmaus zu verschicken, größer ist als ein Elefant, der Berg für einen Elefanten größer als ein Wal und dass man niemals, unter keinen Umständen, einen Wal verschicken darf. Manchmal hatte ich das Gefühl, die kleinlichen Bürokraten stünden Schlange von Pondicherry über Delhi und Washington bis nach Minneapolis, jeder mit seinem Formular, seinem Einwand, seiner Verzögerung. Hätten wir die Tiere auf den Mond schicken wollen, hätte es wohl kaum schwieriger sein können. Vater raufte sich die Haare, bis er fast keine mehr auf dem Kopf hatte, und ein paar Mal hätte er die ganze Sache beinahe doch noch abgeblasen.

Manches überraschte uns. Die meisten Vögel und Reptilien, unsere Lemuren, Nashörner, Orang-Utans, Mandrills, Löwenschwanzmakaken, Giraffen, Ameisenbären, Tiger, Leoparden, Geparden, Hyänen, Zebras, Himalaja- und Faulbären, die indischen Elefanten, die Bergziegen und so weiter waren rasch vergeben, doch andere, Elfie zum Beispiel, ernteten nur ein Schulterzucken. »Eine Augenoperation!«, rief Vater und wedelte mit dem Brief. »Sie nehmen sie, wenn wir den grauen Star am rechten Auge operieren lassen! An einem Nilpferd! Was kommt als Nächstes? Nasenkorrektur beim Rhinozeros?« Manche unserer Tiere galten als »nicht selten genug«, die Löwen und Paviane zum Beispiel. Vater hatte sie weise gegen einen zusätzlichen Orang-Utan aus dem Zoo von Mysore und einen Schimpansen aus Manila getauscht. (Und Elfie verbrachte ihren Lebensabend im Zoo von Trivandrum.) Einer unserer Abnehmer bestellte für den Kinderzoo eine »echte heilige Kuh«. Vater ging hinaus in den städtischen Dschungel von Pondicherry und kaufte eine Kuh mit feuchten dunklen Augen, einem ordentlichen dicken Bauch und Hörnern so gerade und rechtwinklig, dass man denken konnte, sie hätte die Zunge in eine Steckdose gesteckt. Vater ließ die Hörner leuchtend orange bemalen und kleine Plastikglöckchen anbringen, damit sie umso echter aussah.

Eine dreiköpfige Abordnung kam aus Amerika. Das war lustig – nie im Leben hatte ich leibhaftige Amerikaner gesehen. Sie waren rotgesichtig, fett und freundlich, kannten sich gut aus und schwitzten entsetzlich. Sie untersuchten unsere Tiere. Den meisten verabreichten sie ein Betäubungsmittel, und dann hielten sie ihnen ihr Stethoskop ans Herz, untersuchten Urin und Fäkalien, als wollten sie das Horoskop daraus lesen, zapften mit Nadeln Blut ab und analysierten es unter dem Mikroskop, betasteten Warzen und Knoten, klopften an die Zähne, leuchteten mit Taschenlampen in kniepende Augen, kniffen Häute, fuhren über Fell und zerrten an Haaren. Die armen Tiere. Es muss ihnen vorgekommen sein wie die Musterung zur Aufnahme in die Army. Die Amerikaner zeigten beim Lächeln ihre Zähne und drückten einem die Hände, dass die Knochen knackten.

Und so bekamen die Tiere, genau wie wir, ihre Aufenthaltserlaubnis. Sie würden Yankees werden und wir Kanadier.

Kapitel 35

Am 21. Juni 1977 brachen wir aus Madras auf, mit dem japanischen Frachter *Tsimtsum*, der unter Panamaflagge fuhr. Die Offiziere waren Japaner, die Mannschaft kam aus Taiwan, und es war ein großes und eindrucksvolles Schiff. An unserem letzten Tag in Pondicherry verabschiedete ich mich von Mamaji, von Mr und Mr Kumar, von all meinen Freunden, sogar von vielen Fremden. Mutter hatte ihren schönsten Sari angelegt. Ihr langer Zopf, kunstvoll gewunden und am Hinterkopf zusammengesteckt, war mit einem frischen Jasminsträußchen geschmückt. Sie sah wunderschön aus. Und traurig. Denn sie sollte fort aus Indien, dem Indien der schwülen Sommer und Monsunregen, der Reisfelder und des Cauvery River, der Meeresufer und steinernen Tempel, der Ochsenkarren und bunten Gespanne, der Freunde, der altbekannten Läden, fort von Nehru Street und Goubert Salai, von diesem und von jenem, von Indien, das ihr so vertraut war und das sie so sehr liebte. Ihre Männer – zu denen ich mich zählte, obwohl ich ja gerade erst sechzehn war – konnten den Aufbruch gar nicht erwarten und sahen sich im Geiste schon in Winnipeg; sie aber wäre gern geblieben.

Am Tag vor dem Aufbruch wies sie auf einen fliegenden Zigarettenhändler und fragte: »Sollen wir noch ein Päckchen kaufen?«

»In Kanada gibt es auch Zigaretten«, sagte Vater. »Und was willst du damit? Bei uns raucht doch keiner.«

Sicher, in Kanada gibt es Zigaretten – aber auch von Gold Flake? Gibt es Arun-Eiscreme dort? Fahrräder von Hero? Fernseher von Onida? Fahren die Leute Ambassadors? Heißen die Buchläden Higginbothams? Solche Fragen, male ich mir aus, gingen Mutter durch den Kopf, wirbelten alle durcheinander, als sie überlegte, ob sie noch ein Päckchen Zigaretten kaufen sollte.

Die Tiere bekamen Beruhigungsmittel, Käfige wurden

an Deck gehievt und festgezurrt, Futter gebunkert, Kojen belegt, Leinen geworfen; Sirenen tuteten. Als das Schiff langsam vom Kai ablegte und hinaus auf See manövriert wurde, winkte ich nach Leibeskräften Indien Lebewohl. Die Sonne schien, es wehte ein steter Wind, die Möwen stießen hoch in der Luft ihre Schreie aus. Ich war ungeheuer aufgeregt.

Es sollte anders kommen als wir dachten, aber was kann man da schon machen? Man muss das Leben nehmen, wie es kommt, und sehen, dass man das Beste daraus macht.

Kapitel 36

Indische Städte sind groß und unglaublich geschäftig, aber wenn man sie erst einmal hinter sich lässt, reist man durch endlos leere Landschaften, in denen man kaum eine Menschenseele sieht. Ich weiß noch, wie ich mich gefragt habe, wo sich 950 Millionen Inder verstecken können.

Ähnlich geht es mir in seinem Haus.

Ich bin ein wenig zu früh. Ich setze gerade den Fuß auf die unterste Treppenstufe, da kommt ein Teenager zur Tür herausgestürmt. Er ist im Baseballtrikot, Schläger in der Hand, und er hat es sehr eilig. Als er mich sieht, hält er inne, überrascht. Er dreht sich um und brüllt ins Haus: »Dad, der Schriftsteller ist da!« Zu mir sagt er »Hi!«, und schon ist er fort.

Sein Vater kommt an die Haustür. »Hallo«, sagt er.

»Das war Ihr Sohn?«, frage ich ungläubig.

»Ja.« Er lächelt stolz. »Eigentlich hätte ich Sie bekannt machen sollen. Aber er war schon zu spät zum Training. Er heißt Nikhil. Genannt Nick.«

Ich komme auf den Flur. »Ich habe ja gar nicht gewusst, dass Sie einen Sohn haben«, sage ich. Ein kleiner Mischlingsköter, schwarzbraun, kommt auf mich zu, hechelnd und schnüffelnd. Er springt an meinem Bein hoch. »Oder einen Hund«, füge ich hinzu.

»Der tut keinem was. Tata, lass das!«

Tata denkt gar nicht daran zu gehorchen. Ich höre ein weiteres »Hallo«, aber nicht so knapp und energisch wie Nicks Gruß. Ein lang gezogenes, näselndes und ein wenig weinerliches Halloooooooooo, das oooooooo nach mir ausgestreckt wie ein Finger, der mir auf die Schulter pocht, oder ein leises Ziehen am Hosenbein.

Ich drehe mich um. Ans Wohnzimmersofa gelehnt steht ein kleines braunes Mädchen, hübsch in ihrem rosa Kleid, und blickt schüchtern zu mir auf. Sie hält eine gelbliche Katze in den Armen. Nur zwei ausgestreckte Vorderpfoten und der Kopf sind über ihren gekreuzten Armen zu sehen, der Rest hängt hinunter bis zum Boden. Der Katze macht es anscheinend überhaupt nichts aus, dass sie so aufs Streckbett gespannt wird.

»Und das ist Ihre Tochter«, sage ich.

»Ja. Usha. Usha, Schatz, meinst du, das gefällt Moccasin, wenn du ihn so hältst?«

Usha lässt Moccasin fallen. Er geht zu Boden, als sei nichts dabei.

»Hallo, Usha«, sage ich.

Sie läuft zu ihrem Vater und versteckt sich hinter seinem Bein.

»Was machst du denn da, meine Kleine«, fragte er. »Warum versteckst du dich?«

Sie antwortet nicht, sieht mich an, lächelt und verbirgt dann wieder ihr Gesicht.

»Wie alt bist du, Usha?«, frage ich.

Sie bleibt stumm.

Da beugt Piscine Molitor Patel, besser bekannt als Pi Patel, sich hinunter und hebt seine Tochter hoch.

»Na, die Frage kannst du doch beantworten, oder? Hmmm? Du bist vier Jahre alt. Eins, zwei, drei, vier.«

Bei jeder Zahl stupst er sie sanft mit dem Zeigefinger auf die Nase. Sie findet das ungeheuer lustig. Sie kichert und vergräbt ihren Kopf an seinem Nacken.

Diese Geschichte nimmt ein gutes Ende.

ZWEITER TEIL

Der Pazifische Ozean

Kapitel 37

Das Schiff sank. Es gab einen Ton von sich wie ein riesiges metallisches Rülpsen. Sachen blubberten an der Oberfläche, dann verschwanden sie. Alles brüllte: der Wind, die See, mein Herz. Vom Rettungsboot sah ich etwas im Wasser.

»Richard Parker«, rief ich, »Richard Parker, bist du das? Richard Parker! Wenn doch nur der Regen aufhören würde! Richard Parker, tatsächlich!«

Ich konnte seinen Kopf sehen. Mit aller Macht kämpfte er, um über Wasser zu bleiben.

»Jesus, Maria, Mohammed und Vishnu, was für ein Glück, dass du da bist, Richard Parker! Nicht aufgeben, bitte. Komm ins Rettungsboot. Hörst du die Trillerpfeife? *PRRRIIII! PRRRIIII! PRRRIIII!* Ja, hier bin ich. Du musst nur schwimmen. Schwimmen! Du bist doch ein guter Schwimmer. Keine dreißig Meter!«

Er hatte mich gesehen. Er war in Panik. Jetzt schwamm er auf mich zu. Rings um ihn schlugen die Wellen hoch. Er sah klein und hilflos aus.

»Richard Parker, kannst du glauben, was mit uns geschehen ist? Sag mir, dass es ein böser Traum ist. Sag mir, es ist alles nur Einbildung. Sag mir, dass ich noch in meiner Koje auf der *Tsimtsum* liege, ich wälze mich, ich strample, und gleich erwache ich aus dem Alptraum. Sag mir, dass ich noch immer glücklich bin. Mutter, mein sanfter, kluger Schutzengel, wo bist du? Und du, Vater, mein Peiniger aus

Liebe? Wo bist du, Ravi, strahlender Held meiner Kindheit? Vishnu schütze mich, Allah stehe mir bei, Christus errette mich, allein bin ich verloren. *PRRRIIII! PRRRIIII! PRRRIIII!*«

Körperlich war ich unversehrt, doch nie hatte ich so unglaublichen Schmerz gespürt, ein solches Zucken der Nerven, ein solches Stechen im Herzen.

Er schaffte es nicht. Er würde ertrinken. Er kam kaum noch voran, und seine Bewegungen waren schlaff. Immer wieder tauchte der Kopf halb unter. Nur die Augen waren fest auf mich gerichtet.

»Was ist denn mit dir, Richard Parker? Hängst du denn gar nicht am Leben? Dann schwimm! *PRRRIIII! PRRRIIII! PRRRIIII!* Kräftig, mit den Beinen! Und stoßen! Und stoßen! Und stoßen!«

Man sah, wie er sich im Wasser einen Ruck gab und schwamm.

»Und was ich sonst noch an Familie hatte – Vögel, Säuger, Reptilien? Auch sie ertrunken. Alles, was mir im Leben lieb war, jedes einzelne Ding, ist verloren. Und ich bin nicht einmal eine Erklärung wert? Ich durchleide die Hölle, und kein Wort aus dem Himmel? Da frage ich dich, Richard Parker, wozu ist denn dann all unsere Klugheit gut? Haben wir unseren Verstand nur, dass wir durchs Leben kommen – für Nahrung, Kleidung, Unterkunft? Warum hat die Vernunft auf die großen Fragen keine Antwort? Warum können wir eine Frage weiter auswerfen als wir die Antwort einholen können? Warum ein so großes Netz, wenn es nur so kleine Fische zu fangen gibt?«

Sein Kopf ragte nun kaum noch aus dem Wasser. Er blickte auf, sah zum letzten Mal den Himmel. Im Boot war ein Rettungsring mit einem Seil daran. Ich packte ihn und hielt ihn in die Höhe.

»Siehst du den Ring, Richard Parker? Siehst du, was ich hier habe? Halt dich daran fest. *UFF!* Ich versuch's noch einmal. *UFF!*«

Er war zu weit draußen. Aber er sah, dass ich ihm einen Rettungsring zuwarf, und das machte ihm neuen Mut. Er nahm seine Kräfte zusammen und peitschte das Wasser mit energischen, verzweifelten Zügen.

»So ist's richtig! Eins, zwei. Eins, zwei. Eins, zwei. Und tief durchatmen. Nimm dich in Acht vor den Wellen. *PRRRIIII! PRRRIIII! PRRRIIII!*«

Mein Herz war kalt wie Eis. Der Kummer drehte mir den Magen um. Aber für die Lähmung des Schocks blieb keine Zeit. Mein Schock war ein tätiger Schock. Etwas in mir wollte nicht aufgeben, wollte das Leben nicht loslassen, wollte kämpfen bis zur letzten Sekunde. Wo dieses Etwas den Mut hernahm, ist mir ein Rätsel.

»Ist das nicht zum Lachen, Richard Parker? Wir sind mitten in der Hölle, und trotzdem fürchten wir uns vor der Unsterblichkeit. Sieh doch nur, wie nahe du schon bist! *PRRRIIII! PRRRIIII! PRRRIIII!* Hurra, hurraaa! Du schaffst es, Richard Parker, du schaffst es! Fang! *UFF!*«

Ich warf den Rettungsring mit aller Macht. Direkt vor seiner Nase landete er im Wasser. Mit letzten Kräften reckte er sich und hielt sich daran fest.

»Halt gut fest, ich ziehe dich an Bord. Du ziehst mit den Augen, ich mit den Händen. Gleich sitzen wir beide im Boot. Moment mal – wir sitzen beide im *selben* Boot? Bin ich denn noch bei Trost?«

Erst da begriff ich, was ich gerade tat. Ich riss an der Leine.

»Lass den Rettungsring los, Richard Parker! Loslassen, sage ich! Ich will dich nicht hier oben haben, hörst du? Schwimm anderswohin. Lass mich in Ruhe. Weg mit dir. Meinetwegen kannst du ertrinken! Los, ertrinke!«

Mit kräftigen Stößen kam er näher. Ich schnappte mir ein Ruder. Ich stach damit nach ihm, wollte ihn wegstoßen. Ich stach daneben, und das Ruder fiel ins Wasser.

Ich nahm ein zweites. Ich steckte es in eine Dolle und zog, so fest ich konnte. Doch statt das Rettungsboot von ihm fortzubringen, drehte ich es nur ein wenig, und das eine Ende war Richard Parker näher denn je.

Ich würde ihm einen Schlag auf den Kopf versetzen! Ich hob das Ruder in die Höhe.

Er war zu schnell. Schon war er am Bootsrand und hievte sich an Bord.

»Herr im Himmel!«

Ravi hatte Recht gehabt. Die nächste Ziege war ich. Ich hatte einen nassen, schlotternden, halb ertrunkenen, keuchenden und hustenden ausgewachsenen dreijährigen bengalischen Tiger in meinem Rettungsboot. Richard Parker rappelte sich auf der Plane auf, unsicher auf den Pranken, seine Augen schossen Blitze, als sie in die meinen blickten, die Ohren hatte er angelegt, alle Krallen ausgestreckt. Sein Kopf hatte die Umrisse und die Farbe des Rettungsrings, nur mit Zähnen.

Ich drehte mich um, kletterte über das Zebra und sprang von Bord.

Kapitel 38

Ich verstehe es nicht. Tagelang war das Schiff gefahren und gefahren und hatte sich nicht im Mindesten um seine Umgebung geschert. Die Sonne schien, es regnete, der Wind blies, Meeresströmungen flossen, das Meer türmte sich zu Bergen auf, das Meer senkte sich zu tiefen Tälern – der *Tsimtsum* machte das nichts aus. Massig, bedächtig bewegte sie sich mit der Selbstsicherheit eines Kontinents.

Ich hatte für die Reise eine Weltkarte gekauft und sie an die Pinnwand in unserer Kabine geheftet. Jeden Morgen ging ich auf die Brücke, ließ mir unsere Position geben und markierte sie dann mit einer Stecknadel mit orangefarbenem Kopf. Von Madras ging unser Kurs durch die Bucht von Bengalen, die Malakkastraße hinunter, um Singapur herum, und dann nahmen wir Kurs auf Manila. Ich genoss jede Minute. Es war so aufregend, auf einem Schiff zu sein. Die meiste Zeit hatten wir mit der Versorgung der Tiere zu tun. Hundemüde fielen wir jeden Abend in die Kojen. Wir lagen zwei Tage in Manila, wo wir frisches Futter bunkerten, weitere Ladung an Bord nahmen und, so erklärte man uns, einige Routine-Wartungsarbeiten an den Maschinen durchführten. Meine Aufmerksamkeit galt ganz den ersten beiden. Zu dem Frischfutter gehörte eine Tonne Bananen, zur neuen Ladung eine afrikanische Schimpansin, die im Zuge von Vaters Tier-Transaktionen zu uns stieß. In einer Tonne Bananen stecken gut und gern drei Pfund dicker, schwarzer Spinnen. Ein Schimpanse ist eine Art kleiner, magerer Gorilla, doch nicht so sympathisch. Ihm fehlt das Sanfte und Melancholische der größeren Vettern. Ein Schimpanse schüttelt sich und schneidet Grimassen, wenn er eine dicke schwarze Spinne anfasst, genau wie jeder von uns es tut, und dann zerquetscht er sie wütend mit den Fingerknöcheln, was wir vielleicht nicht unbedingt tun würden. Ich fand, Bananen und ein Schimpanse waren interessanter als die lärmende, schmutzige Maschinerie in den finsteren Eingeweiden des Schiffs. Ravi verbrachte seine Tage dort unten und sah den Männern bei der Arbeit zu. Die Maschinen seien nicht in Ordnung, erzählte er. War ein Fehler bei der Reparatur Schuld an unserem Unglück? Ich weiß es nicht. Und ich glaube auch nicht, dass es jemals ein Mensch erfahren wird. Die Antwort auf diese Frage liegt tief auf dem Meeresgrund, Tausende Faden tief.

Von Manila fuhren wir hinaus auf den Pazifik. Am vierten Tag, nach einem Viertel der Strecke, sanken wir. Das Schiff verschwand in einem Stecknadelloch auf meiner Karte. Ein Berg brach vor meinen Augen ein und verschwand unter meinen Füßen. Das Schiff erbrach sich, und ringsum schwamm das Erbrochene im Meer. Mein Magen drehte sich. Ich spürte den Schock. Ich spürte eine große Leere in meinem Inneren, und die Leere füllte sich mit

Lautlosigkeit. Noch Tage später schmerzte mir die Brust von Entsetzen und Angst.

Etwas explodierte, glaube ich. Aber sicher bin ich mir nicht. Es geschah in der Nacht. Es riss mich aus dem Schlaf. Das Schiff war kein Luxusliner. Es war ein schmutziges, geschundenes Frachtschiff, das nicht für die bequeme Reise von Passagieren eingerichtet war. Geräusche gab es ständig. Gerade weil der Geräuschpegel so gleichmäßig und hoch war, schliefen wir wie die Kinder. Es war eine Form von Stille, die nichts stören konnte, nicht einmal Ravi mit seinem Schnarchen oder ich, wenn ich im Schlaf redete. Ein neues Geräusch war der Knall der Explosion, wenn es denn eine war, also nicht. Aber es war eine Unregelmäßigkeit. Mit einem Schlag war ich hellwach, als hätte Ravi direkt an meinem Ohr einen Luftballon platzen lassen. Ich warf einen Blick auf meine Uhr. Es war kurz nach halb fünf. Ich blickte über die Kante zur Koje unter mir. Ravi schlief.

Ich zog mich an und kletterte hinunter. Normalerweise schlafe ich sehr fest. Normalerweise hätte ich mich einfach umgedreht und weitergeschlafen. Ich weiß nicht, warum ich in jener Nacht aufgestanden bin. Eigentlich hätte das eher zu Ravi gepasst. Dass etwas *winkt*, war einer seiner Lieblingsausdrücke. »Das Abenteuer winkt«, hätte er gesagt und sich dann an die Erkundung des Schiffes gemacht. Die Geräusche hatten jetzt wieder ihre normale Lautstärke, auch wenn es irgendwie anders klang, dumpfer vielleicht.

Ich schüttelte Ravi. »Ravi«, sagte ich. »Irgendwas stimmt nicht. Lass uns nachsehen.«

Er blickte mich schlaftrunken an. Dann schüttelte er den Kopf, drehte sich auf die andere Seite und zog sich die Decke bis ans Kinn. Ach, Ravi!

Ich öffnete die Kabinentür.

Ich weiß noch, wie ich den Korridor hinunterging. Er sah immer gleich aus, bei Tag wie bei Nacht. Aber ich spürte die Nacht in mir. An der Tür von Vater und Mutter blieb ich stehen und überlegte, ob ich klopfen sollte. Ich blickte dann, das weiß ich noch, auf meine Uhr und entschied mich dagegen. Vater war immer ärgerlich, wenn man ihn weckte. Ich würde allein nach oben gehen und mir den Sonnenaufgang ansehen. Vielleicht kam eine Sternschnuppe. Daran dachte ich, an Sternschnuppen, als ich nach oben ging. Wir waren zwei Etagen unter dem Hauptdeck. Das seltsame Geräusch hatte ich schon wieder vergessen.

Ich drückte die schwere Tür zum Deck auf, und erst da sah ich, welches Wetter herrschte. Hätte es schon als Sturm gegolten? Es regnete, das steht fest, aber nicht allzu sehr. Jedenfalls nicht die Art von Platzregen, die man vom Monsun kennt. Und es war windig. Manche von den Böen hätten wohl einen Regenschirm umgestülpt. Aber ich konnte mich ohne große Mühen auf Deck halten. Die See sah rau aus, aber für eine Landratte wie mich wirkte schon ein mäßiger Seegang beunruhigend, schön anzusehen, aber doch angsteinflößend. Wellen schlugen hoch, und der Wind fasste den weißen Schaum und schmetterte ihn an die Schiffswand. Aber das hatte ich schon vorher gesehen, und das Schiff war nicht davon gesunken. So ein Frachter hat eine enorme Wucht und Stabilität, ein Meisterstück der Ingenieurskunst. Er ist so gebaut, dass er auch in der schwersten See nicht untergeht. Das war doch kein Sturm, der ein Schiff versenkte? Ich musste ja nur die Tür zumachen, und der Wind war fort. Ich ging hinaus auf Deck. An die Reling geklammert, trotzte ich den Elementen. Wenn das Abenteuer winkte, dann hier.

»Kanada, ich komme!«, brüllte ich, als die eiskalte Gischt mich durchnässte. Ich kam mir sehr tapfer vor. Es war noch dunkel, aber doch genug Licht, dass man etwas erkennen konnte. Und was das Licht beschien, war ein Pandämonium. Es ist schon erstaunlich, was für ein Schauspiel die Natur auf die Bühne bringen kann. Die Kulissen sind gewaltig, die Beleuchtungseffekte dramatisch, die

Zahl der Komparsen ist gar nicht zu zählen, und das Budget für Spezialeffekte ist schlicht und einfach unerschöpflich. Was ich vor mir sah, war ein Spektakel aus Wind und Wasser, ein Vulkanausbruch der Sinne, wie nicht einmal Hollywood ihn inszenieren konnte. Aber der Boden unter meinen Füßen blieb fest. Ich war der Zuschauer auf dem Kinositz, bis zu dem die Lava nie aufspritzte.

Erst als ich hinauf zu einem Rettungsboot oben an der Brücke blickte, machte ich mir allmählich Sorgen. Das Boot hing nicht gerade, es hing schräg an seinen Flaschenzügen. Ich betrachtete meine Hände an der Reling. Die Fingerknöchel waren weiß. Nicht das Wetter ließ mich so fest anklammern. Ich hielt mich an die Reling, weil ich sonst zur Schiffsmitte hin gerutscht wäre. Das Schiff hatte Schlagseite, nach Backbord hin, mir gegenüber. Nicht viel, aber doch genug, dass es mich beunruhigte. Als ich über die Reling blickte, sah ich nicht mehr geradewegs ins Wasser. Ich sah unter mir die große schwarze Flanke des Schiffs.

Ein kalter Schauder durchlief mich. Es musste wohl doch ein Sturm sein. Besser, ich brachte mich in Sicherheit. Ich ließ los, schlitterte zur Wand, arbeitete mich vor zur Tür und zog sie auf.

Aus dem Inneren des Schiffs drangen Laute herauf. Ein tiefes metallisches Stöhnen. Ich stolperte und schlug lang hin. Aber ich tat mir nicht weh. Ich rappelte mich auf. Ich hielt mich an den Geländern fest und sprang die Treppe hinunter, vier Stufen auf einmal. Schon in der ersten Etage unter Deck sah ich das Wasser. Überall Wasser. Ich konnte nicht weiter. Es kam von unten heraufgesprudelt wie eine wütende Menschenmenge, es schäumte, es kochte. Treppen verschwanden im dunklen Strom. Ich konnte nicht glauben, was ich da sah. Was hatte das Wasser dort oben zu suchen? Wie kam es herauf? Ich stand wie angewurzelt, erschrocken, ungläubig, unfähig, einen Gedanken zu fassen, was ich als Nächstes tun sollte. Da unten war meine Familie.

Ich rannte die Treppe wieder hinauf. Ich lief aufs Hauptdeck. Jetzt war das Wetter kein Schauspiel mehr. Ich fürchtete mich davor. Inzwischen war es nicht mehr zu übersehen: das Schiff hatte schwere Schlagseite. Und auch das Heck hing viel tiefer. Ich warf einen Blick über die Reling. Das Wasser war keine dreißig Meter mehr entfernt. Das Schiff sank. Ich konnte es nicht glauben. Es war so unvorstellbar, als hätte der Mond plötzlich Feuer gefangen.

Wo waren die Offiziere und die Mannschaft? Warum taten sie nichts? Achtern sah ich im Halbdunkel ein paar Männer laufen. Ich hatte auch das Gefühl, ich sähe Tiere, aber das tat ich als Trugbild von Regen und Schatten ab. Tagsüber hatten wir die Luken über ihren Quartieren offen, wenn das Wetter gut war, aber in ihren Käfigen blieben sie stets. Es waren schließlich gefährliche wilde Tiere, die wir da beförderten, kein harmloses Vieh. Mir war, als hörte ich Rufe über mir auf der Brücke.

Das Schiff schüttelte sich, und dann kam dieser Laut, das unglaubliche metallische Rülpsen. Was war das? War es ein großer Schrei, Menschen und Tiere wie aus einer Kehle, ein Schrei des Protests gegen den bevorstehenden Tod? War es das Schiff selbst, das den Geist aufgab? Ich fiel hin. Ich kam wieder auf die Beine. Ich blickte noch einmal über die Reling. Das Wasser stieg. Die Wellen kamen zusehends näher. Wir sanken immer schneller.

Ich hörte Affen schreien, unverkennbar. Das Deck bebte. Ein Gaur – ein indischer Bison – brach aus dem Regen hervor und donnerte vorbei, in Panik, von nichts aufzuhalten. Ich sah ihn an, verblüfft, ungläubig. Wer um Himmels willen hatte den herausgelassen?

Ich rannte zur Treppe hinauf auf die Brücke. Da oben waren die Offiziere, die Einzigen an Bord, die Englisch sprachen, diejenigen, in deren Hände wir unser Schicksal gelegt hatten, diejenigen, die Hilfe in diesem Unglück wussten. Sie würden alles erklären. Sie würden meine Familie und mich in Sicherheit bringen. Ich stieg hinauf zur mittleren Brücke. Auf der Steuerbordseite war niemand. Ich lief nach Backbord. Ich sah drei Männer, Matrosen. Ich stürzte. Ich stand auf. Sie blickten über die Reling. Ich rief. Sie drehten sich zu mir um. Sie sahen mich an, dann sich gegenseitig. Sie wechselten ein paar Worte. Sie kamen auf mich zugelaufen. Ich spürte, wie Erleichterung und Dankbarkeit in mir aufwallten. »Gott sei Dank, dass ich Sie gefunden habe«, rief ich. »Was geht hier vor? Ich bin zu Tode erschrocken. Unten im Schiff ist Wasser. Ich sorge mich um meine Familie. Ich kann nicht mehr nach unten, auf das Deck, auf dem unsere Kabinen sind. Ist denn so etwas normal? Was wollen Sie —«

Die Männer ließen mich nicht ausreden. Einer von ihnen warf mir eine Schwimmweste zu und rief etwas auf Chinesisch. Eine orangefarbene Trillerpfeife hing an der Weste. Die Männer blickten in meine Richtung und nickten heftig. Als sie mich packten und mit ihren kräftigen Armen in die Höhe hoben, fand ich überhaupt nichts dabei. Ich dachte, sie helfen mir. Ich war so voller Vertrauen, dass ich noch dankbar war, als sie mich hochhoben. Erst als sie mich über Bord warfen, kamen mir die ersten Zweifel.

Kapitel 39

Ich landete auf der halb aufgerollten Plane eines Rettungsboots zehn Meter tiefer wie auf einem Trampolin. Es war ein Wunder, dass ich unverletzt blieb. Die Schwimmweste ging verloren, nur die Pfeife hielt ich noch fest in der Hand. Das Boot war halb heruntergelassen und baumelte in der Luft. Ich hing an den Halteleinen, schwang hin und her, fünf oder sechs Meter über dem Wasser. Ich sah nach oben. Zwei Männer blickten zu mir herunter, gestikulierten wild, zeigten auf des Rettungsboot und riefen. Ich sollte etwas tun, aber ich verstand nicht, was sie mir sagen wollten. Ich dachte, sie würden ebenfalls springen. Stattdessen drehten sie sich um, machten entsetzte Gesichter, und plötzlich kam etwas gesprungen, mit der Eleganz eines Rennpferds. Das Zebra verfehlte die Plane. Es war ein Hengst, ein Grantzebra, mindestens vier Zentner schwer. Mit einem lauten Krachen landete er auf der hintersten Bank, zerschmetterte sie, und das ganze Boot bebte unter dem Aufprall. Das Tier brüllte. Man hätte etwas wie das I-a eines Esels oder das Wiehern eines Pferdes erwartet. Aber es war nichts dergleichen. Am ehesten könnte man es als lautes Bellen beschreiben, ein *Kwa-ha-ha, Kwa-ha-ha, Kwa-ha-ha* in höchsten Tönen der Verzweiflung. Das Maul hatte es weit aufgerissen, die Schnauze in die Höhe gereckt, und ich sah das dunkelrosa Zahnfleisch, die gelben Zähne. Das Rettungsboot stürzte in die Tiefe, und wir schlugen auf das schäumende Wasser.

Kapitel 40

Richard Parker sprang mir nicht nach. Das Ruder, das ich als Knüppel hatte nehmen wollen, schwamm. Ich klammerte mich daran und angelte nach dem Rettungsring, den sein voriger Benutzer zurückgelassen hatte. Es war entsetzlich im Wasser. Es war schwarz und kalt und wütend. Ich kam mir vor wie am Grunde eines einstürzenden Brunnens. Wasser traf mich von oben. Es brannte mir in den Augen. Es zog mich in die Tiefe. Ich bekam kaum noch Luft. Ohne den Rettungsring hätte ich keine Minute durchgehalten.

Ein Dreieck fuhr durch das Wasser wie ein Messer, fünf Meter von mir. Eine Haifischflosse. Ein abscheuliches Kribbeln, kalt und nass, lief mir das Rückgrat hinunter und wieder hinauf. Ich schwamm, so schnell ich konnte, zum Vorderende des Bootes, dem Ende, das noch mit der Plane bedeckt war. Ich hievte mich mit den Ellbogen auf den Rettungsring hoch. Richard Parker war nirgends zu sehen.

Auf der Plane war er nicht und auch nicht auf den Bänken. Er musste unten im Boot sein. Ich stemmte mich noch einmal hoch. Das Einzige, was ich sehen konnte, eine Sekunde lang, war am anderen Ende das Zebra, das den Kopf hin- und herwarf. Als ich wieder ins Wasser zurückfiel, tauchte eine weitere Rückenflosse gleich vor mir auf.

Die leuchtend orange Plane war mit einem kräftigen Nylonseil fixiert, das sich durch Metallösen in dem Öltuch und stumpfe Haken in der Seitenwand des Bootes wand. Die Strömung hatte mich an den Bug getrieben. Am Vordersteven – der Bug war stumpf, das Boot hatte, wenn man so sagen will, eine Stupsnase – saß die Plane nicht ganz so fest wie an den Seiten. Da wo das Seil vom Haken auf der einen zum Haken auf der anderen Seite ging, stand sie ein wenig hoch. Ich hob das Ruder und steckte den Stiel in diese Öffnung, in die kleine Unregelmäßigkeit, die mir das Leben retten konnte. Ich schob ihn nach innen, so weit er sich schieben ließ. Damit hatte das Rettungsboot nun einen Bugspriet, der über den Wellen vorausragte. Ich machte einen Klimmzug und klammerte mich mit den Beinen daran. Der Stiel drückte die Plane nach oben, doch Plane, Seil und Ruder hielten. Ich war aus dem Wasser, wenn auch nur einen halben, manchmal einen dreiviertel Meter über den tanzenden Wellen. Bei den größeren streifte die Schaumkrone mich nach wie vor.

Ich war allein, ein Waisenjunge mitten auf dem Pazifik, der sich an ein Ruder klammerte, ein ausgewachsener Tiger vor mir, Haie unter mir, der tosende Sturm über mir. Hätte ich vernünftig über meine Aussichten nachgedacht, so hätte ich gewiss einfach das Ruder losgelassen und hätte nur noch gehofft, dass ich ertrinke, bevor ich gefressen werde. Aber soweit ich mich erinnere, ging mir in diesen ersten Augenblicken der Sicherheit nicht ein einziger Gedanke durch den Kopf. Ich bemerkte nicht einmal, dass es Tag geworden war. Ich klammerte mich an das Ruder und hielt einfach nur fest, Gott weiß warum.

Nach einer Weile fiel mir ein, was ich mit dem Rettungsring tun konnte. Ich zog ihn aus dem Wasser und stülpte
ihn über das Ruderblatt. Ich zog ihn heran, bis ich ihn um
Ruder und mich gelegt hatte, und nun musste ich mich nur
noch mit den Beinen anklammern. Zwar konnte ich mich
dann nicht mehr so schnell ins Wasser fallen lassen, wenn
Richard Parker erschien, aber ich musste meine Schrecken
einen nach dem anderen bedenken, zuerst den Pazifik,
dann den Tiger.

Kapitel 41

Die Elemente ließen mir mein Leben. Das Rettungsboot
sank nicht. Richard Parker blieb, wo er war. Die Haie hielten mich im Auge, aber sie sprangen nicht. Die Wellen
schlugen zu mir hoch, aber sie rissen mich nicht hinab.

Ich sah zu, wie das Schiff unter großem Blubbern und
weiterem Rülpsen versank. Lichter flackerten, dann gingen sie aus. Ich hielt Ausschau nach meiner Familie, nach
Überlebenden, nach einem zweiten Rettungsboot, nach allem, was Hoffnung sein konnte. Aber ich sah nichts. Nur
Regen, mörderische Wellen, die Trümmer der Tragödie.

Der Himmel wurde lichter. Der Regen hörte auf.

Ich konnte nicht ewig an dem Ruder hängen bleiben.
Mir war kalt. Der Nacken tat mir weh, weil ich den Kopf so
mühsam hochhielt und so oft zum Ausschauhalten gereckt
hatte. Mein Rücken schmerzte, weil ich mich an den Rettungsring drückte. Und wenn ich andere Boote sehen wollte, musste ich weiter nach oben.

Zentimeter um Zentimeter arbeitete ich mich an dem
Ruder vor, bis ich mit den Füßen das Boot berührte. Ich
musste mit äußerster Vorsicht vorgehen. Ich ging davon
aus, dass Richard Parker am Boden des Rettungsboots unter der Plane lag, mit dem Rücken zu mir, das Zebra im
Blick, das er inzwischen mit Sicherheit gerissen hatte. Von

allen fünf Sinnen verlassen Tiger sich am meisten auf ihre Augen. Ihr Gesichtssinn ist enorm hoch entwickelt, besonders wenn es um das Entdecken von Bewegung geht. Ihr Gehör ist gut. Der Geruchssinn ist nur durchschnittlich. Durchschnittlich für ein Tier, meine ich. Im Vergleich zu Richard Parker war ich blind und taub, meine Nase nonexistent. Aber im Augenblick konnte er mich nicht sehen und konnte mich, solange ich so nass war, wahrscheinlich auch nicht riechen, und so wie der Wind pfiff und die Wellen tosten, würde er mich, wenn ich mich vorsah, auch nicht hören. Eine gewisse Chance hatte ich, solange er mich nicht bemerkte. Wenn er spürte, dass ich da war, war es um mich geschehen. Ich überlegte, ob er wohl durch die Plane kommen könnte.

Furcht und Vernunft rangen um die Antwort. Die Furcht sagte Ja. Er war ein wildes, 450 Pfund schweres Raubtier. Jede einzelne seiner Krallen war scharf wie ein Messer. Die Vernunft sagte Nein. Die Plane war schließlich dickes Öltuch, kein japanisches Reispapier. Ich war aus ziemlicher Höhe darauf gelandet, und sie hatte gehalten. Mit genügend Zeit und Mühe konnte Richard Parker sie mit den Krallen zerfetzen, aber er konnte nicht durch sie hindurchbrechen wie ein Springteufel. Und er hatte mich nicht gesehen. Da er mich nicht gesehen hatte, gab es für ihn keinen Grund, die Plane aufzureißen.

Ich kroch voran. Ich ging mit beiden Beinen auf eine Seite des Ruders. Ich legte die Füße auf das Dollbord. Das Dollbord ist der Rand des Bootes, wenn man so will. Ich kroch noch ein wenig weiter, dann hatte ich die Beine auf dem Boot. Den Blick hatte ich fest auf das andere Ende der Plane geheftet. Ich rechnete damit, dass Richard Parker jeden Moment erscheinen und sich auf mich stürzen würde. Ein paar Mal bebte ich am ganzen Leibe. Gerade da, wo es am gefährlichsten war – an den Beinen –, zitterte ich besonders heftig. Ich trommelte geradezu auf die Plane. Deutlicher hätte ich gar nicht an Richard Parkers Tür klopfen können. Das Beben ergriff meine Arme, und nur mit Mühe konnte ich mich halten. Aber die Anfälle gingen jedes Mal vorbei.

Als ich mich weit genug vorgeschoben hatte, hievte ich mich ganz aufs Boot. Ich lugte über den Planenrand. Zu meiner Überraschung war das Zebra noch am Leben. Es lag im Heck, wo es niedergestürzt war, reglos; doch die Flanken hoben und senkten sich, und die Augen, weit aufgerissen vor Entsetzen, waren in Bewegung. Es lag auf der Seite, mir gegenüber, Kopf und Hals in einem unnatürlichen Winkel auf der Seitenbank. Ein Hinterbein war gebrochen. Es war in einem absurden Winkel abgeknickt, ein Knochen hatte sich durch das Fell gebohrt, und die Wunde blutete. Nur die schlanken Vorderbeine hielt es halbwegs natürlich. Sie waren angewinkelt und unter den gekrümmten Leib gesteckt. Von Zeit zu Zeit schüttelte das Zebra den Kopf, stieß seine bellenden Laute aus und schnaubte. Sonst lag es still.

Es war ein wunderschönes Tier. Das nasse Fell glitzerte in strahlendem Weiß und tiefstem Schwarz. Die Angst beherrschte mich so, ich konnte nicht bei dem Anblick verweilen, aber wie im Vorbeigehen blieb das Bild des klaren, künstlerischen Musters, des prachtvollen Kopfs. Mehr beschäftigte mich allerdings die Frage, warum Richard Parker es nicht getötet hatte. Es war doch zu erwarten gewesen, dass er das Zebra reißen würde. Das ist nur natürlich für ein Raubtier: es tötet seine Beute. Unter den jetzigen Umständen, wo Richard Parkers Nerven aufs Äußerste gespannt waren, hätte seine eigene Furcht ihn wilder machen sollen denn je. Beim ersten Blick hätte er sich auf das Zebra stürzen sollen.

Der Grund dafür, dass er es verschont hatte, enthüllte sich mir binnen kurzem. Das Blut gefror mir in den Adern – und doch war es in gewissem Sinne eine Erleichterung. Ein Kopf tauchte auf und blickte über die Plane. Er sah mich auf eine freche und doch ängstliche Art an, tauchte unter, erschien wieder, tauchte wiederum unter, erschien noch einmal und verschwand dann ganz. Er hatte etwas von einem Bären, nur an manchen Stellen kahl – der Kopf einer Tüpfelhyäne. In unserem Zoo hatte es einen Clan von sechsen gegeben, zwei dominante Weibchen, vier rangniedere Männer. Sie waren nach Minnesota verkauft. Dies war eines der Männchen. Ich erkannte ihn an seinem rechten Ohr, das tief eingerissen war, die Narben ein Zeugnis der Gewalt, mit der sie miteinander umgingen. Jetzt war mir klar, warum Richard Parker das Zebra nicht gerissen hatte: Er war nicht mehr an Bord. Auf so engem Raum konnten sich nicht eine Hyäne und ein Tiger gleichzeitig halten. Er musste von der Plane gestürzt und ertrunken sein.

Die nächste Frage war, wie denn die Hyäne auf das Rettungsboot gekommen war. Ich konnte mir nicht vorstellen, dass Hyänen in der Lage waren, im offenen Meer zu schwimmen. Meine Erklärung war, dass sie schon die ganze Zeit an Bord gewesen war, unter der Plane versteckt, und dass ich es bei meiner Trampolinlandung nicht bemerkt hatte. Und noch etwas ging mir auf: Die Hyäne war der Grund dafür, dass die Seeleute mich in das Boot geworfen hatten. Ihnen lag nichts daran, mir das Leben zu retten. Daran hatten sie nicht das geringste Interesse. Ich sollte nur den Köder spielen. Sie malten sich aus, dass die Hyäne sich auf mich stürzen und dass ich irgendwie mit ihr fertig werden würde, ob es mich nun mein Leben kostete oder nicht, und dann hätten sie ohne Gefahr ins Boot springen können. Jetzt war mir klar, auf was sie mit solcher Vehemenz gewiesen hatten, unmittelbar bevor das Zebra erschienen war.

Ich hätte nie gedacht, dass ich noch einmal froh sein würde, dass ich auf engstem Raum mit einer Tüpfelhyäne zusammengesperrt war, aber so war es. Genau genommen hatte ich sogar doppelt Glück mit ihr: Ohne die Hyäne hätten die Seeleute mich nicht ins Boot geworfen, ich wäre an

Bord geblieben und mit Sicherheit ertrunken; und wenn ich schon mein Quartier mit einem wilden Tier teilen sollte, dann war ich mit der offenen Wildheit eines Hundes besser dran als mit der lautlosen Art einer Katze. Ich hauchte einen winzigen Seufzer der Erleichterung. Zur Vorsicht zog ich mich auf das Ruder zurück, auf die Kante des aufgespießten Rettungsrings, den linken Fuß auf der Bugspitze, den rechten auf dem Bootsrand. Das war einigermaßen bequem, und ich hatte das ganze Boot im Blick.

Ich sah mich um. Meer und Himmel, so weit das Auge reichte. Das Bild blieb stets das gleiche, ob wir nun hoch oben schwammen oder ob wir ins Wellental tauchten. In rasch wechselnder Folge ahmte die See alle Züge des Festlands nach – die Hügel, die Täler, die Ebenen. Geotektonik im Schnelldurchgang. Um die Welt in achtzig Wellen. Aber so sehr ich auch Ausschau hielt, meine Familie fand ich nicht. Dinge schwammen im Wasser, aber keins davon gab mir Hoffnung. Weit und breit kein anderes Rettungsboot.

Das Wetter ändere sich bald. Die See, so gewaltig, so atemberaubend unendlich, richtete sich mit einem sanften und gleichmäßigen Schaukeln ein, und die Wellen passten sich an; der Wind milderte sich zur säuselnden Brise; strahlend weiße Federwölkchen erleuchteten zusehends die unendliche Kuppel aus feinstem Blassblau. Der Morgen eines prachtvollen Tags auf dem Pazifischen Ozean. Mein Hemd war schon beinahe trocken. Die Nacht war so schnell verschwunden wie das Schiff.

Das Warten begann. Mein Verstand war wie eine Achterbahn. In einem Moment war ich mit praktischen Fragen beschäftigt, Fragen des Überlebens, im nächsten erfüllte mich ein unendlicher Kummer, ich weinte lautlos, den Mund offen, die Hände an den Kopf gepresst.

Kapitel 42

Sie schwebte auf einer Insel aus Bananen heran, von einem Lichtkranz umgeben, lieblich wie die Jungfrau Maria. Die Morgensonne stand hinter ihr, das rote Haar leuchtete wie in Flammen.

»O gesegnete Große Mutter«, rief ich, »Fruchtbarkeitsgöttin Pondicherrys, Geberin von Milch und Liebe, tröstender Arm, der uns hält, Befreierin von Zecken, Beschwichtigerin der Weinenden, willst auch du Zeugin dieses Unglücks sein? Es ist nicht recht, dass solcher Sanftheit solcher Schrecken widerfährt. Besser, du wärest gleich gestorben. Wie bitter glücklich bin ich, dass du kommst. Glück und Schmerz bescherst du mir gleichermaßen. Glück, weil du bei mir bist, Schmerz, weil es nicht für lange sein wird. Was weißt du über das Meer? Nichts. Was weiß ich über das Meer? Nichts. Ohne Fahrer ist unser Bus verloren. Unser Leben ist vorbei. Komm an Bord, wenn dein Ziel Vergessen ist – Vergessen ist unsere nächste Haltestelle. Komm, wir setzen uns zusammen. Du kannst den Platz am Fenster haben, wenn du magst. Viel zu sehen gibt es allerdings nicht. Ach, was rede ich lange darum herum? Ich will es dir sagen: Ich liebe, liebe, liebe dich. Ich liebe dich, ich liebe dich. Aber die Spinnen lässt du draußen.«

Es war Orangina – den Namen hatte sie bekommen, weil sie immer ein wenig sabberte –, Matriarchin unserer Orang-Utan-Familie, Star des Zoos und Mutter zweier prachtvoller Jungen, umgeben von einer Masse an schwarzen Spinnen, die sie umschwärmten wie aufdringliche Anbeter. Die Bananen, die ihr zum Floß dienten, wurden von dem Kunststoffnetz zusammengehalten, in dem sie an Bord gekommen waren. Als sie zum Boot hinüberkletterte, kippte die ganze Insel und drehte sich. Das Netz ging auf. Ohne zu überlegen, einfach nur weil es in Griffweite war und unterzugehen drohte, fasste ich nach dem Netz und zog es ins Boot, eine einfache Geste, aus der ich noch vielfältigen Nutzen zog; kaum etwas sollte mir so wertvoll werden wie dieses Netz.

Die Bananen verteilten sich. Die Spinnen liefen, so schnell sie konnten, aber sie hatten keine Chance. Ihre Insel löste sich unter ihren Füßen auf. Sie ertranken allesamt. Für eine Weile schwamm das Rettungsboot in einer Bananensee.

Ich hatte ins Boot geholt, was mir zu jenem Zeitpunkt als nutzloses Netz erschien, aber hatte ich daran gedacht, auch nur einen Bruchteil von diesem Bananensegen zu retten? Nein. Nicht eine einzige. Die See verteilte sie in alle Winde, Bananensplit im wahrsten Sinne des Wortes. Es war ein Verlust, der mir in den Tagen darauf schwer zu schaffen machte. Ich wand mich vor Schmerzen beim Gedanken an meine Dummheit.

Orangina war ganz benommen. Ihre Gesten waren langsam und unsicher, ihr leerer Blick kündete von tiefer Verwirrung. Sie stand unter schwerem Schock. Ein paar Minuten lang lag sie flach auf der Plane, reglos und still, dann streckte sie den Arm aus und fiel hinunter ins Boot. Ich hörte einen Hyänenschrei.

Kapitel 43

Das Letzte, was ich vom Schiff sah, war ein Ölfleck, der auf der Wasseroberfläche schillerte.

Ich war mir sicher, dass ich nicht allein war. Es war doch unvorstellbar, dass die *Tsimtsum* sank, ohne dass es auch nur das kleinste Fünkchen Aufmerksamkeit erregte. In diesem Augenblick schrillten in Tokio, in Panama-Stadt, in Madras, in Honolulu, ja sogar in Winnipeg die Alarmglocken, rote Lichter gingen an, und Menschen rissen die Augen auf, riefen: »Um Himmels willen, die *Tsimtsum* ist untergegangen!«, und Hände griffen nach Telefonen. Weitere rote Lichter gingen an, weitere Glocken schrillten. Flieger liefen zu ihren Maschinen, ohne dass sie sich auch nur die Schuhe zugebunden hatten, so eilig hatten sie es. Die Steuermänner auf den Schiffen kurbelten am Ruder, bis ihnen schwindelig davon wurde. Selbst Unterseeboote machten unter Wasser Wendemanöver, um ihren Teil zur Rettung beizutragen. Schon bald würden wir in Sicherheit sein. Ein Schiff würde am Horizont auftauchen. Eine Waffe würde sich finden, mit der jemand die Hyäne erschießen und das Zebra von seinen Qualen erlösen würde. Vielleicht würde Orangina noch gerettet. Ich würde an Bord klettern, wo meine Familie schon auf mich wartete. Man hatte sie aus einem anderen Rettungsboot geholt. Ich musste nur die nächsten paar Stunden überleben, bis das rettende Schiff erschien.

Ich lehnte mich von meinem Posten vor und griff nach dem Netz. Ich rollte es zusammen und warf es in die Mitte der Plane, wo es als Barriere dienen konnte. Jedes bisschen half. Orangina wirkte wie gelähmt. Ich rechnete damit, dass der Schock sie umbringen würde. Was mir wirklich Sorgen machte, war die Hyäne. Ich hörte sie heulen. Ich klammerte mich an die Hoffnung, dass ein Zebra – eine vertraute Beute – und ein Orang-Utan – eine weniger vertraute – sie von mir ablenken würde.

Ich hielt ein Auge auf den Horizont, das andere auf das gegenüberliegende Ende des Bootes. Außer dem Heulen der Hyäne war wenig von den Tieren zu hören, nichts außer Hufen und Krallen, die auf der harten Oberfläche scharrten, einem Stöhnen dann und wann, unterdrückten Schreien. Größere Kämpfe gab es anscheinend nicht.

Mitte des Vormittags ließ die Hyäne sich wieder blicken. In den letzten Minuten hatte sich ihr Heulen zu einem regelrechten Schrei gesteigert. Sie machte einen Satz über das Zebra und sprang ins Heck, wo die seitlichen Bänke des Rettungsbootes zu einem dreieckigen Sitz zusammenliefen. Es war ein Platz recht weit oben, die Entfernung zwischen Bank und Bootsrand war nur etwa ein Viertelmeter. Ängstlich blickte das Tier aus dem Boot. Die endlos wogende See war wohl das Letzte, was die Hyäne sehen wollte, denn sie duckte sich sofort wieder und sprang hinunter auf den Boden hinter dem Zebra. Dort war es mehr als nur eng. Zwischen dem breiten Rücken des Zebras und den Schwimmtanks, die rund um das Boot unter den Bänken verliefen, war nicht gerade viel Platz für eine Hyäne. Sie drückte sich einen Moment lang in diese Kuhle, dann kletterte sie wieder auf die Bank, sprang über das Zebra zur Bootsmitte und verschwand unter der Plane. Dieser Ausbruch von Aktivität dauerte keine zehn Sekunden. Die Hyäne kam bis auf fünf Meter an mich heran. Ich reagierte nicht, ich war nur gelähmt vor Schrecken. Das Zebra hingegen reckte sofort den Hals und gab Laut.

Ich hoffte, die Hyäne würde unter der Plane bleiben. Die Hoffnung erfüllte sich nicht. Fast schon im nächsten Augenblick sprang sie wieder über das Zebra zurück auf die Heckbank. Dort drehte sie sich im Kreis, zögernd, mit einem Winseln. Ich fragte mich, was sie wohl als Nächstes tun würde. Die Antwort ließ nicht lange auf sich warten: Die Hyäne senkte den Kopf und lief eine Runde um das Zebra; aus den beiden Seitenbänken, der Heckbank und der Querbank unmittelbar vor der Plane machte sie eine etwa siebeneinhalb Meter lange Rennstrecke. Sie lief eine Runde – dann zwei – drei – vier – fünf und immer so weiter, nonstop, bis ich mit dem Zählen nicht mehr mitkam. Und Runde um Runde, mit schriller Stimme, stieß sie ihr Lachen aus, *yip yip yip yip yip*. Auch diesmal reagierte ich kaum. Ich war vor Schrecken starr, ich konnte nur zusehen. Das Tier legte ein ordentliches Tempo vor, und es war ja kein Schoßhund; es war ein ausgewachsener Rüde, sicher seine 140 Pfund schwer. Seine Tritte auf den Bänken ließen das ganze Boot zittern, und die Krallen klickten laut auf dem Holz. Jedes Mal, wenn es im Heck kehrtmachte, hielt ich die Luft an. Mir standen schon die Haare zu Berge, wenn ich die Bestie auf mich zukommen sah; aber schlimmer noch war der Gedanke, dass sie diesmal geradeaus weiterlaufen könnte. Orangina, wo immer sie steckte, würde die Hyäne nicht aufhalten, das stand fest. Und die aufgerollte Plane und das kleine Häufchen Netz waren noch jämmerlichere Barrieren. Mit einem einzigen mühelosen Sprung konnte die Hyäne vorn bei mir im Bug sein. Im Augenblick machte sie keine Anstalten dazu. Jedes Mal wenn sie an die Querbank kam, bog sie ab, und ich sah die obere Hälfte des Körpers die Plane entlanghuschen. Aber ich hatte keinerlei Anhaltspunkt, den nächsten Schritt der Hyäne vorauszuberechnen, und sie konnte ohne jede Vorwarnung über mich herfallen.

Nach einer Reihe von Runden blieb sie an der Heckbank stehen, duckte sich nieder und blickte nach unten, unter die Plane. Dann sah sie auf und blickte mich an. Es war der typische Hyänenblick – direkt, doch vage, sichtlich neugierig, doch so reserviert, dass sich nichts von der Absicht erraten ließ, das Maul geöffnet, die großen Ohren aufgerichtet, die Augen schwarz und schimmernd –, nur dass eine Anspannung hinzukam, die man in jeder Zelle ihres Körpers spüren konnte, eine Furcht, die das ganze Tier glühen ließ wie ein Fieber. Ich machte mich auf mein Ende gefasst. Grundlos. Sie nahm nur ihre Runden wieder auf.

Wenn ein Tier sich einmal etwas in den Kopf setzt, kann es sehr lange dabei bleiben. Den ganzen Vormittag über rannte die Hyäne im Kreis und rief *yip yip yip yip yip* dazu. Von Zeit zu Zeit hielt sie kurz an der Heckbank inne, doch ansonsten war jede Runde genau wie die Runde zuvor, ohne auch nur die kleinste Veränderung im Ablauf, im Tempo, in der Tonhöhe oder der Lautstärke des Lachens, in der Folge der Schritte im Gegenuhrzeigersinn. Das Lachen war schrill und entsetzlich nervtötend. Nach einer Weile bekam der Anblick etwas dermaßen Zermürbendes, dass ich schließlich den Kopf abwandte und versuchte, sie nur aus dem Augenwinkel im Blick zu behalten. Selbst das Zebra, das anfangs jedes Mal, wenn die Hyäne an seinem

Kopf vorübergestürmt war, geschnaubt hatte, verfiel in eine Trance.

Doch immer wenn die Hyäne an der Heckbank stehen blieb, blieb auch mein Herz stehen. Und so sehr ich mich auch mühte, mich auf den Horizont zu konzentrieren, wo meine Rettung lag, wanderte mein Blick doch immer wieder zurück zu dem rasenden Tier.

Ich wäre der Letzte, der Vorurteile gegenüber einem Tier hat, aber es ist eine Tatsache, dass die Tüpfelhyäne kein angenehmer Anblick ist. Sie ist die Hässlichkeit selbst. Der dicke Hals mit den hohen Schultern und dem abwärts gerichteten Rücken sieht wie ein verworfener Prototyp für die Giraffe aus, und das struppige raue Fell wirkt wie aus dem Kehricht der Schöpfung zusammengeklaubt. Die Farbe ist eine willkürliche Mischung aus Ocker, Gelb, Grau und Schwarz, und die Tüpfel haben nichts von der vornehmen Harmonie der Leopardenflecken; sie sehen eher aus wie die Zeichen einer Hautkrankheit, Räude im Endstadium. Der Kopf ist breit und allzu massig, mit hoher Stirn wie ein Bär, doch mit weit hinten angesetztem Haar und Ohren, die lächerlich an Mauseohren erinnern, groß und rund, wenn sie nicht im Kampf abgerissen sind. Das Maul steht hechelnd offen. Die Nasenlöcher sind zu groß. Der Schwanz ist struppig und unbewegt. Der Gang ist schlurfend. Alles zusammengenommen erinnern sie am ehesten an Hunde, obwohl sie wohl niemand als Schoßhund haben wollte.

Aber ich hatte nicht vergessen, was Vater uns beigebracht hatte. Das waren keine feigen Aasfresser. Wenn das *National Geographic* sie so beschrieb, dann deswegen, weil es seine Aufnahmen bei Tage gemacht hatte. Aber erst wenn der Mond aufgeht, fängt der Tag der Hyäne wirklich an, und dann erweist sie sich als unerbittlicher Jäger. Hyänen greifen als Rudel jedes Tier an, das sie zu fassen bekommen, und reißen ihm noch im Laufen die Flanke auf. Sie jagen Zebras, Gnus und Wasserbüffel, und nicht nur die Alten und Kranken einer Herde – auch Tiere in der Blüte ihrer Jahre. Sie sind unerbittliche Angreifer, sind nach jedem Stoß und Tritt sofort wieder auf den Beinen, und wenn sie aufgeben, dann nie, weil sie den Mut verlieren. Und sie sind intelligent; sie wissen, dass alles, was man einer Mutter wegschnappen kann, gut ist. Ein zehn Minuten altes Gnu ist ein Leckerbissen, aber Hyänen reißen auch Löwenjunge und junge Nashörner. Ist die Beute erst einmal erlegt, leisten sie ganze Arbeit. In einer Viertelstunde ist von einem Zebra nur noch der Schädel übrig, und selbst den schleppen sie oft noch in ihre Höhle, wo die Jungen daran knabbern können. Sie lassen nichts umkommen – selbst das blutige Gras wird gefressen. Man kann zusehen, wie die Hyänenbäuche anschwellen, wenn sie ihre Beute in großen Stücken verschlingen. Wenn es ein guter Fang war, fressen sie sich so voll, dass sie kaum noch gehen können. Ist der Fraß verdaut, würgen sie dichte Haarknäuel aus, die sie noch nach Essbarem durchwühlen, bevor sie sich darin wälzen. Versehentlicher Kannibalismus ist bei dem Fressrausch an der Tagesordnung. Beim Biss nach einem guten Stück Zebra kommt einer Hyäne schon einmal ein Ohr oder ein Stück Nase eines Verwandten zwischen die Zähne, ganz ohne böse Absicht. Die Hyäne hat keine Hemmungen, auch das zu verschlingen. Bei solchem Angebot werden keine Unterschiede gemacht.

In der Tat hat der Geschmack der Hyäne eine Bandbreite, die man schon fast bewundern muss. Eine Hyäne trinkt von Wasser, in das sie gleichzeitig uriniert. Auch sonst wird der Urin nicht vergeudet. Bei heißem, trockenem Wetter kühlt sie sich, indem sie ihre Blase entleert und den nassen Boden dann mit den Pfoten zu einem erfrischenden Schlammbad aufwühlt. Exkremente von Pflanzenfressern nehmen sie gern als kleinen Imbiss und glucksen vor Vergnügen dabei. Es ist gar nicht so leicht zu sagen, was eine Hyäne *nicht* frisst. Sie verschlingen selbst ihre Artgenossen (deren Ohren und Schnauzen sie als *hors d'œuvres* verzehrt haben), wenn sie erst einmal tot sind, nach einer Anstandsfrist von etwa einem Tag. Selbst Fahrzeuge sind nicht sicher vor ihnen – Scheinwerfer, Auspuffrohre, Spiegel. Nicht die Magensäure setzt der Speisekarte einer Hyäne Grenzen, sondern die Kraft des Gebisses, und diese Kraft ist außerordentlich.

Das war das Tier, das hier vor meinen Augen im Kreis rannte. Ein Tier, das dem Auge eine Qual war und das Herz sinken ließ.

Alles endete in typischer Hyänenart. Sie blieb am Heck stehen und stieß ein tiefes Stöhnen aus, dann kam ein anfallsweises Keuchen hinzu. Ich hangelte mich so weit auf das Ruder hinaus, dass nur meine Zehenspitzen noch das Boot berührten. Das Tier würgte und hustete. Es erbrach sich heftig. Ein Schwall landete hinter dem Zebra. Es ließ sich in das fallen, was es gerade hervorgewürgt hatte. Dort blieb es liegen, bebte und winselte, drehte sich im Kreise, durchlitt die tiefste Qual, die ein Tier durchleiden kann. Aus dieser engen Kuhle kam es den Rest des Tages nicht mehr hervor. Dann und wann machte das Zebra Anstalten, gegen seinen Peiniger zu protestieren, mit dem es Rücken an Rücken lag, doch die meiste Zeit lag es einfach nur da in hoffnungslosem dumpfen Schweigen.

Kapitel 44

Die Sonne stieg am Himmel auf, erreichte den Zenit und neigte sich von neuem dem Horizont zu. Den ganzen Tag über hockte ich auf dem Ruder und bewegte mich nur so viel wie nötig war, dass ich in der Balance blieb. Ich war ganz auf den Fleck in der Ferne fixiert, der irgendwann auftauchen musste und der meine Rettung bedeutete. Es war eine angespannte, atemlose Öde. In meiner Erinnerung an diese ersten Stunden höre ich vor allem ein Geräusch, und zwar nicht das, das man vielleicht vermuten würde, nicht das Lachen der Hyäne oder die tosende See:

Was ich höre, ist das Brummen von Fliegen. Auf dem Rettungsboot waren Fliegen. Sie kamen hervorgekrochen und flogen umher nach Fliegenart, in großen, trägen Zirkeln, aus denen sie nur ausbrachen, wenn sie einander zu nahe kamen; dann drehten sie sich miteinander unter großem Gebrumme und in Schwindel erregendem Tempo. Manche waren mutig und kamen zu mir herausgeflogen. Es klang wie die spotzenden Motoren von alten Kampfflugzeugen, wenn sie ihre Loopings flogen, und von da ging es schnurstracks zur Basis zurück. Ob sie an Bord gewesen oder mit einem der Tiere gekommen waren, am ehesten wohl der Hyäne, kann ich nicht sagen. Doch woher sie auch gekommen sein mochten, sie blieben nicht lange: die letzten waren am zweiten Tag verschwunden. Die Hyäne schnappte von ihrem Platz hinter dem Zebra nach ihnen und verschlang einige davon. Einige wehte wahrscheinlich der Wind hinaus aufs Meer. Vielleicht hatten auch einige von ihnen Glück und blieben an Bord bis ans Ende ihrer Tage.

Als der Abend näher kam, wurde ich unruhiger. Dass der Tag zu Ende ging, machte mir Angst. In der Nacht würde ein Schiff mich nur mit Mühen finden. In der Nacht würde die Hyäne wieder aktiv werden und vielleicht auch Orangina.

Es wurde dunkel. Eine mondlose Nacht. Die Sterne blieben hinter den Wolken verborgen. Selbst Umrisse waren kaum noch zu sehen. Alles verschwand, das Meer, das Rettungsboot, mein eigener Körper. Es ging kaum Wind und die See war ruhig, und so hatte ich nicht einmal Geräusche zu meiner Orientierung. Es war, als schwebte ich im reinsten, tiefsten Schwarz. Ich hielt meine Augen weiter auf der Höhe, auf der ich den Horizont vermutete, die Ohren blieben gespitzt, damit mir kein Laut von den Tieren entging. Ich hatte kaum Hoffnung, dass ich die Nacht überstehen würde.

Nach einer Weile begann die Hyäne zu fauchen, das Zebra bellte und schrie, und mehrfach kam etwas wie ein

Klopfen. Ich zitterte vor Furcht und – ich will hier nichts verschweigen – machte mir in die Hose. Aber die Laute kamen vom anderen Bootsende. Es war kein Schwanken zu spüren, das auf Bewegung schließen ließ. Der Höllenhund blieb offenbar, wo er war. Näher zu mir hin hörte ich im Dunkel lautes Seufzen und Stöhnen, ein Grunzen und verschiedenerlei Schmatzen. Der Gedanke an das, was geschehen würde, wenn Orangina sich regte, war zu viel für meine Nerven, und ich verbannte ihn einfach. Ich hörte weg. Auch von unter mir kamen Laute, aus dem Wasser, ein plötzliches Platschen und Zischen, das fast im selben Augenblick schon wieder vorbei war. Auch dort kämpften Geschöpfe um ihr Leben.

Die Nacht ging vorüber, Minute um quälende Minute.

Kapitel 45

Es war kalt. Die Erkenntnis kam mir ganz nüchtern, als beträfe sie mich gar nicht. Der Tag brach an. Der Wechsel kam rasch und doch in winzigen Schritten. Ein Winkel des Himmels verfärbte sich. Die Luft füllte sich mit Licht. Die ruhige See öffnete sich rundum, als würde ein großes Buch aufgeschlagen. Noch fühlte es sich wie Nacht an. Im nächsten Moment war es schon Tag.

Warm wurde es erst, als die Sonne am Horizont aufstieg wie eine elektrisch beleuchtete Apfelsine, aber so lange musste ich nicht warten. Schon vorher spürte ich eine Wärme von innen, die mit den allerersten Lichtstrahlen kam: die Hoffnung. Und je mehr die Dinge wieder ihre Gestalt und Farbe annahmen, desto stärker wurde die Hoffnung, bis sie wie ein Gesang in meinem Herzen war. Wie wunderbar, sich darin zu sonnen! Alles würde gut. Das Schlimmste war überstanden. Die Nacht hatte ich überstanden. Heute würde Rettung kommen. Schon der Gedanke, die Worte, die sich im Geiste zum Satz formierten, waren ein Quell der Hoffnung. Hoffnung machte Mut zu weiterer Hoffnung. Der Horizont war nun wieder eine klare, scharfe Linie, und eifrig suchte ich sie ab. Es war wieder ein klarer Tag, die Sicht war perfekt. Ich malte mir aus, wie Ravi mich als Erster begrüßen würde, mit seinem üblichen Spott. »Was ist denn das?«, würde er sagen. »Kaum sitzt du allein in einem großen Rettungsboot, schon stopfst du es mit Tieren voll. Hältst du dich etwa jetzt für Noah?« Vater würde unrasiert sein, mit wirrem Haar. Mutter würde den Blick zum Himmel heben und mich in die Arme schließen. In Dutzenden von Varianten stellte ich mir vor, wie ich auf das rettende Schiff kam, Variationen über das Thema Wiedersehen. Mochte der Horizont sich auch nach unten krümmen, der Schwung meiner Lippen ging an jenem Morgen entschieden in die andere Richtung. Ich lächelte.

Erst nach langer Zeit, so seltsam das klingen mag, sah ich, wie die Dinge im Rettungsboot standen. Die Hyäne hatte das Zebra angegriffen. Ihre Schnauze war blutverschmiert, und sie kaute noch an einem Stück Fell. Automatisch wanderte mein Blick zum Zebra, auf der Suche nach der Wunde, der Stelle, an der sie zugebissen hatte. Mir stockte der Atem.

Das gebrochene Zebrabein war verschwunden. Die Hyäne hatte es abgebissen und nach hinten geschleppt, hinter das Zebra. Ein Fellfetzen hing halb über den offenen Stumpf, aus dem noch das Blut tropfte. Das Opfer ertrug seine Leiden stoisch, ohne großen Protest. Ein langsames, gleichmäßiges Mahlen der Zähne war das einzige sichtliche Zeichen der Qualen, die es litt. Entsetzen, Abscheu und Wut wallten in mir auf. Ich hasste die Hyäne zutiefst. Ich überlegte, wie ich sie töten konnte. Aber ich unternahm nichts. Und meine Wut verflog auch schnell wieder. Das muss ich zugeben. Allzu viel Mitleid hatte ich für das Zebra nicht übrig. Wenn man selbst in Lebensgefahr ist, stumpft jedes Mitgefühl ab, und man ist überwältigt vom ungestümen, selbstsüchtigen Hunger nach Überleben. Es war traurig, dass dieses Zebra so viel leiden musste – und es war ein so großes, kräftiges Tier, dass es noch lange nicht am Ende seiner Qualen angelangt war –, aber ich konnte nichts daran ändern. Ich bedauerte es, und dann war anderes an der Reihe. Ich bin nicht stolz darauf. Es macht mich unglücklich, dass ich damals nicht mehr für es empfand. Ich habe dieses arme Zebra und das, was es durchmachen musste, nicht vergessen. Ich schließe es in jedes meiner Gebete ein.

Orangina war weiterhin nicht zu sehen. Ich wandte mich wieder dem Horizont zu.

Am Nachmittag wurde es windiger, und mir fiel etwas an dem Rettungsboot auf: Obwohl es nicht leicht sein konnte, hatte es kaum Tiefgang, wahrscheinlich weil es nicht voll besetzt war. Wir hatten reichlich Freibord – der Abstand zwischen Wasserlinie und Bordkante –, und es musste schon sehr hohe See kommen, bevor das Wasser ins Boot schwappte. Andererseits bedeutete das aber auch, dass dasjenige Ende, auf dem der Wind stand, leicht vom Kurs abkommen konnte, sodass wir eine Neigung hatten, uns quer zu den Wellen zu stellen. Bei kleineren Wellen ergab dies ein unablässiges Pochen an den Schiffsrumpf wie mit Fäusten, größere Wellen brachten das Boot jedoch unangenehm zum Rollen, und es schlingerte schwer. Von dieser unablässigen und unnatürlichen Bewegung drehte sich mir alles.

Vielleicht war es in einer anderen Stellung besser. Ich hangelte mich am Ruder entlang und kletterte wieder auf den Bug. Nun blickte ich in die Wellen, den Rest des Bootes zu meiner Linken. Damit war ich der Hyäne wieder näher, doch die rührte sich nicht.

Ich atmete tief und konzentrierte mich ganz darauf, das Schwindelgefühl zu vertreiben, und da sah ich Orangina. Ich hatte mir vorgestellt, dass sie ganz untergetaucht war, vielleicht unter die Plane zum Bug gekrochen, so weit fort von der Hyäne wie sie nur konnte. Aber nein. Sie saß auf der Seitenbank, gerade außerhalb der Hyänenrennbahn und nur knapp vom aufgerollten Planenende verborgen. Sie brauchte nur um ein paar Zentimeter den Kopf zu heben, da sah ich sie.

Nun war meine Neugier geweckt. Ich musste genauer hinsehen. So sehr das Boot auch rollte, richtete ich mich zu einer knienden Haltung auf. Die Hyäne sah mich an, blieb aber, wo sie war. Orangina kam in Sicht. Sie saß ganz zusammengesunken und hielt sich mit beiden Händen am Bootsrand fest, den Hals eingezogen. Der Mund stand offen, die Zunge bewegte sich hin und her. Man konnte sehen, dass sie schwer atmete. Bei aller Pein, in der ich war, und bei aller Übelkeit musste ich doch lachen. Alles an dem Bild, das Orangina in diesem Augenblick bot, sprach nur das eine Wort: *seekrank*. Ich sah mich als Entdecker einer neuen, äußerst raren Spezies: des maritimen *grünen* Orang-Utans. Ich kehrte wieder zu meiner Sitzposition zurück. Wie menschlich dieser arme Affe in seiner Krankheit aussah! Es ist immer ein Riesenspaß, menschliche Züge in Tiere hineinzulesen, gerade in Affen und Menschenaffen, wo es so einfach ist. Nirgends hält die Tierwelt uns so deutlich den Spiegel vor wie im Affen. Deshalb sind sie auch im Zoo immer so beliebt. Ich lachte noch einmal. Ich fuhr mir mit der Hand an die Brust, so überrascht war ich von meiner eigenen Stimmung. Meine Güte. Dieses Lachen war wie der Ausbruch eines Glücksvulkans in meinem Inneren. Und Orangina hatte mich nicht nur aufgemuntert, sie hatte auch die Bürde der Seekrankheit für uns beide auf sich genommen. Mein Schwindel war verflogen.

Mit neuer Hoffnung suchte ich den Horizont ab.

Außer der Seekrankheit gab es noch etwas zweites Bemerkenswertes an Orangina: Sie war unverletzt. Und sie saß mit dem Rücken zur Hyäne, wie überzeugt davon, dass diese ihr nichts anhaben könne. Das Ökosystem dieses Rettungsbootes war wirklich verblüffend. In der Natur begegneten sich Tüpfelhyäne und Orang-Utan nie, denn die einen gab es nicht auf Borneo und die anderen nicht in Afrika, und man konnte nicht voraussagen, wie sie aufeinander reagieren würden. Aber es schien mir doch sehr unwahrscheinlich, um nicht zu sagen undenkbar, dass ein solcher vegetarischer Baumbewohner und ein Raubtier aus der Savanne, wenn sie einander begegneten, sich dermaßen radikal in ihren eigenen Nischen einrichten würden, dass sie einander gar nicht beachteten. Mit Sicherheit würde doch eine Hyäne im Orang-Utan die Beute wittern, wenn auch eine exotische, die ihr wegen der enormen Haarknäuel, die später hervorzuwürgen waren, im Gedächtnis bleiben würde, aber eben eine, die besser schmeckte als ein Auspuffrohr und eine, nach der man in Zukunft nahe Bäumen Ausschau halten würde. Und genauso würde ein Orang-Utan auf den ersten Blick in der Hyäne den Räuber erkennen, einen, vor dem man besser auf der Hut war, wenn einem einmal eine Zibetfrucht herunterfiel. Aber die Natur überrascht uns doch immer wieder von neuem. Vielleicht stimmte das alles gar nicht. Wenn Ziegen und Rhinozerosse friedlich miteinander umgingen, warum dann nicht auch ein Orang-Utan und eine Hyäne? Das wäre ein Knalleffekt im Zoo gewesen. Wir hätten ein Schild aufstellen müssen. Ich sah es vor mir: »Liebe Besucher, sorgen Sie sich nicht um die Orang-Utans! Sie sitzen in den Bäumen, weil das ihr natürlicher Lebensraum ist, nicht weil sie sich vor den Tüpfelhyänen fürchten. Schauen Sie zur Fütterungszeit noch einmal vorbei oder am Abend, wenn die Affen durstig werden, und Sie werden sehen, wie sie von den Bäumen herunterkommen und sich frei bewegen, und die Hyänen krümmen ihnen kein Haar.« Genau nach Vaters Geschmack.

Später am Nachmittag sah ich zum ersten Mal eine Vertreterin jener Spezies, die mir zur guten, verlässlichen Freundin werden sollte. Etwas schlug gegen den Rumpf des Rettungsboots, ein scharrendes Geräusch. Ein paar Sekunden darauf kam, so nahe am Boot, dass ich mich hätte

hinauslehnen und nach ihr fassen können, eine große See-
schildkröte hervor, schwamm mit trägen Flossenbewegun-
gen vorüber und steckte den Kopf aus dem Wasser. Sie war
auf ihre hässliche Art eine imposante Erscheinung, etwa einen Meter lang mit einem rauen, gelbbraunen Panzer, auf
dem an manchen Stellen die Algen wuchsen, mit dunkel-
grünem Kopf und scharfem Schnabel, lippenlos, mit zwei
klar umrissenen Nasenlöchern und schwarzen Augen, die
mich forschend anstarrten. Die ganze Erscheinung war
streng und gebieterisch, wie ein hochnäsiger alter Mann,
der gleich zu schimpfen anfangen wird. Das Erstaunlichste
an diesem Reptil war, dass es überhaupt existierte. Es sah
so unförmig aus, wie es da im Wasser schwamm, so viel weniger gelungen als die glatte, schlanke Gestalt der Fische.
Und doch war die Schildkröte sichtlich in ihrem Element,
und *ich* war derjenige, der nicht ins Bild passte. Eine ganze
Weile blieb sie längsseits.

»Schwimm«, rief ich ihr zu. »Finde ein Schiff und sage
ihm, dass ich hier bin. Schwimm.« Sie wandte sich ab,
tauchte und schwamm mit kräftigen Stößen der beiden
Hinterflossen davon.

Kapitel 46

Wolken, die sich sammelten, wo Schiffe erscheinen sollten,
und das Verstreichen des Tages sorgten dafür, dass mein
Lächeln allmählich verschwand. Sinnlos zu sagen, diese
oder jene Nacht sei die schlimmste in meinem Leben gewesen. Ich könnte zwischen so vielen schlimmen Nächten
wählen, dass ich keine bevorzugen möchte. Doch an jene
zweite Nacht auf See denke ich als eine Nacht ganz beson-
derer Qual zurück, denn die zweite war, anders als die erste
mit ihrer Kälte und Furcht, beherrscht von einem eher all-
täglichen Kummer, von Niedergeschlagenheit, Weinen,
Seelenpein, und anders als in den Nächten, die folgen soll-

ten, war ich damals noch stark genug, dass ich wirklich begriff, was mit mir geschah. Und dieser grässlichen Nacht ging ein grässlicher Abend voraus.

Ich hatte bemerkt, dass rund um das Rettungsboot immer wieder Haie auftauchten. Die Sonne zog schon für die Nacht ihre Vorhänge vor, ein Kaleidoskop aus Orangerot und Rot, eine große chromatische Symphonie, ein Farbenrausch in wahrhaft gigantischen Dimensionen, ein pazifischer Sonnenuntergang wie aus dem Bilderbuch und an mich ganz und gar verschwendet. Schnell und spitzmäulig zogen die Haie vorbei, mit den langen, mörderischen Raubtierzähnen, die weit aus ihren Mäulern herausragten. Gut zwei Meter maßen die Makos, einer sogar noch deutlich mehr. Beklommen beobachtete ich sie. Der größte kam auf das Boot zu, als wolle er es angreifen, die Rückenflosse ragte weit aus dem Wasser heraus, doch kurz vor dem Aufprall tauchte er ab und glitt in mörderischer Anmut unter uns hindurch. Er machte kehrt, schwamm noch einmal heran, doch nicht mehr so nahe, dann war er verschwunden. Die anderen blieben länger, schwammen hierhin und dorthin, manche kaum eine Handbreit unter der Oberfläche, andere mehr in der Tiefe. Auch andere Fische waren zu sehen, Fische in jeder Größe, Form und Farbe. Ich hätte sie sicher näher betrachtet, hätte nicht etwas anderes mich abgelenkt: Orangina reckte von neuem den Kopf.

Sie drehte sich zu mir um und legte den Arm in einer Bewegung auf die Plane, die exakt jener glich, mit der unsereiner sich auf den Stuhl nebenan gestützt hätte, wäre uns nach lässiger Entspannung zumute gewesen. Obwohl sie, das war deutlich, nichts weniger im Sinn hatte. Mit einem tieftraurigen Gesichtsausdruck sah sie sich um, wandte bedächtig den Kopf von einer Seite zur anderen. Die Menschenähnlichkeit hatte nun nichts Lustiges mehr. Zweimal hatte sie im Zoo Nachwuchs bekommen, kräftige Affenjungen von inzwischen fünf und acht Jahren, ihr – und unser – ganzer Stolz. Ohne Zweifel dachte sie an die beiden, als sie den Blick über den Horizont schweifen ließ und unwillentlich nachahmte, was ich nun schon seit anderthalb Tagen tat. Sie sah mich an und schien nicht im Mindesten überrascht. Ich war ein Tier wie sie, eines, das wie sie alles verloren hatte und dem Tod geweiht war. Damit waren meine Mundwinkel endgültig unten angekommen.

Dann, mit nur einem kurzen Knurren als Ankündigung, schlug die Hyäne zu. Den ganzen Tag über hatte sie sich in ihrem engen Quartier nicht gerührt. Sie stellte sich mit den Vorderbeinen auf die Flanke des Zebras, lehnte sich vor und fasste ein Stück Fell mit den Zähnen. Mit einem heftigen Ruck löste sie ein Stück Haut vom Zebra ab, wie man das Papier von einem Geschenk abreißt, ein glatter Streifen, nur – wie es bei reißender Haut ist – lautlos und gegen größeren Widerstand. Blut quoll hervor wie ein Bach. Mit Bellen, Schnauben, Schreien erwachte das Zebra zum Leben, versuchte sich zu verteidigen. Es stemmte sich auf die Vorderbeine und reckte den Hals, um nach der Hyäne zu schnappen, kam aber an seinen Gegner nicht heran. Es zuckte mit dem unverletzten Hinterbein, was ebenfalls nichts bezweckte, aber immerhin die Klopflaute der vorangegangenen Nacht erklärte: Es war der Huf gewesen, der gegen die Schiffswand trat. Die Versuche des Zebras, sich zu verteidigen, stachelten die Hyäne nur zu einem fauchenden, beißenden Furor auf. Sie riss eine riesige Wunde in die Flanke des Zebras. Als ihr die Reichweite vom Rücken her nicht mehr genügte, kletterte sie auf den Hinterschenkel des Zebras. Sie riss ihm Därme und andere Eingeweide heraus. Ihr Angriff war völlig planlos. Sie fraß hier ein Stück, biss dort hinein, anscheinend überwältigt von dem Reichtum, den sie vor sich hatte. Nachdem sie die halbe Leber verschlungen hatte, zerrte sie an dem weißlichen ballonförmigen Magensack. Aber der war schwer, und da die Schenkel höher lagen als der Bauch – und da Blut glitschig ist –, rutschte die Hyäne allmählich in ihr Opfer hinein. Sie steckte Kopf und Schulter hinein und stand bis zu den Knien der Vorderbeine in Zebraeingeweiden. Sie wollte sich abstoßen, sank aber gleich wieder hinein. Am Ende fand sie sich mit ihrer Lage ab, halb drinnen, halb draußen. Das Zebra wurde bei lebendigem Leibe von innen gefressen.

Seine Gegenwehr wurde schwächer. Blut lief ihm aus der Nase. Ein- oder zweimal reckte es den Kopf in die Höhe, als flehe es den Himmel an – der perfekte Ausdruck dieses abscheulichen Augenblicks.

Orangina sah den Ereignissen nicht teilnahmslos zu. Sie richtete sich auf ihrer Bank zu voller Höhe auf. Mit ihren unverhältnismäßig kurzen Beinen und dem massiven Leib sah sie aus wie ein Kühlschrank auf krummen Rädern. Aber wenn sie die Arme in die Höhe reckte, war sie eine imposante Erscheinung. Die Spanne überstieg die Körpergröße – eine Hand baumelte über dem Wasser, die andere reichte bis fast auf die gegenüberliegende Seite des Boots. Sie schürzte die Lippen, bleckte ihre riesigen Zähne und begann zu *brüllen*. Es war ein tiefes, mächtiges, volltönendes Brüllen, verblüffend für ein Tier, das im Alltag so schweigsam war wie eine Giraffe. Die Hyäne war von diesem Ausbruch nicht minder verblüfft als ich. Sie duckte sich und trat den Rückzug an. Aber nicht für lange. Sie starrte Orangina an, die Haare an Hals und Schultern richteten sich auf, und der Schwanz stand in die Luft. Sie stieg wieder auf das zu Tode verwundete Zebra, und von da antwortete sie, die Schnauze noch blutig vom Fraß, mit einem nicht minder mächtigen, nur höheren Schrei. Ein Meter mochte der Abstand zwischen den beiden Tieren sein, sie standen sich Auge in Auge, die weit aufgerissenen Mäuler genau gegenüber. Beide legten ihre sämtliche Kraft in dies Brüllen, und die Leiber bebten vor Anstrengung. Ich konnte der Hyäne bis tief in den Rachen sehen. Die pazifische Luft, in der noch Augenblicke zuvor nichts anderes zu hören gewesen war als das Murmeln und Flüstern der See, eine natürliche

Melodie, die ich angenehm genannt hätte, wären die Umstände glücklicher gewesen, war mit einem Schlag erfüllt von markerschütternden Schreien, dem Tosen eines Schlachtfelds mit dem ohrenbetäubenden Donner der Flinten und Kanonen und den Schlägen der explodierenden Bomben. Die Hyäneschreie füllten die hohen Bereiche des Spektrums, Oranginas brüllender Bass die niederen, und irgendwo dazwischen stieß das Zebra seine hilflosen Schreie aus. Meine Ohren waren voll davon. Nichts weiteres, kein einziger Laut mehr, hätte noch hineingepasst.

Ich zitterte am ganzen Leib und konnte nichts dagegen tun. Ich war überzeugt, dass die Hyäne sich jeden Moment auf Orangina stürzen würde.

Ich hätte nicht geglaubt, dass es noch schlimmer werden könnte, aber da sollte ich mich irren. Das Zebra schnaubte einen Blutschwall über Bord. Sekunden später wurde das Boot von einem schweren Stoß getroffen, gleich darauf von einem zweiten. Bald war das Wasser ringsum aufgewühlt von Haien. Sie suchten nach der Quelle des Blutes, das ihnen Beute in nächster Nähe verhieß. Wie der Blitz schossen die Schwanzflossen aus dem Wasser, tauchten die Köpfe auf. Immer wieder stießen sie an das Boot. Nicht dass wir kentern könnten, fürchtete ich – es schien mir vielmehr, als könne tatsächlich ein Hai sich durch den stählernen Schiffsleib bohren und uns versenken.

Bei jedem Schlag fuhren die Tiere zusammen und blickten sich erschrocken um, aber von ihrer Hauptbeschäftigung, dem gegenseitigen Anbrüllen, ließen sie sich nicht abhalten. Ich war überzeugt, dass dieses akustische Duell nur die Vorstufe zum Kampf war. Doch stattdessen brach es nach ein paar Minuten mit einem Male ab. Orangina wandte unter Schnaufen und Schmatzen der Hyäne den Rücken zu, und diese zog sich hinter den aufgerissenen Leib des Zebras zurück. Die Haie ließen, als sie nichts fanden, wieder vom Boot ab und schwammen nach einer Weile davon. Schließlich war wieder alles still.

Ein widerlicher Geruch hing in der Luft, eine Mischung aus Rost und Exkrementen. Überall war Blut, das zu einer dunkelroten Kruste gerann. Eine einzige Fliege summte umher, doch für mich klang sie wie die Sturmglocke des Wahnsinns. Kein Schiff, nicht das geringste Lebenszeichen, war den Tag über am Horizont erschienen, und nun war dieser Tag fast vorüber. Wenn die Sonne unter dem Horizont versank, dann starben nicht nur der Tag und das arme Zebra, sondern mit ihnen starb auch meine Familie. Mit jenem zweiten Sonnenuntergang verschwand die falsche Hoffnung, und Schmerz und Kummer zogen auf. Sie waren tot; das konnte ich nicht länger leugnen. Was für ein Schlag, wenn das Herz eines Menschen mit so etwas fertig werden muss! Wer einen Bruder verliert, der verliert jemanden, mit dem er gemeinsam alt werden konnte, jemanden, der ihm eine Schwägerin, Nichten und Neffen bescheren sollte, Menschen, die den Baum eines Lebens bevölkern und ihm neue Zweige geben sollten. Den Vater zu verlieren heißt den zu verlieren, der dem Leben die Richtung gibt, denjenigen, zu dem man geht, wenn man in Not ist, der einen trägt und erhält, wie ein Stamm die Äste eines Baumes trägt. Und wenn man die Mutter verliert, das ist, als verlöre man die Sonne am Himmel. Das ist – aber ich will lieber nichts weiter sagen. Ich legte mich auf die Plane und verbrachte die ganze Nacht mit Weinen und Klagen, das Gesicht in den Armen verborgen. Die halbe Nacht über hörte ich, wie die Hyäne fraß.

Kapitel 47

Der Tag brach an, schwül und bewölkt, der Wind warm, der Himmel eine dichte graue Wolkendecke wie schmutzige, zerwühlte Betttücher. Die See war unverändert. Im immer gleichen Rhythmus hob sie das Boot und ließ es wieder in die Tiefe gleiten.

Es war unglaublich, aber das Zebra war immer noch am Leben. Seinem Körper fehlte ein Stück, aus einem Loch wie einem frisch ausgebrochenen Vulkan quollen halb aufgefressene Organe, manche im Licht schimmernd, manche schwarz und geheimnisvoll, und doch pulsierte weiter das Leben in ihm, wenn auch nur noch schwach. Die einzigen Regungen waren ein Zittern im Hinterbein und dann und wann ein Lidschlag. Ich war entsetzt. Ich hätte nie für möglich gehalten, dass ein Geschöpf so sehr leiden und trotzdem weiterleben könnte.

Die Nerven der Hyäne waren gespannt. Sie hatte sich nicht zur Ruhe gelegt, als der Tag begann. Vielleicht hatte sie sich überfressen; der Bauch war gewaltig angeschwollen. Auch Orangina war schlechter Stimmung. Sie fuchtelte mit den Armen und bleckte die Zähne.

Ich blieb wo ich war, zusammengerollt nicht weit vom Bug. Ich war geschwächt in Körper und Seele. Ich fürchtete, ich würde ins Meer fallen, wenn ich wieder auf das Ruder hinauskroch.

Gegen Mittag war das Zebra tot. Die Augen waren glasig, und es reagierte nicht mehr auf die gelegentlichen Angriffe der Hyäne.

Am Nachmittag entlud sich die Gewalt. Die Spannung war auf ein unerträgliches Maß gestiegen. Die Hyäne lachte. Orangina schnatterte und schmatzte laut. Ganz unvermittelt hoben beide die Stimmen, die Laute verschmolzen zu einem. Die Hyäne machte einen Satz über das, was vom Zebra noch übrig war, und stürzte sich auf Orangina.

Ich glaube, ich habe die Wildheit einer Hyäne deutlich genug beschrieben. Für mich stand der Ausgang fest. Ich hatte Oranginas Leben schon aufgegeben, bevor sie auch nur eine Chance hatte, es zu verteidigen. Aber ich hatte sie unterschätzt. Ich hatte ihre Zähigkeit unterschätzt.

Sie versetzte dem Untier einen Hieb auf den Kopf. Ich hielt den Atem an. Mein Herz schmolz dahin vor Liebe und Bewunderung und Furcht. Hatte ich gesagt, dass sie ein ehemaliges Schoßtier war, brutal von ihren indonesischen Herren ausgesetzt? Die alte Geschichte vom lästig gewordenen Liebling. Sie geht etwa so: Ein Tier wird als Spielzeug gekauft, wenn es klein und knuddelig ist. Seine Besitzer sind begeistert. Dann wird es größer und gefräßiger. Es will einfach nicht stubenrein werden. Seine Kräfte wachsen, es wird widerborstig. Eines Tages holt das Dienstmädchen die Decke aus dem Körbchen, weil es sie waschen will, oder der Sohn schnappt dem Tier zum Spaß ein Stück Essen weg – wegen solcher Dinge, anscheinend Kleinigkeiten, zeigt das Tier die Zähne, und die Familie bekommt einen Schreck. Schon am nächsten Tag findet das Tier sich hinten im Jeep der Familie wieder und holpert begleitet von seinen menschlichen Brüdern und Schwestern davon. Sie fahren in den Dschungel. Allen im Wagen kommt er fremd und feindselig vor. Man findet eine Lichtung. Ein paar kurze Blicke in die Runde. Mit einem Mal heult der Motor des Jeeps auf, die Räder spritzen Schlamm, und das Schoßtier sieht alle, die es kannte und liebte, am Rückfenster des Jeeps. Sie starren hinaus, während der Wagen davonschießt. Sie haben das Tier ausgesetzt. Das Tier begreift nicht, wie ihm geschieht. Es kennt sich im Dschungel genauso wenig aus wie seine menschlichen Brüder. Es sitzt da, wartet, dass sie zurückkommen, ringt die Panik nieder, die in ihm aufsteigt. Aber sie kommen nicht zurück. Es wird Abend. Nicht lange, und das Tier verliert allen Lebensmut. Binnen weniger Tage ist es verhungert oder vor Kälte gestorben. Oder Hunde zerfleischen es.

So wäre es Orangina beinahe gegangen. Stattdessen landete sie in Pondicherry im Zoo. Sie blieb ein sanftes und friedfertiges Tier, ihr Leben lang. Aus meiner Kindheit erinnere ich mich, wie ihre endlos langen Arme mich umfassten, wie ihre Finger, jeder davon so lang wie meine ganze Hand, in meinem Haar nach Läusen suchte. Sie war ein junges Weibchen, das erste Versuche mit seinen Mutterinstinkten machte. Als sie größer und wilder wurde, beobachtete ich sie von ferne. Ich hätte gedacht, ich kenne sie so gut, dass ich jeden ihrer Schritte voraussagen kann. Ich war mir sicher, dass ich nicht nur ihre Gewohnheiten, sondern auch ihre Grenzen kannte. Doch die Wildheit, die sie nun an den Tag legte, der verzweifelte Mut, bewiesen mir das Gegenteil. Mein Leben lang hatte ich nur einen Teil von ihr gekannt.

Sie versetzte dem Untier einen Hieb auf den Kopf. Und zwar einen gewaltigen Hieb. Der Kopf der Hyäne knallte auf die Bank, und das mit einer Wucht, dass sie nicht nur beide Vorderbeine von sich streckte, sondern dazu gab es einen Schlag, dass ich erwartet hätte, dass entweder das Holz oder die Kinnlade oder beides zu Bruch gingen. Aber schon im nächsten Augenblick war sie wieder auf den Beinen, und jede Faser ihres Fells stand zu Berge wie die Haare auf meinem Kopf; ganz so energisch wie zuvor war ihr Angriff jedoch nicht mehr. Sie wich zurück. Ich jubilierte. Ich war begeistert von Oranginas heldenhaftem Kampf.

Aber das dauerte nicht lange.

Ein ausgewachsenes Orang-Utan-Weibchen hat keine Chance gegen eine erwachsene männliche Tüpfelhyäne. Das ist eine schiere empirische Tatsache. Die Zoologen können es zu den Akten nehmen. Wäre Orangina ein Männchen gewesen, hätte sie so viel Gewicht auf die Waage gebracht, wie sie Gewicht in meiner persönlichen Wertung hatte, dann wären die Aussichten vielleicht anders gewesen. Aber selbst dick und schwer, wie sie vom bequemen Leben im Zoo war, wog sie höchstens ihre 110 Pfund. Die Frauen sind bei den Orang-Utans halb so groß wie die Männer. Aber es kommt auf mehr als nur Masse und Körperkraft an. Orangina war ja nicht wehrlos. Was den Kampf entschied, das waren die Einstellung und das Wissen. Was weiß denn jemand, der von Früchten lebt, schon vom Töten? Woher sollte er gelernt haben, wo man zubeißen muss, wie fest, wie lange? Ein Orang-Utan mag größer als eine

Hyäne sein, er mag längere Arme haben und kräftigere Zähne, aber er weiß nicht, was er mit diesen Waffen anfangen soll, und deswegen helfen sie ihm auch nichts. Die Hyäne hat nichts als ihr Gebiss, aber trotzdem ist sie dem Affen überlegen, weil sie genau weiß, was sie will und wie sie es erreichen kann.

Die Hyäne griff von neuem an. Sie sprang auf die Bank und packte Orangina am Handgelenk, bevor sie zuschlagen konnte. Orangina versetzte dem Hyänenkopf mit dem anderen Arm einen Haken, aber der Schlag ließ das Untier nur umso mörderischer fauchen. Sie wollte zubeißen, aber die Hyäne war schneller. So traurig das war, Oranginas Verteidigung fehlte die Präzision, die Kohärenz. Sie konnte aus ihrer Furcht kein Kapital schlagen, sie behinderte sie nur. Die Hyäne ließ das Handgelenk los und stürzte sich genau auf ihren Hals.

Starr vor Schmerz und Entsetzen sah ich zu, wie Orangina hilflos auf die Hyäne einhieb und ihr das Fell ausriss, als sie ihr schon die Kehle zudrückte. Bis zum letzten Augenblick erinnerte Orangina mich an uns Menschen: aus ihrem Blick sprach ein so menschlicher Schrecken, genau wie aus ihrem letzten Jammern. Sie versuchte, auf die Plane zu klettern. Die Hyäne schüttelte sie heftig. Sie verlor den Halt auf der Bank und stürzte auf den Boden des Boots, und die Hyäne mit ihr. Ich hörte Laute von unten, aber ich sah nichts mehr.

Ich war als Nächster an der Reihe. Da hatte ich keinen Zweifel. Schwankend erhob ich mich. Vor Tränen in den Augen konnte ich kaum etwas sehen. Ich weinte nicht mehr um meine Familie, ich beklagte auch nicht meinen eigenen bevorstehenden Tod. Für beides war ich viel zu benommen. Ich weinte, weil ich so entsetzlich erschöpft war und nichts anderes als Ruhe mehr wollte.

Ich balancierte auf der Plane. Am Vorderende war sie straff gespannt, doch zur Mitte hin hing sie durch, und es waren drei mühsame, schwankende Schritte. Ich musste über das Netz und das zusammengerollte Ende der Plane steigen. Und all diese Anstrengung in einem Rettungsboot, das unablässig rollte. Bei meiner Verfassung kam es mir wie ein langer Treck vor. Schließlich kam ich auf der mittleren Querbank zu stehen, und der feste Untergrund machte mir Mut, fast als sei ich an Land gekommen. Mit breiten Beinen stand ich da und genoss das Gefühl. Mir schwindelte, doch da ich mich zum größten Augenblick meines Lebens aufschwang, steigerte dieser Schwindel die panisch-heroische Stimmung nur noch. Ich hob meine Hände zur Brust – die einzigen Waffen, die ich gegen die Hyäne hatte. Sie sah zu mir auf. Ihr Maul war rot. Orangina lag neben ihr, halb auf dem toten Zebra. Die Arme waren weit ausgestreckt, die kurzen Beine verschränkt und ein wenig zur Seite gewendet. Es war das Bild von Christus am Kreuz. Nur dass der Kopf fehlte. Die Hyäne hatte ihn abgebissen. Aus der Halswunde rann noch das Blut. Es war ein entsetzlicher Anblick, einer, der mir den letzten Lebensmut nahm. Ich würde mich mit bloßen Händen auf die Hyäne stürzen, und um meine Kräfte für diesen letzten Kampf zu sammeln, senkte ich noch einmal den Blick.

Zwischen meinen Füßen, unter der Bank, sah ich den Kopf von Richard Parker. Er war gigantisch. Meinem verwirrten Sinn schien er groß wie der Planet Jupiter. Seine Pranken waren wie Bände der *Encyclopaedia Britannica*.

Ich wankte zurück zum Bug und sank auf die Plane.

Die Nacht verbrachte ich im Delirium. Immer wieder schreckte ich auf und dachte, ich hätte geschlafen und von einem Tiger geträumt.

Kapitel 48

Seinen Namen verdankte Richard Parker einem Versehen. Im Khulna-Distrikt von Bangladesch, am Rande der bengalischen Sümpfe, trieb ein Panther sein Unwesen. Vor kurzem hatte er ein kleines Mädchen fortgeschleppt. Nichts war von ihr zurückgeblieben außer einem winzigen, mit Henna tätowierten Händchen und ein paar Plastikarmreifen. Sie war das siebte Opfer binnen zwei Monaten. Und der Menschenfresser wurde dreister. Das vorige Opfer war ein Mann gewesen, den er am helllichten Tage auf seinem Feld angegriffen hatte. Die Bestie schleppte ihn in den Wald und fraß einen Gutteil seines Kopfes, das Fleisch des rechten Beins und sämtliche Eingeweide. Die Leiche fand man in einer Astgabel hängen. In der Nacht hielten die Dorfbewohner Wache, in der Hoffnung, dass sie den Panther überraschen und erlegen konnten, aber er ließ sich nicht blicken. Die Behörden ließen einen Großwildjäger kommen. Er richtete sich einen verdeckten Schießstand ein, in einem Baum an einer Stelle des Flusses, wo der Panther schon zweimal zugeschlagen hatte. Eine Ziege wurde an einem Pfosten am Flussufer festgebunden. Der Jäger wartete Nacht um Nacht. Er war sicher, dass der Panther alt und verbraucht war, ein Männchen mit schlechten Zähnen, zu schwach, um etwas Wehrhafteres als einen Menschen zu reißen. Aber was dann schließlich in die Lichtung trat, war ein junger Tiger. Ein Weibchen mit einem einzelnen Jungen. Die Ziege meckerte. Doch das Junge, das etwa ein Vierteljahr alt sein mochte, achtete gar nicht darauf. Es stürmte ans Wasser und trank gierig. Die Mutter tat es nicht anders. Durst ist stets stärker als Hunger. Erst als die Tigerin ihren Durst gestillt hatte, wandte sie sich der Ziege zu. Der Jäger hatte zwei Flinten parat, eine mit Kugeln, die andere mit Betäubungsgeschossen. Dieser Tiger war nicht der Menschenfresser, aber so nahe an menschlichen Behausungen war er trotzdem eine Bedrohung, gerade mit einem Jungen. Er nahm das Betäubungsgewehr. Er schoss, gerade als die Tigerin zubeißen wollte. Sie bäumte sich auf, fauchte und ergriff die Flucht. Aber so ein Geschoss lässt ein Tier nicht allmählich schläfrig werden, so wie uns eine gute Tasse Tee; es ist eher wie eine Flasche Schnaps, die man mit einem Zug austrinkt. Wenn das Tier Widerstand leistet, wirkt es sogar noch schneller. Der Jäger rief per Funk seine Helfer herbei. Sie fanden die Tigermutter keine hundert Meter vom Fluss. Sie war noch bei Bewusstsein. Die Hinterbeine waren eingeknickt, auf den Vorderbeinen schwankte sie schon. Als die Männer sich näherten, wollte sie fliehen, kam aber nicht mehr auf die Beine. Sie versuchte es mit Angriff, hob die Pranke, mit der sie zuschlagen wollte. Doch der Hieb brachte sie nur zu Fall, und der Zoo in Pondicherry hatte zwei neue Tiger. Das Junge hatte sich im Gebüsch versteckt, wimmernd vor Furcht. Der Jäger, ein Mann namens Richard Parker, packte es mit bloßen Händen, und im Gedenken an den Durst, mit dem es an den Fluss gestürmt war, taufte er es Durstig. Die Tiere wurden vom Bahnhof Howrah verschickt, und die Intelligenz des dortigen Bahnbeamten hielt offenbar nicht ganz mit seinem Diensteifer Schritt. Auf den Papieren, die wir in mehrfacher Ausfertigung mit dem Tigerjungen bekamen, stand deutlich zu lesen, dass es Richard Parker heiße, als Nachname des Absenders wurde Durstig genannt, als Vorname Keiner. Vater hatte sich prächtig amüsiert, und Richard Parker hatte seinen Namen behalten.

Ob Keiner Durstig den mörderischen Panther noch erlegte, weiß ich nicht.

Kapitel 49

Am Morgen war ich wie gelähmt. Meine Erschöpfung bannte mich auf die Plane. Selbst das Denken war zu viel. Nur mit äußerster Anstrengung konnte ich überhaupt einen Gedanken fassen. Mit der Zähigkeit und dem Tempo einer Karawane, die durch die Wüste zieht, ordnete ich schließlich das Durcheinander in meinem Kopf.

Das Wetter war wie am Vortag warm und trübe, mit tiefhängenden Wolken und einem leichten Wind. Das war der erste Gedanke, den ich mir erarbeitete. Das Boot schaukelte sanft, das war der zweite.

Zum ersten Mal dachte ich an Nahrung. In den letzten drei Tagen hatte ich keinen Tropfen getrunken, keinen Bissen gegessen und keine Minute geschlafen. Diese nahe liegende Erklärung für meine Schwäche machte mir ein wenig Mut.

Richard Parker war nach wie vor an Bord. Genauer gesagt unmittelbar unter mir. Man hätte nicht glauben sollen, dass dies eine Frage war, die zu klären war, doch erst nach langem Überlegen, nach Betrachten aller möglichen Deutungen aus allen Perspektiven, kam ich zu dem Schluss, dass dies kein Traum und kein Wahn und keine falsche Erinnerung oder sonst eine Sinnestäuschung war, sondern eine unbestreitbare Tatsache, wahrgenommen in geschwächtem, aufs Äußerste erregtem Zustand. Ich würde mich vergewissern, sobald ich mich gut genug dazu fühlte.

Wie ich zweieinhalb Tage lang einen 450 Pfund schweren bengalischen Tiger in einem acht Meter langen Rettungsboot hatte übersehen können, war ein Rätsel, dessen Lösung warten musste, bis ich wieder besser bei mir war. Jedenfalls war Richard Parker mit Sicherheit der – relativ gesehen – größte blinde Passagier in der Geschichte der Seefahrt. Von der Nasen- bis zur Schwanzspitze nahm er über ein Drittel des Schiffes ein, auf dem er fuhr.

Jeder kann sich ausmalen, wie mich auch noch der letzte Mut verließ. So war es. Aber gerade dadurch ging es mir besser. Im Sport beobachtet man das immer wieder. Der Herausforderer des Tennischampions macht einen guten Aufschlag, doch binnen kurzem verliert er das Selbstvertrauen. Der Champion führt haushoch. Aber in der letzten Runde, wenn er nichts mehr zu verlieren hat, entspannt der Herausforderer sich wieder, er spielt mutiger, riskanter. Plötzlich lässt er die Bälle fliegen wie der Teufel, und der Champion hat alle Mühe, dass er seinen Vorsprung nicht verliert. Genauso war es bei mir. Einen Funken Hoffnung, dass man mit einer Hyäne fertig wurde, gab es, aber Richard Parker war mir so offensichtlich überlegen, dass ich keinen Gedanken daran verschwenden musste. Mit einem Tiger an Bord hatte ich keine Chance. Und da das nun feststand, konnte ich genauso gut sehen, dass ich etwas zu trinken fand.

Ich glaube, das hat mir an diesem Morgen das Leben gerettet – dass ich im wahrsten Sinne des Wortes verdurstete. Jetzt wo ich begriffen hatte, wie durstig ich war, konnte ich an gar nichts anderes mehr denken, als sei schon das Wort allein salzig, und je mehr ich es umwälzte, desto durstiger wurde ich. Ich habe mir sagen lassen, dass das Gefühl des Erstickens noch übermächtiger ist als das des Verdurstens. Aber nicht für lange, würde ich vermuten. Nach ein paar Minuten ist man tot, und damit ist auch die Qual des Erstickens vorbei. Das Verdursten hingegen zieht sich sehr lange hin. Christi Tod am Kreuz war ein Ersticken, aber nur über den Durst hat Er sich beklagt. Wenn Durst eine solche Qual ist, dass selbst der menschgewordene Gott ihn nicht erträgt, kann man sich die Wirkung auf einen gewöhnlichen Sterblichen ausmalen. Es war genug, dass man den Verstand darüber verlieren konnte. Nie habe ich größere körperliche Qualen gespürt als diesen fauligen Geschmack im Mund, die pelzige Zunge, das unerträgliche Würgen im Hals, das Gefühl, dass mein Blut zu einem dicken Sirup wurde, der kaum noch im Körper kreiste. Wahrlich, ein Tiger war nichts dagegen.

Und so verbannte ich denn alle Gedanken an Richard Parker und machte mich mutig auf die Suche nach Wasser.

Sogleich schlug meine innere Wünschelrute aus, Quellwasser sprudelte, denn ich machte mir klar, dass ich auf einem vorschriftsmäßigen Rettungsboot war, das doch gewiss auch mit Notrationen ausgestattet war. Dieser Gedanke kam mir nur logisch vor. Welcher Kapitän würde es denn versäumen, für den Fall des Falles für seine Mannschaft vorzusorgen? Welcher Schiffsausrüster würde sich das Geschäft entgehen lassen, das sich unter dem noblen Vorwand der Lebensrettung machen ließ? Es stand fest. Irgendwo war Wasser an Bord. Ich musste es nur finden.

Und dazu musste ich mich bewegen.

Ich arbeitete mich wieder zur Bootsmitte vor, bis ans Ende der Plane. Mühsam robbte ich vorwärts. Ich kam mir vor, als kröche ich an den Rand eines Kraters, und wenn ich über die Kante blickte, würde ich in den brodelnden Kessel aus glutroter Lava sehen. Ich legte mich auf den Bauch. Vorsichtig reckte ich den Hals vor. Ich schaute nicht weiter über die Plane als unbedingt nötig. Richard Parker sah ich nicht. Deutlich zu sehen hingegen war die Hyäne. Sie war wieder an ihren alten Platz hinter dem, was vom Zebra noch übrig war, zurückgekehrt. Sie sah mich an.

Ich fürchtete mich nicht mehr vor ihr. Sie saß keine drei Meter von mir, doch trotzdem setzte mein Herz keinen einzigen Takt lang aus. Das war immerhin das eine Gute daran, dass Richard Parker im Boot war. Sich vor diesem räudigen Hund zu fürchten, wenn zugleich ein Tiger in der Nähe war, das war, als hätte man Angst vor einem Splitter, wo ganze Bäume stürzten. Ich spürte nur noch Abscheu vor ihr. »Du widerwärtiges, hässliches Ding«, murmelte ich. Ich hätte mich aufgerichtet und sie mit einem Stock vom Boot geprügelt, hätte ich Kraft genug und einen Stock gehabt. An Mut mangelte es nicht.

Spürte die Hyäne etwas von meinem Gefühl der Überlegenheit? Sagte sie sich: »Vorsicht, ein Alphatier beobachtet mich – besser nicht bewegen«? Ich weiß es nicht. Jedenfalls rührte sie sich nicht. Ja, sie saß sogar so geduckt da, als wolle sie sich vor mir verstecken. Aber das würde ihr nichts helfen. Sie würde schon noch bekommen, was sie verdiente.

Richard Parker war auch die Erklärung dafür, warum die Tiere sich so seltsam benommen hatten. Jetzt war klar, warum die Hyäne sich in den lächerlich engen Raum hinter dem Zebra gezwängt hatte und warum sie so lange gezögert hatte, bis sie es anfiel. Es war Furcht vor dem größeren Tier, Hemmung, dessen Beute anzutasten. Der angespannte vorübergehende Frieden zwischen der Hyäne und Orangina und die Tatsache, dass sie mich bisher verschont hatte, waren mit Sicherheit demselben Grunde zuzuschreiben: Für das größte Raubtier an Bord war jeder von uns Beute, und kleinere Räuber mussten sich beherrschen. Allem Anschein nach hatte die Anwesenheit des Tigers mich vor der Hyäne geschützt – in eine größere Traufe konnte man vom Regen wohl kaum kommen.

Aber das Herrentier benahm sich nicht wie ein Herrentier, und so hatte die Hyäne sich Freiheiten erlaubt. Ich fragte mich, warum Richard Parker so teilnahmslos geblieben war, und das drei volle Tage lang. Nur zwei Erklärungen fielen mir ein: Betäubung oder Seekrankheit. Vater hatte bestimmten Tieren regelmäßig Beruhigungsmittel gegeben, damit die Seefahrt sie nicht zu sehr belastete. Hatte er womöglich noch am Abend vor dem Unglück Richard Parker ein Sedativum verabreicht? Hatte der Schock des Schiffbruchs – der Lärm, der Sturz ins Meer, die entsetzliche Anstrengung, mit der er zum Rettungsboot geschwommen war – den betäubenden Effekt verstärkt? Und machte ihm danach die Seekrankheit zu schaffen? Das waren die beiden einzigen plausiblen Erklärungen, auf die ich kam.

Aber lange hielt ich mich mit der Frage nicht auf. Ich brauchte Wasser.

Ich sah mich im Boot um.

Kapitel 50

Es war exakt dreieinhalb Fuß hoch, acht Fuß breit und sechsundzwanzig Fuß lang. Ich weiß das so genau, weil es an der Seite in schwarzen Lettern angeschrieben stand. Mit anderen Worten, einen guten Meter hoch, knapp acht Meter lang und zweieinhalb Meter breit. Außerdem hieß es in der Aufschrift, das Boot könne maximal zweiunddreißig Personen aufnehmen. Wäre das nicht schön gewesen, es mit so vielen zu teilen? Stattdessen waren wir nur drei, und selbst zu dritt war es entschieden überfüllt. Das Boot war symmetrisch, mit abgerundeten Enden, die nicht leicht auseinander zu halten waren. Das Heck erkannte man an einem kleinen, fest anmontierten Ruder, kaum mehr als eine hintere Fortsetzung des Kiels, und die – von meinem Vordersteven abgesehen – einzige Besonderheit des Bugs war eine plumpe Spitze, der hässlichste Schiffsbug, der mir je untergekommen war. Der Schiffskörper war aus Aluminiumplatten zusammengenietet und weiß angestrichen.

Soweit das Äußere des Rettungsboots. Innen war es nicht so geräumig, wie man denken konnte, weil die Seitenbänke und darunter die Schwimmtanks viel Platz einnahmen. Die Bänke erstreckten sich auf beiden Seiten über die gesamte Länge des Boots und vereinten sich an Bug und Heck zu beinahe dreieckigen Eckbänken. Die Bänke bildeten zugleich die Oberfläche der fest verschlossenen Schwimmtanks. Sie waren etwa fünfzig Zentimeter tief, die Eckbänke neunzig. In der Mitte des Bootes blieb also ein freier Raum von anderthalb mal sechs Metern – ein Revier für Richard Parker von neun Quadratmetern. Diesen Raum überspannten in der Breite drei Querbänke, eine davon vom Zebra zerschmettert. Diese Bänke waren sechzig Zentimeter tief, in gleichen Abständen voneinander angeordnet. Ebenfalls sechzig Zentimeter mochte der Abstand vom Boden sein – so viel Raum hatte Richard Parker, bevor er sich sozusagen den Kopf an der Decke stieß, wenn er unter einer Bank war. Unter der Plane kamen weitere dreißig Zentimeter hinzu, der Abstand zwischen den Bänken und dem Bootsrand, an dem die Plane befestigt war, alles in allem also neunzig Zentimeter, kaum genug, dass er aufrecht stehen konnte. Der Boden, aus schmalen, imprägnierten Dielen gebildet, war eben, und die Seitenwände der Schwimmtanks standen im rechten Winkel dazu. So kurios das klingen mag, war also das Boot, das außen gerundete Spitzen und gerundete Flanken hatte, innen rechteckig.

Anscheinend gilt Orangerot – eine so schöne Hindufarbe – als Farbe des Überlebens, denn das ganze Innere des Boots und die Plane und die Schwimmwesten und der Rettungsring und die Ruder und die meisten anderen größeren Objekte an Bord waren orange. Sogar die Plastiktrillerpfeifen waren orangerot.

Die Worte *Tsimtsum* und *Panama* prangten in großen schwarzen Lettern auf beiden Seiten des Bugs.

Die Plane bestand aus schwerem Öltuch, das einem die Haut aufscheuern konnte. Sie war bis zu einem Punkt knapp hinter der mittleren Querbank aufgerollt. Eine Bank verbarg sich also noch unter der Plane, in Richard Parkers Höhle; die mittlere Bank lag offen, unmittelbar am Ende der Plane; und die dritte lag zerbrochen unter dem toten Zebra.

Das Boot hatte sechs Ruderdollen, u-förmige Vertiefungen im Dollbord, die als Lager für die Ruder dienten, und fünf Ruder, denn eines hatte ich ja bei dem Versuch Richard Parker fortzustoßen verloren. Drei Ruder waren auf der einen Seitenbank befestigt, eines auf der anderen, und eines war als der Vordersteven, der mir das Leben gerettet hatte, unter die Plane gesteckt. Ich bezweifelte, dass mit diesen Rudern etwas anzufangen war. Das Rettungsboot war schließlich kein Leichtgewicht. Es war eine solide Konstruktion, die vor allem zum Schwimmen, erst in zweiter Linie zur Navigation da war. Obwohl wir wahrscheinlich, hätten zweiunddreißig Mann zum Rudern zur Verfügung gestanden, schon vorangekommen wären.

All diese Einzelheiten – und viele, die noch dazukommen sollten – nahm ich nicht auf Anhieb wahr. Ich bemerkte sie nach und nach, von der Not getrieben. Gerade wenn ich in größter Pein war und allen Glauben an die Zukunft verloren hatte, entdeckte ich eine Kleinigkeit, ein winziges Detail, das mein Verstand plötzlich in neuem Licht sah. Und dann war es keine Kleinigkeit mehr, sondern das Wichtigste überhaupt auf der Welt, das, wovon mein Leben abhing. So geschah es mir ein ums andere Mal. Not macht erfinderisch, wie das Sprichwort so treffend sagt.

Kapitel 51

Doch das eine, das ich suchte, fand ich bei dieser ersten Musterung des Bootes nicht. Nirgends in Heck- und Seitenbänken war eine Fuge zu sehen, und auch die Seiten der Schwimmtanks waren glatt. Der Schiffsboden war flach, unter den Brettern konnte nichts sein. Ich war mir sicher: Nirgends verbarg sich eine Klappe oder Kiste oder sonst ein Behältnis. Alles war glatte, gleichmäßige, orangefarbene Oberfläche.

Allmählich verlor ich das Vertrauen in Kapitäne und Schiffsausrüster. Meine Hoffnung auf Überleben schwand. Mein Durst blieb.

Und wenn die Vorräte im Bug waren, unter der Plane? Ich machte kehrt und kroch zurück. Ich kam mir vor wie eine von der Sonne verdorrte Eidechse. Ich versuchte, unter der Plane etwas zu ertasten. Sie war fest gespannt. Wenn ich sie aufrollte, bekam ich Zugang zu dem, was darunter verstaut sein mochte. Doch damit rollte ich auch das Dach von Richard Parkers Höhle auf.

Mir blieb keine andere Wahl. Der Durst trieb mich weiter. Ich zog das Ruder unter der Plane hervor. Ich legte mir den Rettungsring um. Das Ruder legte ich quer über den Bug. Ich lehnte mich über den Bootsrand und drückte mit beiden Daumen das Seil, mit dem die Plane gehalten war, von einem der Haken. Es war schwere Arbeit. Aber beim zweiten und dritten ging es schon leichter. Diese Prozedur wiederholte ich dann auf der anderen Seite des Bugs. Die Plane gab unter meinen Ellbogen nach. Ich lag flach darauf, mit den Beinen zum Heck.

Ich rollte sie ein kleines Stück von vorn her auf, und gleich wurden meine Mühen belohnt. Der Bug war genauso gebaut wie das Heck, auch hier eine Bank in der Spitze. Nur dass in dieser Bank ein Schnappschloss funkelte wie ein Edelstein. Ich sah die Umrisse einer Klappe. Mein Herz schlug schneller. Ich rollte die Plane noch ein Stück weiter auf. Ich blickte nach unten. Der Deckel war dreieckig, nur mit abgerundeten Ecken, neunzig Zentimeter breit, sechzig tief. Plötzlich erblickte ich etwas Orangefarbenes. Ich fuhr zurück. Aber das Orange regte sich nicht und war auch nicht ganz der richtige Ton. Ich sah noch einmal hin. Es war kein Tiger. Es war eine Schwimmweste. Mehrere solche Westen lagen am Hinterende von Richard Parkers Höhle.

Ein Schauder überlief mich. Zwischen den Schwimmwesten konnte ich wie durch die Blätter eines Baums meinen ersten eindeutigen, unmissverständlichen Blick auf Richard Parker werfen. Ich sah seine Hinterbacken und ein Stück von seinem Rücken. Gelbbraun und gestreift und unglaublich groß. Er lag mit dem Kopf zum Heck, flach auf dem Bauch. Er lag unbewegt, nur die Flanken hoben und senkten sich. Ich kniepte mit den Augen, als wolle ich es nicht glauben, wie nahe er war. Aber da lag er, einen halben Meter unter mir. Wenn ich mich gereckt hätte, hätte ich ihm in den Po kneifen können. Und zwischen uns nichts als eine dünne Plane, die nicht das geringste Hindernis für ihn war.

»Der Herr stehe mir bei!« Kein Gebet wurde je inbrünstiger gesprochen und doch leiser gehaucht. Ich lag regungslos.

Ich brauchte das Wasser. Ich langte hinunter und zog leise den Riegel zurück. Ich klappte den Deckel auf. Darunter war ein Stauraum.

Ich habe vorhin von Kleinigkeiten gesprochen, die plötzlich lebenswichtig werden. Hier war eine davon: Das Scharnier des Deckels lag vielleicht zwei Zentimeter von der Kante der Bugbank, zur Bootsmitte hin – das heißt, wenn ich ihn aufklappte, bildete er eine Barriere, die jene dreißig Zentimeter abschloss, die zwischen Plane und Bank offen waren und durch die Richard Parker kommen konnte, wenn er die Schwimmwesten beiseite geschoben hatte. Der vorgeklappte Deckel wurde von dem Ruder gehalten, das ich oben quer auf die Plane gelegt hatte. Ich kroch nach vorn, den Blick zum Boot gewandt, den einen Fuß auf der Kante des Stauraums, den anderen gegen den Deckel gedrückt. Wenn Richard Parker mich unter Deck angreifen wollte, musste er sich gegen diesen Deckel stemmen. Das würde mich warnen und mir sogar den entscheidenden Stoß geben, um mich mit meinem Ring rücklings ins Meer zu retten. Wenn er den anderen möglichen Angriffsweg wählte, von oben über die Plane, auf die er vom Heck aus kletterte, würde ich ihn früh genug sehen und ebenfalls ins Wasser springen. Ich sah mich um. Kein Hai ließ sich blicken.

Nun konnte ich nachsehen, was sich in dem Versteck befand. Mir schwanden fast die Sinne vor Glück. Unter der Klappe glitzerten die wunderbarsten fabrikneuen Sachen. Industriegüter, was war das für eine Pracht, von Menschenhand geschaffen, von Maschinen produziert! Der Augenblick, in dem diese Reichtümer sich mir offenbarten, war ein Augenblick des Glücks – eine betörende Mischung aus Hoffnung, Überraschung, Unglauben, Aufregung und Dankbarkeit, alles in einem –, wie ich ihn in meinem ganzen Leben, ob Weihnachten, Geburtstag, Hochzeit, Diwali oder was es sonst noch an Geschenkgelegenheiten gab, noch nicht erlebt hatte. Mir schwindelte geradezu vor Glück.

Sogleich erblickte ich, wonach ich suchte. Ob in Flasche, Dose oder Karton, abgepacktes Wasser erkennt man sofort. Auf diesem Rettungsboot wurde das Elixier des Lebens in hellgoldenen Dosen serviert, die sich perfekt in der Hand hielten. *Trinkwasser*, versprach das Etikett, wie kein Grand Cru es besser hätte versprechen können, in schwarzen Lettern. *HP Foods Ltd.* war das Chateau. *500 ml* wurden ausgeschenkt. Und von diesen Dosen gab es reihenweise, zu viele, um sie mit einem Blick zu zählen.

Bebend fasste ich hinunter und nahm eine davon in die Hand. Sie war kühl und von einigem Gewicht. Ich schüttelte sie. Die Luftblase im Inneren antwortete mit einem dumpfen *gluck-gluck-gluck*. Der Augenblick war nahe, da ich von meinem höllischen Durst erlöst werden sollte. Mein Puls raste beim Gedanken daran. Ich musste nur noch die Dose öffnen.

Ich hielt inne. Wie sollte ich das anstellen?

Wenn Dosen an Bord waren, musste es doch auch einen Dosenöffner geben? Ich suchte den Vorratsraum ab. Alles Mögliche war darin. Ich schob ein paar Sachen beiseite. Ich verlor die Geduld. Schließlich hatte die Vorfreude eine ungeheure Spannung aufgebaut. Ich musste trinken, und zwar *jetzt* – sonst würde ich sterben. Das Werkzeug, das ich brauchte, war nirgends zu entdecken. Aber für nutzlosen Kummer hatte ich keine Zeit. Es mussten Taten folgen. War es wohl möglich, sie mit den Fingernägeln aufzudrücken? Ich versuchte es. Nein. Die Zähne? Das brauchte ich gar nicht erst zu probieren. Ich sah den Bootsrand an. Die Haken, an denen die Plane festgeknüpft gewesen war. Kurz, kräftig, stabil. Ich kniete mich auf die Bank und lehnte mich vor. Mit beiden Händen packte ich die Dose und schlug sie mit aller Wucht gegen einen Haken. Immerhin eine Delle. Ich schlug noch einmal zu. Eine zweite Delle, gleich neben der ersten. Delle um Delle zermürbte ich die Dose. Ein Wassertropfen erschien. Ich leckte ihn ab. Ich drehte die Dose und hieb nun auf die andere Seite ein, um ein zweites Loch zu schaffen. Ich schlug zu wie ein Besessener. Das zweite Loch war größer. Ich setzte mich auf die Kante. Ich hielt die Dose in die Höhe. Ich öffnete den Mund. Ich neigte die Dose.

Meine Gefühle mag man sich ausmalen, aber beschreiben könnte ich sie nicht. Gurgelnd hob sich meine gierige Kehle, und das reine, klare, köstliche, glitzernde Nass rann in meine Eingeweide. Flüssiges Leben, nichts anderes. Ich leerte den goldenen Becher bis zum letzten Tropfen, saugte an dem Loch, damit nicht einmal die feuchte Luft verloren ging. »Aaaaah«, stöhnte ich, warf die Dose über Bord und holte mir eine neue. Ich öffnete sie nach der gleichen Methode wie die erste, und ihr Inhalt war ebenso schnell verschwunden. Auch diese Dose segelte über Bord, und ich schlug die nächste auf. Ich trank vier Dosen, zwei Liter von jenem göttlichen Nektar, dann hatte ich genug. Man fragt sich vielleicht, ob ein solch gieriges Trinken nach so langem Entbehren nicht schädlich für den Körper ist. Unsinn! Nie im Leben hatte ich mich besser gefühlt. Man brauchte ja nur meine Stirn zu berühren! Mein Schädel war feucht vom schönsten, klarsten, kühlendsten Schweiß. Alles an mir bis hin zu den Poren meines Körpers jubilierte vor Glück.

Nicht lange, und ein Wohlbehagen stellte sich ein. Mein Mund wurde wieder feucht und weich. Meinen Hals spürte ich gar nicht mehr. Meine Haut entspannte sich. Meine Gelenke bewegten sich wieder mühelos. Mein Herz schlug in einem fröhlicheren Rhythmus, und das Blut zirkulierte in meinen Adern wie die Wagen einer Hochzeitsgesellschaft, die hupend durch die Stadt ziehen. Die Muskeln fühlten sich wieder kräftiger und geschmeidiger an. Der Kopf wurde klarer. Ich war ein Toter, der wieder zum Leben erwachte. Es war ein wunderbares, wunderbares Gefühl. Wer sich an Alkohol berauscht, der soll sich schämen, aber der Wasserrausch ist die schönste aller Extasen. Minutenlang saß ich einfach nur da und genoss dieses Glück.

Eine gewisse Leere machte sich bemerkbar. Ich befühlte meinen Bauch. Er war hart und nach innen gewölbt.

Zeit, etwas zu essen. Ein Masala Dosai mit Kokosnusschutney – mmmmmm! Oder besser noch: Oothappam! MMMMMM! Oh! Ich hielt mir beide Hände vor den Mund – IDLI! Schon das bloße Wort versetzte mir einen Stich in die Kaumuskeln, und ganze Sturzbäche von Wasser liefen mir im Munde zusammen. Meine rechte Hand zuckte. Ich musste mich zusammennehmen, sonst hätte ich sie tatsächlich nach den köstlichen Reisbällchen ausgestreckt, die ich in meiner Phantasie sah. In Gedanken nahm ich die dampfende Kugel ... tunkte sie in Soße ... steckte sie mir in den Mund ... kaute ... oh, welch wunderbare Qual!

Ich schaute nach, was im Stauraum an Essbarem zu finden war. Es gab Päckchen mit Notrationen, *Seven Oceans Standard Emergency Ration* aus dem fernen, exotischen Bergen in Norwegen. Das Frühstück, das mir neun versäumte Mahlzeiten ersetzen sollte, ganz zu schweigen von den Leckerbissen, die mir Mutter sonst noch zugesteckt hätte, kam in Gestalt eines Halbkiloblocks, schwer, massiv, vakuumverpackt in silberne Plastikfolie mit Anweisungen in zwölf Sprachen. Die Aufschrift besagte, dass die Packung achtzehn angereicherte Schiffszwieback enthielt, bestehend aus Weizenmehl, *tierischen Fetten* und Glukose, und dass man nicht mehr als sechs davon in einem Zeitraum von vierundzwanzig Stunden verzehren solle. Das mit dem Fett war Pech, aber unter den gegebenen Umständen musste der Vegetarier in mir sich einfach die Nase zuhalten und sich mit dem abfinden, was zu haben war.

Oben fand ich die Aufschrift *Hier aufreißen* und einen schwarzen Pfeil, der die Richtung wies. Die Kante der Verpackung öffnete sich unter meinen Fingern. Neun in Wachspapier eingeschlagene längliche Plättchen kamen zum Vorschein. Ich packte eines aus. Es hatte eine Rille, an der es sich in zwei Hälften brechen ließ. Zwei fast quadratische Zwieback, gelblich und wohlriechend. Ich biss einen an. Donnerwetter, wer hätte das gedacht? Ich hatte ja keine Ahnung. Es war ein Geheimnis, das man mir mein Leben lang vorenthalten hatte: Die norwegische Küche war die beste der Welt! Dieser Zwieback war eine Delikatesse! Er war würzig, angenehm auf der Zunge, weder zu süß noch zu salzig. Er ließ sich unter angenehm knarzenden Lauten mit den Zähnen zermahlen. Mit Speichel vermischt, ergab sich eine körnige Paste, die geradezu betörend schmeckte und sich ebenso gut anfühlte. Und als ich schluckte, sagte mein Magen nur ein einziges Wort darauf: Halleluja!

Binnen weniger Minuten war das ganze Päckchen verschwunden, der Wind trug die Wachspapiere davon. Ich überlegte, ob ich noch ein zweites öffnen sollte, entschied mich aber dagegen. Es war wohl vernünftiger, wenn ich mich ein wenig beherrschte. Und das halbe Kilo Notration lag mir schon ziemlich schwer im Magen.

Ich beschloss, dass ich mir einen Überblick verschaffen und genauer herausfinden sollte, was in meiner Schatztruhe steckte. Es war ein beträchtlicher Stauraum, weit größer als die Klappe. Er erstreckte sich bis zum Schiffsboden und hatte noch zwei Kammern unter den Seitenbänken. Ich stieg hinein und setzte mich auf die Kante, mit dem Rücken zum Bug. Ich zählte die Zwiebackpäckchen. Eins hatte ich gegessen, einunddreißig waren noch da. Gemäß den Instruktionen reichte ein 500-Gramm-Päckchen für einen Schiffbrüchigen drei Tage lang. Ich hatte also Nahrungsrationen für – 31 × 3 – 93 Tage! Es stand dort auch, man solle sich mit einem halben Liter Wasser pro Tag begnügen. Ich zählte die Wasserdosen. Es waren 124. Jede ein halber Liter. Wasser hatte ich also für 124 Tage. Nie hatte eine einfache Rechenaufgabe ein solches Lächeln auf mein Gesicht gezaubert.

Was gab es sonst noch? Eifrig tauchte ich in den Stauraum ein und holte ein Wunderding nach dem anderen hervor. Jedes einzelne davon, ganz gleich was es war, war mir ein Trost. Mein Hunger nach menschlicher Gesellschaft war so groß, dass mir die Sorgfalt, mit der jedes dieser maschinengefertigten Güter produziert war, wie eine Wohltat vorkam, die jemand mir ganz persönlich tat. Immer wieder murmelte ich »Danke schön! Danke schön! Danke schön!«

Kapitel 52

Nach gründlicher Musterung stellte ich eine Inventarliste auf:

- 192 Tabletten gegen Seekrankheit
- 124 Blechdosen Trinkwasser, jeweils 500 Milliliter, insgesamt 62 Liter
- 32 Spucktüten, Kunststoff
- 31 Päckchen Notrationen, jeweils 500 Gramm, insgesamt 15,5 Kilogramm
- 16 Wolldecken
- 12 Solardestillen
- ca. 10 orangefarbene Schwimmwesten, jede mit Trillerpfeife, ebenfalls orange, an einer Schnur
- 6 Morphiumampullen mit Spritzen
- 6 Signalfackeln
- 5 schwimmfähige Ruder
- 4 Signalraketen
- 3 kräftige transparente Kunststoffsäcke, Fassungsvermögen jeweils ca. 50 Liter
- 3 Dosenöffner
- 3 Trinkbecher, Glas, mit Maßeinteilung
- 2 Schachteln wasserfeste Streichhölzer
- 2 schwimmende orangefarbene Nebelkerzen
- 2 mittelgroße orangefarbene Kunststoffeimer
- 2 schwimmfähige orangefarbene Schöpfgefäße, Kunststoff
- 2 Universalgefäße, Kunststoff, mit luftdichtem Deckel
- 2 gelbe rechteckige Schwämme
- 2 schwimmfähige Kunststoffseile, jeweils 50 Meter lang

- 2 nicht schwimmfähige Kunststoffseile ohne Längenangabe, jedoch jeweils mindestens 30 Meter lang
- 2 Angelruten mit Haken, Schnur und Gewichten
- 2 Fischhaken mit äußerst scharfen gezahnten Widerhaken
- 2 Treibanker
- 2 Beile
- 2 Regensammler
- 2 Kugelschreiber, schwarz
- 1 Packnetz, Kunststoff
- 1 massiver Rettungsring, Innendurchmesser 40 Zentimeter, Außendurchmesser 80 Zentimeter, mit zugehörigem Seil
- 1 großes Jagdmesser mit massivem, spitz zulaufendem Griff, am einen Ende eine scharfe, am anderen eine gezahnte Klinge; mit einer langen Schnur an einem Ring im Stauraum befestigt
- 1 Nähzeugetui mit geraden und gebogenen Nadeln und kräftigem weißem Zwirn
- 1 Verbandskasten, wasserdicht, Kunststoff
- 1 Signalspiegel
- 1 Päckchen chinesische Filterzigaretten
- 1 große Tafel Bitterschokolade
- 1 Überlebenshandbuch
- 1 Kompass
- 1 Notizbuch mit 98 linierten Seiten
- 1 Junge mit einem kompletten Satz leichter Kleider bis auf einen verlorenen Schuh
- 1 Tüpfelhyäne
- 1 Bengalischer Tiger
- 1 Rettungsboot
- 1 Ozean
- 1 Gott

Ich aß ein Viertel der großen Schokoladentafel. Ich sah mir einen Regensammler genauer an. Es war eine Vorrichtung, die aussah wie ein umgedrehter Regenschirm, mit einem großen Beutel darunter, der das Wasser aufnahm, und einem Gummischlauch, der beides verband.

Ich kreuzte die Arme vor dem Rettungsring um meinen Bauch, ließ den Kopf auf die Brust sinken, und im nächsten Augenblick war ich fest eingeschlafen.

Kapitel 53

Ich schlief den ganzen Vormittag. Eine Beklommenheit weckte mich. Die Welle aus Nahrung, Wasser und Schlaf, die durch meinen geschwächten Körper lief und mir wieder die Kraft zum Leben gab, spülte zugleich auch die Erkenntnis herauf, wie aussichtslos meine Lage war. Ich wachte auf und wusste, dass Richard Parker da war. Dieses Rettungsboot hatte einen Tiger an Bord. Ich konnte es kaum glauben, aber ich wusste, dass es so war. Und ich musste mein Leben retten.

Ich überlegte, ob ich ins Wasser springen und einfach davonschwimmen konnte, aber mein Körper weigerte sich. Ich war Hunderte von Meilen vom nächsten Land entfernt, über tausend vielleicht. Eine solche Distanz konnte ich nicht schwimmen, auch nicht mit Rettungsring. Was sollte ich essen? Was sollte ich trinken? Wie sollte ich mich vor den Haien schützen? Vor der Auskühlung? Woher sollte ich wissen, in welche Richtung ich schwimmen musste? Wenn eines feststand, dann das: Das Boot zu verlassen bedeutete den sicheren Tod. Aber was gewann ich denn, wenn ich an Bord blieb? Nach Katzenart würde er sich anschleichen, lautlos. Ehe ich wusste, wie mir geschah, hätte er mich schon am Hals oder im Nacken gepackt und mit seinen Reißzähnen durchlöchert. Ich würde nicht mehr sprechen können. Das Blut des Lebens würde aus mir herausströmen, ohne dass ich auch nur einen letzten Seufzer tun konnte. Oder er würde mich mit einem Schlag seiner gewaltigen Pranken töten, der mir das Genick brach.

»Ich muss sterben«, schluchzte ich mit bebenden Lippen.

Es ist schlimm genug, wenn man den Tod kommen sieht, doch noch schlimmer ist der Tod mit Wartezeit, in der man sich noch einmal vor Augen führt, wie glücklich man gewesen ist und wie glücklich man noch hätte sein können. Mit äußerster Klarheit sieht man alles, was man verliert. Eine so tiefe Traurigkeit stellt sich ein, dass kein Auto, das auf einen zurast, und kein Wasser, das sich über einem schließt, dagegen ankann. Nicht auszuhalten ist dieses Gefühl. Die Worte *Vater, Mutter, Ravi, Indien, Winnipeg* trafen mich mit all ihrer Macht.

Ich gab auf. Ich hätte aufgegeben – hätte sich in meinem Herzen nicht eine Stimme bemerkbar gemacht. Die Stimme sagte: »Ich sterbe nicht. Das lasse ich nicht zu. Ich werde diesen Alptraum überleben. So schlecht meine Karten auch sind, ich gewinne dieses Spiel. Bisher habe ich überlebt, das ist ein Wunder. Jetzt werde ich dafür sorgen, dass es bei dem Wunder auch bleibt. Von jetzt an wird jeder Tag ein unglaublicher Tag sein, dafür sorge ich, koste es, was es wolle. Jawohl, solange Gott bei mir ist, sterbe ich nicht. Amen.«

Mein Gesicht nahm einen grimmigen, zu allem entschlossenen Ausdruck an. Ich sage es in aller Bescheidenheit, aber dies war der Augenblick, in dem ich begriff, welch ungeheurer Lebenswille in mir steckt. Nach meiner Erfahrung ist das einem Menschen selten wirklich bewusst. Mancher von uns gibt mit einem einzigen resignierten Seufzer das Leben auf. Andere kämpfen ein wenig, dann verlieren sie den Mut. Wieder andere – und zu denen gehöre ich – geben niemals auf. Wir kämpfen und kämpfen und kämpfen, ganz gleich welche Opfer die Schlacht verlangt und wie gering die Aussicht auf Sieg sein mag. Wir kämpfen bis zum Letzten. Es ist keine Frage des Muts. Es ist etwas an unserem Charakter, das uns das Aufgeben einfach unmöglich macht. Vielleicht ist es nicht mehr als Lebenshunger mit einer großen Portion Dummheit.

In diesem Augenblick knurrte Richard Parker zum ersten Mal – als habe er gewartet, bis ich mich zum würdigen Gegner aufgeschwungen hatte. Es schnürte mir die Kehle zu.

»Jetzt aber los, Mann, schnell«, hauchte ich. Ich musste etwas für mein Überleben tun. Keine Sekunde war zu verlieren. Ich brauchte Deckung, und zwar sofort. Ich dachte an den Bugspriet, den ich mit einem Ruder gebastelt hatte. Aber jetzt war die Plane am Bug aufgerollt; der Rest hätte das Ruder nicht mehr gehalten. Und ich wusste auch nicht, ob es wirklich Sicherheit vor Richard Parker bedeutete, wenn ich am äußeren Ende eines Ruders hing. Wahrscheinlich musste er nur seine Pranke ausstrecken und mich mit der Kralle angeln. Ich musste mir etwas anderes einfallen lassen. Mein Verstand lief auf Hochtouren.

Ich baute ein Floß. Die Ruder waren, wie gesagt, aus schwimmfähigem Material. Und ich hatte Schwimmwesten und einen großen Rettungsring.

Mit angehaltenem Atem schloss ich den Deckel zum Stauraum und griff unter die Plane nach den Rudern auf den Seitenbänken. Richard Parker spürte es. Ich konnte ihn zwischen den Schwimmwesten sehen. Jedes Mal wenn ich ein Ruder herauszog – man kann sich vorstellen, wie vorsichtig –, wurde er ein wenig unruhig. Aber er drehte sich nicht um. Insgesamt zog ich drei Ruder heraus. Ein viertes lag ja schon oben auf der Plane. Ich klappte den Deckel wieder auf und blockierte damit die Öffnung zu Richard Parkers Höhle.

Ich hatte vier schwimmende Ruder. Ich legte sie auf der Plane um den Rettungsring. Damit hatte ich einen Ring in einem Viereck aus Rudern, als wollte ich mich an der Quadratur des Kreises versuchen.

Jetzt kam der gefährliche Teil. Ich brauchte die

Schwimmwesten. Richard Parkers Knurren war nun ein tiefes Rumpeln, von dem das ganze Boot zitterte. Die Hyäne antwortete mit einem an- und abschwellenden hohen Heulen, ein sicheres Zeichen, dass Gewalt in der Luft lag.

Ich hatte keine andere Wahl. Ich musste handeln. Ich klappte den Deckel zu. Die Schwimmwesten lagen nur eine Armeslänge von mir. Einige berührten Richard Parker. Die Hyäne stieß einen Schrei aus.

Ich griff nach der Weste, die mir am nächsten lag. Ich konnte sie nur mit Mühe festhalten, so sehr zitterte mir die Hand. Ich zog sie heraus. Richard Parker bemerkte es anscheinend gar nicht. Ich holte die nächste. Und noch eine. Mir wurde schwarz vor Augen, so sehr fürchtete ich mich. Ich bekam kaum noch Luft. Wenn es sein musste, sagte ich mir, konnte ich mich mit diesen Schwimmwesten über Bord werfen. Ich zog noch eine letzte heraus. Damit hatte ich nun vier Westen.

Ich holte die Ruder eins nach dem anderen heran, steckte sie durch die Armlöcher der Westen – zum einen hinein, zum anderen hinaus –, sodass eine an jede Seite des Floßes kam, und zurrte sie fest.

Ich nahm eins der schwimmenden Seile. Mit dem Messer schnitt ich vier Stücke davon ab. An den Stellen, an denen die vier Ruder sich trafen, band ich sie zusammen. Hätte ich doch nur Ahnung vom Knotenbinden gehabt! An jeder Ecke machte ich zehn Knoten und fürchtete immer noch, dass es nicht halten würde. Ich arbeitete fieberhaft und verfluchte meine Dummheit. Ein Tiger an Bord, und ich hatte drei Tage und drei Nächte gewartet, bevor ich Anstalten machte, mein Leben zu retten!

Ich schnitt vier weitere Stücke Seil ab und band den Rettungsring an allen vier Seiten des Quadrats an den Rudern fest. Das Seil, das zum Ring gehörte, führte ich durch die Schwimmwesten, schlang es um die Ruder, immer wieder um den Ring und weiter ringsum – alles, was ich tun konnte, um dafür zu sorgen, dass mein Floß sich nicht unter mir auflöste.

Die Hyäne schrie nun aus vollem Halse.

Eines musste ich noch tun. »Gott, gib mir Zeit«, flehte ich. Ich griff zum Rest des schwimmenden Seils. Im Bug des Bootes, weit oben, war eine Öse. Ich zog das Seil hindurch und band es fest. Nun musste ich nur noch das andere Ende am Floß befestigen, dann konnte ich mich vielleicht noch retten.

Die Hyäne verstummte. Mein Herz setzte aus, dann schlug es im dreifachen Tempo. Ich drehte mich um.

»Jesus, Maria, Mohammed und Vishnu!«

Es war ein Anblick, den ich bis ans Ende meiner Tage nicht vergessen werde. Richard Parker hatte sich erhoben und war aus seiner Höhle gekommen. Er war keine fünf Meter von mir entfernt. Liebe Güte, wie groß er war! Das letzte Stündlein der Hyäne hatte geschlagen, und meines dazu. Ich stand wie angewurzelt da, gelähmt, starrte gebannt auf das Schauspiel, das vor meinen Augen begann. Meine kurze Erfahrung mit dem ungehinderten Umgang von Wildtieren auf Rettungsbooten ließen mich laute Proteste erwarten, nun wo die Zeichen auf Sturm standen. Aber es blieb beinahe still. Die Hyäne starb ohne Schrei und ohne Jammern, und Richard Parker schlug lautlos zu. Der flammend rote Räuber kam unter der Plane hervor und warf sich auf die Hyäne. Die Hyäne stand an der Heckbank, hinter den Überresten des Zebras, gelähmt. Sie wehrte sich nicht. Stattdessen drückte sie sich an den Boden und hob nur eine Pfote in einer vergeblichen Geste der Verteidigung. Entsetzen stand ihr im Gesicht geschrieben. Eine mächtige Pranke packte sie an der Schulter. Richard Parker schlug die Zähne in ihren Hals. Sie riss die glasigen Augen auf. Ich hörte das Knacken und Reißen, als er Rückgrat und Kehle durchbiss. Die Hyäne zuckte. Ihre Augen wurden trübe. Es war vorbei.

Mit einem Knurren ließ Richard Parker sie los. Aber es

war ein verhaltenes Knurren, privat und ein wenig halbherzig, könnte man sagen. Er hechelte, die Zunge hing ihm aus dem Mund. Er leckte sich die Lippen. Er schüttelte den Kopf. Er beschnüffelte die tote Hyäne. Er reckte den Kopf in die Höhe und schnupperte die Luft. Er legte die Pranken auf die Heckbank und stemmte sich auf. Alle vier Füße hielt er weit auseinander. Das Schlingern des Bootes, auch wenn es derzeit nur leicht war, war sichtlich nicht nach seinem Geschmack. Er blickte über die Bootskante aufs offene Meer. Er stieß ein leises, drohendes Fauchen aus. Er schnüffelte noch einmal. Langsam drehte er den Kopf. Er drehte – drehte – drehte ihn immer weiter, bis er mir ins Gesicht blickte.

Ich wünschte, ich könnte beschreiben, was dann geschah. Nicht das, was ich sah – das wird mir vielleicht noch gelingen –, sondern das, was ich spürte. Ich sah Richard Parker aus der Perspektive, aus der er am besten zur Geltung kam: von hinten, halb aufgerichtet, den Kopf dem Betrachter zugewandt. Das Bild hatte etwas Künstlerisches, als hätte er sich in Szene gesetzt, um ein spektakuläres Kunstwerk zu schaffen. Und wie spektakulär es war, was für eine Kunst! Seine Präsenz war überwältigend, und nicht minder eindrucksvoll war die geschmeidige Eleganz. Seine Muskeln waren von unglaublicher Kraft, doch trotzdem war er schmal in den Hüften, sein schimmerndes Fell wirkte schlank. Sein Körper, leuchtendes Braunorange mit vertikalen schwarzen Streifen, war Schönheit in Perfektion, die makellos weiße Brust und der Bauch, der schwarz geringelte lange Schwanz wie die Accessoires eines Maßschneiders. Sein Kopf war groß und rund mit eindrucksvollem Backenbart, einem schicken Spitzbart und Schnurrhaaren, wie man sie selbst in der Katzenwelt kaum schöner findet, kräftig und lang und weiß. Oben saßen kleine, doch sehr bewegliche Ohren, die Rundungen perfekte Bögen. Die Nase im braunroten Gesicht war breit, die Spitze rosa, die Bemalung war mit energischen Strichen aufgetragen.

Schwarze, gewellte Ringe umgaben das Gesicht mit einem Muster, das graphisch und doch nicht grob war, denn es lenkte die Aufmerksamkeit nicht auf sich, sondern auf den einen Teil, der nicht bemalt war, den Nasenrücken, dessen Rostrot geradezu glomm. Die weißen Flecken über den Augen, auf den Wangen und am Mund waren die letzten Retuschen, die vollends einen Kathakalitänzer aus ihm machten. Es war ein Gesicht wie die Flügel eines Schmetterlings, weise und irgendwie chinesisch. Doch als der Blick aus Richard Parkers bernsteinfarbenen Augen den meinen traf, da war er intensiv und kalt und unerbittlich, er hatte nichts Nachgiebiges, nichts Freundliches, nur eine Selbstbeherrschung stand darin, die jeden Moment zur Wut explodieren konnte. Seine Ohren zuckten. Dann machten sie eine volle Drehung. Er hob einen Mundwinkel, dann ließ er ihn wieder sinken. Der gelbe Reißzahn, den er so anmutig präsentierte, war so lang wie mein längster Finger.

Jedes einzelne Haar an mir hatte sich aufgerichtet und brüllte vor Furcht.

Und da erschien die Ratte. Wie aus dem Nichts saß plötzlich auf der Seitenbank eine struppige braune Ratte, aufgeregt und atemlos. Richard Parker schien genauso überrascht wie ich. Die Ratte sprang auf die Plane und kam auf mich zugerannt. Es war ein solcher Schock, dass mir die Beine einknickten, und ich fiel mehr oder weniger hinab in den Stauraum. Vor meinen ungläubigen Augen hüpfte der Nager über mein im Entstehen begriffenes Floß, sprang auf mich und kletterte hoch oben auf meinen Kopf, wo ich spürte, wie die kleinen Krallen sich an meinen Skalp klammerten und mit aller Kraft festhielten.

Richard Parkers Augen waren der Ratte gefolgt. Nun war sein Blick fest auf meinen Kopf gerichtet.

Langsam folgte der Körper der Kopfdrehung nach, mit den Vordertatzen auf der seitlichen Bank. Vorsichtig ließ er sich auf den Boden gleiten. Ich sah die Oberseite seines

Kopfes, den Rücken und den langen, geschwungenen Schwanz. Die Ohren hatte er flach an den Kopf gelegt. Mit drei Schritten war er in der Bootsmitte. Ohne jede Mühe hob er den Vorderleib und legte die Pranken auf das zusammengerollte Ende der Plane.

Keine drei Meter trennten ihn von mir. Kopf, Brust, Pranken – wie entsetzlich groß! Seine Zähne – die Kraft einer ganzen Batallion zwischen zwei Kiefern. Er setzte zum Sprung auf die Plane an. Mein letzter Augenblick war gekommen.

Aber die nachgiebige Oberfläche irritierte ihn. Er drückte mit einer Pranke darauf. Er blickte sichernd auf – so offen an Licht und Luft war er ja nicht in seinem Metier. Er hatte Mühe, das Schlingern des Boots aufzufangen. Einen kurzen Augenblick lang zögerte Richard Parker.

Ich packte die Ratte und warf sie ihm zu. Ich sehe es noch vor mir, wie sie durch die Luft flog – die Krallen gespreizt, der Schwanz aufrecht, der längliche Hodensack, das Löchlein des Anus. Richard Parker sperrte den Rachen auf, und die quietschende Ratte verschwand darin wie ein Schlagball im Handschuh des Fängers. Den nackten Schwanz schlürfte er wie eine Nudel.

Er schien zufrieden mit seiner Ration. Er ließ sich wieder nach unten und kehrte unter die Plane zurück. Sofort erwachten meine Beine zum Leben. Ich sprang auf und klappte den Deckel vor, damit der Durchgang zwischen Bugbank und Plane blockiert war.

Ich hörte lautes Schnüffeln, dann das Geräusch von etwas Schwerem, das durchs Boot gezerrt wurde. Seine Bewegungen ließen das Boot ein wenig schaukeln. Dann hörte ich Reißen und Kauen. Vorsichtig lugte ich über die Plane. Er war in der Mitte des Bootes. Gierig verschlang er die Hyäne in großen Stücken. Eine solche Chance kam nicht noch einmal. Ich beugte mich vor und holte die übrigen Schwimmwesten – insgesamt sechs – und das letzte Ruder. Damit konnte ich das Floß noch sicherer machen.

Im Vorbeigehen fiel mir ein Geruch auf. Nicht der scharfe Gestank von Katzenurin. Es roch nach Erbrochenem. Eine Pfütze davon stand am Boden des Boots. Sie konnte nur von Richard Parker kommen. Er war also tatsächlich seekrank.

Ich band das lange Seil am Floß an. Rettungsboot und Floß waren nun verbunden. Als Nächstes stattete ich die Unterseite des Floßes auf allen vier Seiten mit Schwimmwesten aus. Eine weitere schnallte ich über das Loch des Rettungsrings, wo sie als Sitz dienen sollte. Aus dem letzten Ruder machte ich eine Fußstütze, die ich auf einer der vier Seiten einen halben Meter vom Rettungsring festband; daran wiederum befestigte ich die letzte Schwimmweste. Ich arbeitete mit zitternden Fingern, mein Atem kam kurz und gepresst. Ich überprüfte sämtliche Knoten, dann überprüfte ich sie noch einmal.

Ich blickte hinaus auf die See. Nur lange, sanfte Wellen. Keine Schaumkronen. Der Wind war schwach und gleichmäßig. Ich blickte nach unten. Es waren Fische dort unten – große Fische mit dicken Schädeln und langen Schwanzflossen, Doraden oder Goldmakrelen nennt man sie, und kleinere von unbekannter Art, lang und schlank, und noch kleinere – und es gab Haie.

Vorsichtig ließ ich das Floß zu Wasser. Sollte es wider Erwarten nicht schwimmen, war ich so gut wie tot. Aber es schwamm. Die Schwimmwesten gaben ihm sogar so viel Auftrieb, dass die Ruder und der Rettungsring oben auf der Wasseroberfläche tanzten. Aber mein Mut sank. Kaum berührte das Floß das Wasser, machten die Fische sich davon – alle außer den Haien. Die Haifische blieben. Drei oder vier waren es. Einer schwamm direkt unter dem Floß hindurch. Richard Parker knurrte.

Ich kam mir vor wie ein Gefangener, den Piraten von einer Planke schubsten.

Ich navigierte das Floß so nahe an das Rettungsboot heran, wie die vorstehenden Ruder erlaubten. Ich lehnte mich hinunter und umfasste den Rettungsring. Im Floßboden gab es Ritzen – gähnende Abgründe wäre der passendere Ausdruck –, durch die ich direkt hinunter in die unendliche Tiefe der See blicken konnte. Wieder knurrte Richard Parker. Ich sprang hinunter zum Floß und landete auf dem Bauch. Ich lag dort, alle viere von mir gestreckt, und rührte mich nicht. Ich rechnete damit, dass das Floß jeden Moment kippen würde. Oder dass ein Hai auftauchte und mich mitsamt Schwimmwesten und Rudern verschlang. Keins von beiden geschah. Das Floß sank tiefer ein, es schlingerte und rollte, die Blätter der Ruder tauchten ein, aber es schwamm bestens. Die Haie kamen vorbei, aber sie rührten es nicht an.

Ein leichter Ruck. Das Floß drehte sich. Ich blickte auf. Rettungsboot und Floß hatten sich bereits so weit voneinander entfernt, wie das Seil erlaubte, etwa zwölf Meter. Das Seil spannte sich, hob sich aus dem Wasser und flatterte in der Luft. Der Anblick machte mir Angst. Ich war vom Boot geflohen, um mir das Leben zu retten. Jetzt wollte ich zurück. So ein Floß war doch entschieden zu gefährlich. Es musste nur ein Hai kommen und das Seil durchbeißen, oder ein Knoten musste sich lösen oder eine große Welle mich untertauchen, und es war um mich geschehen. Gemessen am Floß kam das Rettungsboot mir nun als der Gipfel von Komfort und Sicherheit vor.

Vorsichtig wandte ich mich um. Bis jetzt lag es gut im Wasser. Meine Fußstütze bewährte sich. Aber das Floß war zu klein. Der Platz reichte gerade, um darauf zu sitzen, mehr war es nicht. Ein solches Spielzeugfloß, Minifloß, Mikrofloß konnte man im Teich schwimmen lassen, aber nicht im Pazifischen Ozean. Ich fasste das Seil und zog. Je näher ich an das Rettungsboot kam, desto langsamer zog ich. Als ich längsseits war, hörte ich Richard Parker. Ich hörte ihn rupfen und kauen.

Minutenlang zögerte ich.

Dann blieb ich doch auf dem Floß. Ich wusste nicht, was

ich sonst tun sollte. Ich hatte nur zwei Möglichkeiten. Entweder hatte ich einen Tiger oder ich hatte Haie unter mir. Ich wusste genau, wie gefährlich Richard Parker war. Haie hingegen waren mir den Beweis noch schuldig. Ich prüfte die Knoten des Seils, das Rettungsboot und Floß miteinander verband. Ich gab Leine, bis ich etwa neun Meter vom Rettungsboot entfernt war, der beste Ausgleich zwischen meinen zwei Ängsten: dass ich Richard Parker zu nahe oder dem Boot zu fern war. Die übrige Leine, etwa drei Meter, wickelte ich um die Fußstütze. Damit konnte ich den Abstand vergrößern, sobald es ratsam schien.

Der Tag ging zu Ende. Es begann zu regnen. Den ganzen Tag über war es warm und wolkig gewesen. Jetzt fiel die Temperatur, und der Regen kam kalt und gleichmäßig. Rund um mich platschten die Süßwassertropfen ins Meer, eine einzige große Verschwendung. Jeder Tropfen hinterließ ein Grübchen im Wasser. Ich holte wieder mehr Leine ein. Als ich am Bug angekommen war, setzte ich mich auf die Knie und hielt mich am Achtersteven fest. Ich zog mich hinauf und lugte vorsichtig über die Kante. Er war nicht zu sehen.

Hastig stieg ich in den Stauraum. Ich holte einen Regensammler, einen 50-Liter-Plastiksack, eine Decke und das Überlebenshandbuch heraus. Ich warf den Deckel zu. Das war keine Absicht – ich hatte nur meine wertvollen Güter vor dem Regen schützen wollen –, aber er rutschte mir aus der nassen Hand. Ein schwerer Fehler. Gerade in dem Augenblick, in dem ich die Sichtblende, die mich vor Richard Parker verborgen hatte, fortnahm, verursachte ich einen großen Knall, der ihn auf mich aufmerksam machte. Er stand über die Hyäne gebeugt. In derselben Sekunde hatte er schon den Kopf gewandt. Viele Tiere reagieren äußerst gereizt, wenn man sie beim Fressen stört. Richard Parker fauchte. Seine Pranken spannten sich. Die Schwanzspitze zuckte elektrisch. Ich ließ mich wieder aufs Floß fallen, und es muss wohl ebenso viel Furcht wie Wind und Strömung gewesen sein, was die Distanz zum Rettungsboot so schnell wachsen ließ. Ich spulte sämtliche Leine ab. Ich rechnete damit, dass Richard Parker jeden Moment über die Kante gesprungen und durch die Luft geflogen kam und sich mit Zähnen und Klauen auf mich stürzte. Mein Blick war auf das Boot geheftet. Je länger ich hinsah, desto unerträglicher war die Erwartung.

Aber er kam nicht.

Bis ich den Regensammler über mir aufgespannt und die Füße in den Plastiksack gesteckt hatte, war ich bereits nass bis auf die Haut. Auch die Wolldecke war feucht geworden, als ich mich aufs Floß zurückfallen ließ. Trotzdem wickelte ich mich hinein.

Die Nacht kam. Alles um mich herum verschwand im Pechschwarz. Nur das gleichmäßig gespannte Seil bestätigte mir, dass mein Floß noch vom Rettungsboot gezogen wurde. Die See, nur eine Handbreit unter mir und doch zu tief, um sie zu sehen, ließ das Floß tanzen. Spritzer angelten durch die Ritzen nach mir, und selbst mein Hintern war nun nass.

Kapitel 54

Es regnete die ganze Nacht. Ich litt fürchterlich und tat kein Auge zu. Der Lärm war grässlich. Die Tropfen prasselten auf den Regensammler, und von weiter fort, aus der Dunkelheit, kam ein Zischen, als steckte ich mitten in einem großen Nest von wütenden Schlangen. Der Wind war unstet und der Regen kam aus immer wieder neuen Richtungen, und gerade wenn ein Teil von mir ein wenig warm geworden war, wurde er von neuem durchnässt. Ich drehte den Regensammler in die richtige Richtung, und schon ein paar Minuten darauf hielt ich ihn wieder falsch, wenn der Wind von neuem drehte. Ich mühte mich, dass wenigstens ein kleiner Teil von mir warm und trocken blieb, an meiner

Brust, wohin ich das Überlebenshandbuch gesteckt hatte, aber es war geradezu pervers, wie die Feuchtigkeit in jeden Winkel kroch. Die ganze Nacht über zitterte ich vor Kälte. Unablässig sorgte ich mich, das Floß könnte auseinander fallen, die Knoten, mit denen es am Rettungsboot festgezurrt war, könnten sich lösen, ein Hai könnte angreifen. Mit meinen Händen tastete ich unablässig die Knoten und Verschnürungen ab, versuchte sie zu lesen, wie ein Blinder die Brailleschrift.

Im Laufe der Nacht wurde der Regen immer stärker, die See rauer. Das Boot riss nun eher an der Leine als dass es zog, und das Floß schaukelte immer stärker und ungleichmäßiger. Es schwamm, es machte jede Wellenbewegung mit, aber ich saß eben direkt über dem Wasser, und der Schaum jedes Brechers rann darüber und umspülte mich, wie ein Fluss einen Felsen umspült. Das Meerwasser war wärmer als der Regen, aber es sorgte dafür, dass in jener Nacht kein Faden an mir trocken blieb.

Immerhin hatte ich zu trinken. Wirklich durstig war ich nicht, aber ich zwang mich dazu. Der Sammler sah aus wie ein umgestülpter Regenschirm, einer, den der Wind hochgeblasen hat. In der Mitte hatte er ein Loch, durch das der Regen abfloß. Dieses Loch verband ein Gummischlauch mit einem Beutel aus dickem, durchsichtigem Kunststoff. Anfangs schmeckte es nach Gummi, aber schon bald hatte der Regen die Vorrichtung ausgespült, und das Wasser schmeckte gut.

In jenen langen, kalten, dunklen Stunden, als das Platschen des unsichtbaren Regens allmählich ohrenbetäubende Ausmaße annahm, konzentrierten sich meine Gedanken auf ein einziges Thema: Richard Parker. Ich spielte die verschiedenen Möglichkeiten durch, ihn loszuwerden, damit ich das Rettungsboot für mich allein hatte.

Plan eins: Ich schubse ihn vom Rettungsboot. Aber was hatte ich davon? Selbst wenn es mir tatsächlich gelang, ein 450 Pfund schweres wehrhaftes Raubtier vom Boot zu stoßen, blieb er ein guter Schwimmer. Aus den Sundarbans, den bengalischen Sümpfen, ist belegt, dass Tiger fünf Meilen in rauer, offener See schwimmen. Würde er sich unvermutet im Meer wieder finden, würde Richard Parker einfach zurückschwimmen, wieder an Bord klettern und mich dann für meine Untat büßen lassen.

Plan zwei: Ich bringe ihn mit den sechs Morphiumspritzen um. Aber ich hatte keine Ahnung, welche Wirkung sie auf ihn haben würden. Waren sechs Spritzen genug? Es war nicht ganz undenkbar, dass ich ihn einmal eine Sekunde lang überraschte, so wie der Jäger seine Mutter mit dem Betäubungsgeschoss überrascht hatte – aber *sechsmal hintereinander*? Undenkbar. Wenn ich ihn auch nur einmal piekste, würde er mir einen linken Haken versetzen, dass mein Kopf im hohen Bogen davonflog.

Plan drei: Ich greife ihn mit dem gesamten vorhandenen Arsenal an. Lächerlich. Ich war doch nicht Tarzan. Ich war ein winziger, schwächlicher, vegetarischer Mensch. Wer in Indien einen Tiger jagte, der ritt auf mächtigen Elefanten und schoss mit gewaltigen Büchsen. Was sollte ich denn machen? Sollte ich ihn mit Signalraketen beschießen? Sollte ich mich auf ihn stürzen, ein Hackbeil in jeder Hand, ein Messer zwischen den Zähnen? Ihm mit geraden und gebogenen Nähnadeln den Garaus machen? Wenn ich ihm auch nur einen Kratzer beibrachte, war das schon eine Leistung. Zur Rache würde er mich zerpflücken, Glied um Glied, die Organe eins nach dem anderen aus meinem Bauch holen. Denn wenn es eines gibt, was noch gefährlicher ist als ein gesundes Tier, dann ist es ein verletztes Tier.

Plan vier: Ich erdrossele ihn. Seil hatte ich genug. Wenn ich im Bug blieb und es mir gelang, das Seil zum Heck zu ziehen und ihm eine Schlinge um den Hals zu legen, dann konnte ich die Schlinge zuziehen, wenn er sich auf mich stürzte. Und gerade weil er über mich herfallen wollte, erwürgte er sich selbst. Gut ausgedacht, aber der reine Selbstmord.

Plan fünf: Ich vergifte, ich verbrenne ihn, setze ihn unter Strom. Wie? Mit was?

Plan sechs: Ich führe einen Zermürbungskrieg. Ich musste ja nur warten, bis die gnadenlose Natur ihr Werk tat, und schon war ich gerettet. Wenn ich wartete, bis er allmählich verhungert war, brauchte ich überhaupt nichts zu tun. Ich hatte Vorräte für Monate. Was hatte er? Ein paar tote Tiere, die bald verdorben sein würden. Was würde er danach fressen? Und besser noch: Woher sollte er Wasser bekommen? Er konnte wochenlang ohne Nahrung durchhalten, aber kein Tier, und sei es noch so stark, überlebt lange ohne einen Tropfen Wasser.

Ein leiser Hoffnungsschimmer glomm in mir, wie eine Kerze in der Nacht. Ich hatte einen Plan, einen guten Plan. Jetzt musste ich nur noch am Leben bleiben, damit ich ihn auch ausführen konnte.

Kapitel 55

Es wurde Tag, und alles war nur noch trostloser dadurch. Denn nun tauchte aus dem Dunkel das auf, was ich zuvor nur gespürt hatte, die gewaltigen Regenkaskaden, die aus größter Höhe auf mich herabstürzten, und die Wellen, die eine nach der anderen über mich herzogen und mich hinunter in die See stießen, als sei nichts dabei.

Mit trüben Augen, halb erfroren, am ganzen Leibe zitternd, in der einen Hand den Regensammler, mit der anderen an das Floß geklammert, saß ich da und wartete.

Einige Zeit später, und mit einer Plötzlichkeit, die die Stille umso unheimlicher wirken ließ, hörte der Regen auf. Der Himmel klärte sich, und es war, als zögen die Wellen mit den Wolken davon. Der Wechsel war so abrupt und radikal, wie man ihn an Land manchmal erlebt, wenn man über eine Grenze fährt. Ich war in einen anderen Ozean gekommen. Bald prangte nur noch die Sonne am Himmel, und das Wasser war wie eine glatte Haut, die das Licht in Millionen von Spiegeln zurückwarf.

Ich war steif, erschöpft, jeder Knochen tat mir weh, es blieb nichts als eine dumpfe Dankbarkeit, dass ich noch am Leben war. Die Worte »Plan sechs, Plan sechs« drehten sich in meinem Kopf wie ein Mantra und brachten mir ein gewisses Maß an Trost, obwohl ich mich, so sehr ich mich auch mühte, nicht mehr entsinnen konnte, was Plan sechs gewesen war. Allmählich wurden meine Knochen wieder warm. Ich klappte den Regensammler zu. Ich wickelte mich in die Decke und rollte mich so zusammen, dass kein Teil von mir das Wasser berührte. Ich schlief ein. Ich weiß nicht, wie lange ich schlief. Es war Vormittag, als ich erwachte. Es war heiß. Die Decke war fast wieder trocken. Ein kurzer, tiefer Schlaf. Ich stützte mich mit dem Ellbogen auf.

Alles um mich war flach bis zum Horizont, ein einziges weites Panorama in Blau. Nichts versperrte mir die Sicht. Die Unendlichkeit war wie ein Schlag in den Magen. Ich ließ mich auf den Rücken fallen, rang nach Atem. Dieses Floß war ein Witz. Es war nichts weiter als ein paar Stöcke und ein paar Stücken Kork, mit Seilen zusammengebunden. Durch jede Ritze kam das Wasser. Von der Tiefe darunter wäre selbst einem Vogel schwindlig geworden. Ich sah hinüber zum Rettungsboot. Nichts weiter als eine halbe Walnussschale. Es hielt sich auf der Wasseroberfläche wie Finger, die sich an die Kante einer Klippe klammern. Nur eine Frage der Zeit, bis die Schwerkraft es nach unten zog.

Der zweite Schiffbrüchige kam in Sicht. Er stemmte sich auf den Bootsrand und blickte zu mir herüber. Ein unvermittelt auftauchender Tiger ist in jeder Umgebung ein atemberaubender Anblick, aber hier war es umso überwältigender. Der Kontrast zwischen dem leuchtenden, lebendigen schwarz gestreiften Orange seines Fells und dem leblosen Weiß des Bootes hätte größer nicht sein können.

Mit einem Knirschen kam das Karussell in meinem Kopf zum Stillstand. So unendlich der Pazifik, der uns umgab, auch sein mochte – was zwischen uns lag, das erkannte ich nun, war nicht mehr als ein winzig schmaler Burggraben, ohne Mauer, ohne Barriere.

»Plan sechs, Plan sechs, Plan sechs«, trieb eine Stimme in meinem Kopf mich an. Aber was war Plan sechs denn gewesen? Ah ja. Der Zermürbungskrieg. Das Abwarten. Die Untätigkeit. Das Die-Dinge-auf-sich-zukommen-Lassen. Die unerbittlichen Gesetze der Natur. Das gnadenlose Voranschreiten der Zeit, das allmähliche Ansammeln von Ressourcen. Das war Plan sechs.

Ein Gedanke schoss mir durch den Kopf wie ein wütender Schrei. »Du Dummkopf! Du Idiot! Du Armleuchter! *Plan Nummer sechs ist der schlechteste Plan von allen!* Jetzt im Augenblick fürchtet Richard Parker sich vor der See. Er wäre beinahe darin umgekommen. Aber wenn er erst einmal rasend vor Durst und Hunger ist, wird diese Furcht ihn nicht mehr halten, und er wird alles tun, um sich zu holen, was er braucht. Er wird den Burggraben zur Brücke machen. Er wird schwimmen, so weit er muss, bis er an das Floß kann, auf dem die Nahrung sitzt. Und das Wasser – hast du denn vergessen, dass bengalische Tiger auch Salzwasser trinken? Glaubst du wirklich, du hältst länger durch als seine Nieren? Glaube mir, wenn du dich auf einen Zermürbungskrieg einlässt, dann wirst du ihn verlieren! Du wirst *sterben*! IST DAS KLAR?«

Kapitel 56

Der Punkt ist gekommen, an dem ich ein Wort zum Thema Angst sagen sollte. Angst ist der einzige echte Feind des Lebens. Nur Angst kann das Leben bezwingen. Angst ist ein kluger, raffinierter Gegner, das weiß ich aus Erfahrung. Sie kennt keine Moral, akzeptiert kein Gesetz und keine

Konvention, sie ist unerbittlich. Sie sucht sich bei jedem den schwächsten Punkt und findet ihn ohne Mühe. Sie beginnt ihren Angriff im Kopf, immer. Im einen Moment fühlt man sich noch ruhig, selbstsicher, glücklich. Dann schleicht die Angst sich in den Verstand wie ein Spion, gehüllt in den Mantel des leisen Zweifels. Man begegnet dem Zweifel mit Unglauben, und der Unglauben will ihn verscheuchen. Aber der Unglauben ist ja nur ein armer, schlecht bewaffneter Fußsoldat. In ein paar Zügen hat der Zweifel ihn besiegt. Man spürt eine Beklommenheit. Die Vernunft springt in die Bresche. Man ist beruhigt. Die Vernunft ist schließlich nach den neuesten Erkenntnissen der Waffentechnik gerüstet. Aber zu unserem großen Erstaunen unterliegt, trotz überlegener Taktik und einer Reihe von siegreichen Scharmützeln, auch die Vernunft. Wir spüren, wie wir schwach werden, unsicher. Aus der Beklommenheit wird Angst.

Jetzt nimmt die Angst sich den Körper vor, der längst weiß, dass da etwas nicht stimmt. Längst schon sind die Lungen fortgeflogen wie ein Vogel, die Eingeweide winden sich wie eine Schlange davon. Jetzt lässt sich die Zunge fallen wie ein Opossum, und das Kinn galoppiert dazu auf der Stelle. Die Ohren werden taub. Die Muskeln zittern, als hätte man Malaria, und die Knie schlackern, als wären sie auf dem Tanz. Das Herz zieht sich zusammen, dafür weitet der Schließmuskel sich. Und immer so weiter, der ganze Körper. Jeder einzelne Teil versagt, jeder auf die Weise, auf die er es am besten kann. Nur die Augen bleiben aufmerksam. Sie registrieren jeden Schachzug der Angst genau.

Nicht lange, und man macht Fehler. Man lässt seine letzten Verbündeten ziehen: Hoffnung und Vertrauen. Und schon hat man sich selbst besiegt: Die Angst, die doch nichts war als ein Hirngespinst, triumphiert.

Es ist nicht leicht, diese Dinge in Worte zu fassen. Denn echte Angst, diejenige, die uns bis in die Grundfesten er-

schüttert, Angst etwa, die wir spüren, wenn wir dem Tod
ins Auge blicken, nistet sich in der Erinnerung ein wie ein
Faulbrand: Sie lässt alles verrotten, selbst die Worte, mit
denen wir von ihr sprechen. Man muss um diese Worte ringen. Man muss kämpfen und das Krebsgeschwür ins Licht
der Worte zerren. Denn wer das nicht tut, wer seine Angst
im wortlosen Dunkel lässt, wem es womöglich sogar gelingt, sie zu vergessen, der öffnet sich jedem neuen Angriff
der Angst, weil er mit dem Gegner, der ihn beim ersten
Mal bezwang, nie wirklich gerungen hat.

Kapitel 57

Es war Richard Parker, durch den ich Ruhe fand. Das ist
die Ironie dieser Geschichte, dass gerade der, der mich zu
Anfang so sehr ängstigte, dass ich darüber fast den Verstand
verlor, am Ende derjenige war, der mir innere Ruhe und
Lebenssinn gab, ja ich möchte fast sagen: Harmonie.

Er sah mich forschend an. Nach einer Weile erkannte ich
diesen Blick. Ich war damit aufgewachsen. Es war der Blick
eines zufriedenen Tiers, das von seinem Käfig oder seiner
Grube aus die Welt betrachtet, so wie unsereiner vom
Restauranttisch nach draußen sehen würden, wenn nach
einem guten Essen die Zeit gekommen ist, wo man plau-
dert oder dem Treiben auf der Straße zusieht. Offensichtlich hatte Richard Parker eine gute Portion Hyäne vertilgt
und so viel Regenwasser getrunken, wie er wollte. Diesmal
bleckte er nicht die Zähne, und er knurrte und fauchte
auch nicht. Er betrachtete mich einfach, sah mir zu, ernst,
doch nicht drohend. Er drehte die Ohren und legte den
Kopf schief, bald in die eine, bald in die andere Richtung.
Es war alles so, nun, *katzenhaft*. Er sah wie eine große, liebe,
wohlgenährte Hauskatze aus, ein 450 Pfund schwerer Ka-
ter.

Er stieß einen Laut aus, ein Schnauben durch die Nasenlöcher. Ich spitzte die Ohren. Er schnaubte noch einmal. Ich staunte. War das das Prusten?

Tiger können eine ganze Reihe von Geräuschen machen. Es gibt mehrere Formen von Knurren und Fauchen, das lauteste darunter wohl das *Aaonh* aus vollem Halse, das Männchen und läufige Weibchen vor allem in der Brunstzeit ausstoßen. Es ist ein Schrei, der noch in größter Entfernung zu hören ist, und er lässt das Blut in den Adern gefrieren, wenn man ihn aus nächster Nähe hört. Tiger kommentieren es mit einem *Wuff*, wenn man sie überrascht, einer kurzen, klaren Explosion der Wut, heftig genug, dass man sofort das Weite suchen würde, wären die Beine nicht starr vor Schreck. Beim Angriff brüllt ein Tiger in kurzen, kehligen Stößen wie ein Husten. Ebenfalls guttural, doch in anderer Tonlage, ist das drohende Knurren. Außerdem zischen und fauchen Tiger, was je nach der Stimmung, die sie damit ausdrücken wollen, klingen kann wie raschelndes Herbstlaub, nur ein wenig kräftiger, oder, wenn es ein wütendes Fauchen ist, wie eine riesige Tür, die sich langsam in rostigen Angeln dreht – und in beiden Fällen läuft es einem dabei kalt den Rücken herunter. Und das sind noch nicht alle Tigerlaute. Sie können brummen und stöhnen. Sie schnurren auch, wenn auch nicht so melodisch und so häufig wie Kleinkatzen und nur beim Ausatmen. (Nur die Kleinkatzen schnurren beim Ein- und beim Ausatmen. Das ist eines der Merkmale, an denen man die beiden Gruppen unterscheidet. Ein Zweites ist das Brüllen: Nur Großkatzen brüllen. Worüber man froh sein kann. Die Hauskatze würde wohl viel von ihrer Beliebtheit einbüßen, wenn eine Mieze ihr Missfallen durch Brüllen zum Ausdruck bringen könnte.) Selbst miauen können Tiger, mit einer ähnlichen Intonation wie die Hauskatze, allerdings lauter und tiefer, sodass es kaum jemand als Aufforderung ansehen würde, das Kätzchen auf den Arm zu nehmen. Und natürlich können Tiger auch majestätisch schweigen.

All diese Laute hatte ich in meiner Kindheit gehört. Nur das Prusten nicht. Dass es so etwas gab, wusste ich nur, weil Vater mir davon erzählt hatte, und der wusste es aus seinen Fachbüchern. Nur ein einziges Mal hatte er es selbst gehört, auf einem Arbeitsbesuch im Zoo von Mysore, von einem jungen Tiger, der mit Lungenentzündung auf der dortigen Veterinärstation lag. Das Prusten ist unter allen Tigerlauten der leiseste, ein leichtes Schnauben, mit dem sie zu verstehen geben, dass sie friedlich und guter Absicht sind.

Noch einmal hörte ich Richard Parker prusten, und diesmal rollte er mit dem Kopf dazu. Es sah aus, als wolle er mich etwas fragen.

Ich sah ihn an, bestaunte ihn, so sehr er mich auch schreckte. Da keine unmittelbare Gefahr bestand, wurde mein Atem allmählich gleichmäßiger, mein Herz schlug mir nicht mehr ganz bis zum Halse, und mein Verstand kehrte nach und nach zurück.

Ich musste ihn zähmen. Das war der Augenblick, in dem ich begriff, dass es keine andere Möglichkeit gab. Es ging nicht darum, ob er oder ich durchkam, sondern wir mussten *beide* durchkommen. Wir saßen, und das nicht nur im übertragenen, sondern auch im wahrsten Sinne des Wortes, im selben Boot. Wir mussten miteinander leben – oder miteinander sterben. Es war denkbar, dass er durch einen Unfall umkam oder dass er an natürlichen Ursachen starb, aber es wäre abwegig gewesen, sich auf einen so unwahrscheinlichen Fall zu verlassen. Eher war das Schlimmste zu erwarten: dass einfach nur die Zeit verstrich und seine robuste Natur mein schwächliches Menschenleben mühelos überdauern würde. Nur wenn ich ihn zähmte, konnte ich ihn vielleicht überlisten und es so einrichten, dass er vor mir starb, wenn denn nun wirklich einer von uns sterben musste.

Aber das ist nicht alles. Ich will es nicht verschweigen. Ich will das Geheimnis verraten: Etwas in mir war froh, dass Richard Parker da war. Etwas in mir wollte nicht, dass Richard Parker starb, denn dann blieb ich allein zurück, allein mit meiner Verzweiflung, und das war ein Feind, der noch unbezwingbarer war als ein Tiger. Wenn ich überhaupt noch den Willen zum Leben hatte, dann verdankte ich ihn Richard Parker. Er sorgte dafür, dass ich nicht zu viel an meine Familie dachte, an das entsetzliche Unglück, das mir widerfahren war. Er drängte mich zum Leben. Ich hasste ihn dafür, aber zugleich war ich ihm auch dankbar. Ich *bin* ihm dankbar. Die simple Wahrheit ist: Ohne Richard Parker wäre ich heute nicht hier. Dass ich heute meine Geschichte erzählen kann, verdanke ich Richard Parker.

Ich blickte in die Runde, hinaus zum Horizont. War das denn nicht die perfekte Manege, kreisrund, nirgends eine Ecke, in die er sich drücken konnte? Ich blickte hinunter zum Meer. War das nicht ein unerschöpflicher Vorrat an Leckerbissen, mit denen ich ihn belohnen konnte, wenn er gehorchte? An einer der Schwimmwesten baumelte die Pfeife. War das nicht eine gute Peitsche, mit der ich ihn in Schach halten konnte? Was fehlte mir denn, um Richard Parker zu dressieren? Die Zeit? Es konnte Wochen dauern, bis ein Schiff vorbeikam. Ich hatte alle Zeit der Welt. Entschlossenheit? Die schiere Not würde für Entschlossenheit schon sorgen. Die Sachkenntnis? War ich denn nicht der Sohn eines Zoodirektors? Der Lohn? Gab es einen größeren Lohn als das Leben? Eine größere Strafe als den Tod? Ich blickte Richard Parker an. Meine Panik war verflogen, die Angst bezwungen. Wir würden es schaffen.

Tusch. Trommelwirbel. Die Vorstellung beginnt. Ich richtete mich auf. Richard Parker beobachtete mich. Nur mit Mühe hielt ich mein Gleichgewicht. »Hereinspaziert, meine Damen, meine Herren!«, brüllte ich, »Jungs und Mädels, sucht euch einen Platz, aber schnell! Herein mit euch! Ihr wollt doch nicht zu spät kommen! Nehmen Sie Platz, Damen und Herren, und seien Sie gespannt. Öffnen Sie die Augen, öffnen Sie die Herzen, warten Sie auf die

Wunder, die wir Ihnen zeigen. Hier sind wir also, zu Ihrer Freude, zu Ihrer Erbauung, der Zirkus Ihres Lebens, DIE GRÖSSTE SCHAU AUF ERDEN. Kann die Vorstellung beginnen? Sind Sie bereit? Wir präsentieren Ihnen ein Tier, das in jeder Umgebung zu Hause ist. Sie haben sie in Schnee und Eiseskälte gesehen. Sie kennen sie aus dem undurchdringlichen tropischen Regenwald. Man begegnet ihnen in der weiten Halbwüste der Savannen. Sie hausen im Brackwasser der Mangrovensümpfe. Es ist ein Tier, das sich überall einfügen kann. Aber wir zeigen es Ihnen in einer Umgebung, in der Sie es noch nie gesehen haben! Damen und Herren, Mädchen und Jungen, seien Sie gespannt! Und nun ist es soweit, Applaus für PI PATELS INDO-KANADISCHEN TRANS-PAZIFISCHEN SCHWIMMENDEN ZIRKUSSSSS!!!! *PRRRIIII! PRRRIIII! PRRRIIII! PRRRIIII! PRRRIIII! PRRRIIII!«*

Die Wirkung auf Richard Parker blieb nicht aus. Beim ersten Ton der Trillerpfeife fuhr er zusammen, dann fauchte er. Ha! Sollte er doch ins Wasser springen, wenn er wollte! Sollte er es doch nur versuchen!

»PRRRIIII! PRRRIIII! PRRRIIII! PRRRIIII! PRRRIIII! PRRRIIII!«

Er brüllte und schlug mit den Pranken in die Luft. Aber ins Wasser sprang er nicht. Vielleicht verlor er seine Furcht vor der See, wenn Hunger und Durst ihn trieben, aber fürs Erste war es eine Furcht, auf die ich mich verlassen konnte.

»PRRRIIII! PRRRIIII! PRRRIIII! PRRRIIII! PRRRIIII! PRRRIIII!«

Er trat einen Schritt zurück und ließ sich auf den Bootsboden fallen. Die erste Dressurstunde war vorüber. Sie war ein rauschender Erfolg. Ich nahm die Pfeife aus dem Mund und ließ mich auf das Floß plumpsen, erschöpft und außer Atem.

Und so kam es denn also:

Plan sieben: Ich sorge dafür, dass er am Leben bleibt.

Kapitel 58

Ich holte das Überlebenshandbuch hervor. Die Blätter waren noch feucht. Ich schlug sie vorsichtig um. Das Handbuch war von einem Korvettenkapitän der britischen Marine verfasst. Es enthielt eine Unmenge an praktischen Hinweisen, wie man als Schiffbrüchiger auf See sein Überleben sichern konnte. Es waren Ratschläge wie:

- Lesen Sie Anweisungen stets sorgfältig.
- Trinken Sie keinen Urin. Oder Meerwasser. Oder Vogelblut.
- Essen Sie keine Quallen. Oder stachelbewehrte Fische. Oder Fische mit Mäulern wie Papageienschnäbeln. Oder solche, die sich aufblähen wie ein Ballon.
- Ein fester Druck auf die Augen lähmt einen Fisch.
- Unser Körper kann schwerste Belastungen überstehen. Ist ein Schiffbrüchiger verletzt, hüten Sie sich vor wohlmeinender, doch unwissender Behandlung. Unkenntnis ist der schlimmste Arzt, doch Schlaf und Ruhe sind die besten Pfleger.
- Legen Sie mindestens fünf Minuten pro Stunde die Füße hoch.
- Vermeiden Sie unnötige Kraftanstrengung. Hingegen sollte der Verstand beschäftigt bleiben, denn ein müßiger Verstand neigt zur Melancholie. Karten- oder Ratespiele sind ein gutes Mittel, den Geist in Bewegung zu halten. Gemeinsames Singen hebt die Moral der gesamten Belegschaft. Auch Geschichtenerzählen hat sich bewährt.
- Grünes Wasser ist flacher als blaues.
- Lassen Sie sich nicht von Wolken in der Ferne täuschen, die wie Gebirge aussehen. Halten Sie Ausschau nach allem, was grün ist. Letztlich kann nur der Fuß beurteilen, ob Sie auf festem Boden stehen.

- Schwimmen Sie nicht im Meer. Das vergeudet Energie. Außerdem driftet ein Rettungsboot unter Umständen schneller als Sie schwimmen können. Von der Gefahr, die vom maritimen Leben ausgeht, ganz zu schweigen. Wenn Sie Abkühlung brauchen, feuchten Sie stattdessen Ihre Kleider an.
- Urinieren Sie nicht in Ihre Kleider. Die kurzfristige Wärme ist die spätere Wundheit nicht wert.
- Suchen Sie Deckung. Die Elemente können tödlicher sein als Durst und Hunger.
- Solange keine größeren Mengen durch Schwitzen verloren werden, kann ein Körper bis zu vierzehn Tage ohne Wasser auskommen. Wenn Sie durstig sind, nehmen Sie einen Knopf in den Mund.
- Schildkröten lassen sich leicht fangen und sind äußerst nahrhaft. Ihr Blut ist ein guter, gesunder, salzfreier Trunk, ihr Fleisch ist wohlschmeckend und sättigend, ihr Fett lässt sich vielseitig verwenden, und der Schiffbrüchige wird feststellen, dass Schild- kröteneier eine wahre Delikatesse sind. Nehmen Sie sich vor den Krallen und vor Bissen in Acht.
- Lassen Sie sich nicht unterkriegen. Auch Rück- schläge dürfen Sie nicht entmutigen. Vergessen Sie nie: Vor allem kommt es auf die Moral an. Wenn Sie den Willen zum Überleben haben, dann werden Sie überleben. Viel Glück!

Es gab auch ausgesprochen kryptische Absätze über die Kunst und Wissenschaft der Navigation. Ich lernte, dass der Horizont, aus anderthalb Metern Höhe gesehen an ei- nem Tag mit mäßigem Seegang, vier Kilometer entfernt ist.

Die Ermahnung, keinen Urin zu trinken, war vollkom- men überflüssig. Keiner, der in seiner Kindheit »Pisser« gerufen wurde, hätte sich jemals mit einem Tässchen Pisse an den Lippen sehen lassen, nicht einmal allein und in ei- nem Rettungsboot mitten auf dem Pazifik. Und die gastronomischen Empfehlungen bestätigten mir nur, dass die Engländer nicht einmal wussten, was das *Wort* Essen bedeutete. Ansonsten war das Handbuch ein faszinierendes Werk, das einem in tausend Varianten erklärte, wie man dafür sorgen konnte, dass man nicht als Salzleiche endete. Nur ein einziges wichtiges Thema war ausgespart: der Umgang mit größeren Tieren an Bord.

Ich musste Richard Parker dressieren. Ich musste ihm zu verstehen geben, dass ich der Alphatiger war und dass sein Revier sich auf den Bootsboden, die Heckbank sowie die Seitenbänke bis auf Höhe der mittleren Querbank beschränkte. Ich musste ihm einhämmern, dass alles, was oben auf der Plane und alles, was vorn im Boot lag, mit der Mittelbank als neutraler Zone, *mein* Territorium war und Zutritt ihm unter allen Umständen verboten war.

Ich musste mich ums Fischen kümmern. Es würde nicht lange dauern, bis Richard Parker die Überreste der toten Tiere aufgefressen hatte. Im Zoo hatten die erwachsenen Löwen und Tiger im Schnitt zehn Pfund Fleisch pro Tag bekommen.

Und das war nicht die einzige Aufgabe. Ich musste überlegen, wie ich mich vor den Elementen schützen konnte. Wenn Richard Parker die ganze Zeit unter der Plane blieb, dann hatte er seine guten Gründe dafür. Es war eine Anstrengung für den Körper, wenn man ständig draußen war, Sonne, Wind, Regen und Meer ausgesetzt, und nicht nur für den Körper, sondern auch für den Verstand. Hatte ich nicht noch eben gelesen, dass es binnen kurzem zum Tode führte, wenn man schutzlos den Elementen ausgeliefert war? Eine Art Dach musste her.

Ich musste das Floß mit einem zweiten Seil am Rettungsboot festmachen, für den Fall, dass das erste riss oder die Knoten sich lösten.

Das Floß selbst musste verbessert werden. Es war zwar seetüchtig, aber fahren konnte man kaum darauf. Ich musste es bewohnbarer machen, so lange bis ich mir ein festeres

Quartier auf dem Rettungsboot einrichten konnte. Ich musste mir, um nur eines zu nennen, eine Möglichkeit einfallen lassen, wie ich darauf trocken blieb. Meine Haut war ganz schrumplig und aufgedunsen von der langen Zeit draußen im Regen. Das musste anders werden. Und ich musste auch überlegen, wie ich Vorräte mit aufs Floß nehmen konnte.

Wichtig war, dass ich nicht mehr rund um die Uhr hoffte, ein Schiff würde mich retten. Ich durfte nicht darauf bauen, dass jemand von außen mir half. Ich selbst musste für unser Überleben sorgen. Für meine Begriffe ist für einen Schiffbrüchigen nichts schlimmer als wenn er zu viel hofft und zu wenig tut. Der erste Schritt zum Überleben ist ein offenes Auge dafür, was zur Hand ist und was als Nächstes getan werden muss. Wer in müßiger Hoffnung auf Hilfe wartet, der vertut sein Leben mit Träumerei.

Es gab viel zu tun.

Ich blickte hinaus zum leeren Horizont. Nichts als Wasser. Und ich war allein. Mutterseelenallein.

Ich weinte heiße Tränen. Ich vergrub mein Gesicht in den verschränkten Armen und schluchzte laut. Ich hatte keine Chance.

Kapitel 59

Allein oder nicht, verloren oder nicht, hungrig und durstig war ich trotzdem. Ich zog an dem Seil. Es hatte eine leichte Spannung. Sobald ich lockerließ, zog es sich wieder glatt, und der Abstand zwischen Floß und Rettungsboot wuchs. Das Rettungsboot bewegte sich also schneller als das Floß und zog es mit sich. Ich nahm diese Tatsache zur Kenntnis, beschäftigte mich aber nicht weiter damit. Ich musste vor Richard Parker auf der Hut sein.

Allem Anschein nach war er unter der Plane.

Ich holte das Seil ein, bis das Floß direkt neben dem

Bug lag. Ich hielt mich am Bootsrand fest. Als ich so kauerte, mich bereitmachte für einen Blitzüberfall auf die Vorräte, brachten mich einige Wellen zum Nachdenken. Mir fiel auf, dass das Rettungsboot die Richtung geändert hatte, seit das Floß unmittelbar daneben schwamm. Es stand jetzt nicht mehr im rechten Winkel zu den Wellen, sondern längsseits dazu und begann zu schlingern; es vollführte genau die Art von Bewegungen, die dem Magen besonders zusetzen. Ich begriff, wie es zu dieser Veränderung gekommen war: Solange das Floß in größerer Entfernung schwamm, hatte es die gleiche Wirkung wie ein Treibanker, es fungierte als Bremse, die an dem Rettungsboot zog und seinen Bug so ausrichtete, dass er rechtwinklig auf die Wellen traf. Wind und Wellen bilden nämlich in der Regel einen rechten Winkel. Wenn also ein Boot zugleich vom Wind angetrieben und von einem Treibanker festgehalten wird, dann dreht es sich so, dass es dem Wind eine möglichst geringe Angriffsfläche bietet – das heißt, es dreht sich, bis es mit ihm eine Linie bildet und im rechten Winkel zu den Wellen steht: Die Folge ist eine Auf- und Ab-Bewegung, ein Stampfen, das sehr viel leichter zu ertragen ist als das seitliche Schlingern und Rollen. Wenn das Floß nun direkt am Boot festmachte, fiel der Bremseffekt weg, und das Boot wurde nicht mehr in den Wind gedreht. Es drehte sich längsseits und schlingerte.

Auf den ersten Blick ein unwesentliches Detail, aber genau diese Erkenntnis sollte mir das Leben retten, und Richard Parker sollte den Tag noch verfluchen, an dem ich darauf kam.

Wie zur Bestätigung hörte ich ihn knurren. Es war ein unglückliches Knurren, etwas, das sich für meine Begriffe grün und seekrank anhörte. Er mochte ein guter Schwimmer sein, aber ein großer Seemann war er nicht.

Ich hatte also doch noch eine Chance.

Damit ich mit meinen Dompteurskünsten nicht allzu übermütig wurde, kam im selben Moment eine leise, doch drohende Warnung. Anscheinend zog Richard Parker Lebenskraft so magnetisch an, war derart charismatisch in seiner Vitalität, dass andere Lebensformen sich in seiner Nähe nicht halten konnten. Ich war eben im Begriff, mich über die Bugwand zu hieven, da hörte ich ein leises Surren und sah etwas Kleines neben mir im Wasser landen.

Es war eine Kakerlake. Einen Augenblick lang schwamm sie an der Oberfläche, dann kam von unten ein hungriges Maul und schnappte sie. Eine zweite Kakerlake landete im Wasser. Innerhalb von einer Minute plumpsten zu beiden Seiten des Bugs etwa zehn Kakerlaken ins Meer. Alle wurden von Fischen geholt.

Die letzten fremden Lebensformen verließen das Schiff.

Ich lugte vorsichtig über den Bootsrand. Das Erste, was ich sah, war eine dicke Kakerlake, die in einer Falte der Plane über der Bugbank saß, vielleicht der Stammvater des Clans. Ich beobachtete sie, seltsam fasziniert. Als sie den Zeitpunkt für gekommen hielt, breitete sie die Flügel aus, erhob sich mit einem leisen Knattern in die Luft, schwebte einen Augenblick lang über dem Rettungsboot, als wolle sie sichergehen, dass niemand zurückgeblieben war, und stürzte sich dann über die Bordwand in den Tod.

Jetzt waren wir nur noch zwei. Innerhalb von fünf Tagen waren die Populationen von Orang-Utans, Zebras, Hyänen, Ratten, Fliegen und Kakerlaken ausgelöscht worden. Abgesehen von den Bakterien und Würmern, die noch in den Tierkadavern hausen mochten, gab es auf diesem Rettungsboot kein lebendiges Wesen mehr außer Richard Parker und mir.

Das war keine angenehme Vorstellung.

Ich richtete mich auf und klappte mit angehaltenem Atem den Deckel zum Stauraum auf. Ich schaute absichtlich nicht unter die Plane, aus Angst, der Blick könne wie ein Ruf wirken und Richard Parkers Aufmerksamkeit erregen. Erst als der Deckel dann an der Plane lehnte, gestattete ich meinen Sinnen das Nachforschen.

Ein Geruch stieg mir in die Nase, der scharfe, äußerst beißende Geruch von Urin, den man aus Raubkatzenkäfigen im Zoo kennt. Tiger sind sehr revierbewusst und markieren die Grenzen ihres Territoriums mit ihrem Urin. Das war eine gute Nachricht im hässlichen Gewand: Der Geruch kam nur aus dem Bereich unter der Plane. Richard Parkers Revieransprüche beschränkten sich offenbar auf den Boden des Rettungsboots. Eine viel versprechende Entwicklung. Wenn es mir gelang, die Plane für mich zu beanspruchen, konnten wir miteinander auskommen.

Ich hielt die Luft an und reckte den Hals, bis ich seitlich am Rand des Deckels vorbeischielen konnte. Am Boden des Rettungsboots schwappte Regenwasser, etwa zehn Zentimeter tief – Richard Parkers persönlicher Süßwasserteich. Er tat genau, was ich an seiner Stelle auch getan hätte: Er suchte Abkühlung im Schatten. Es war ein grässlich heißer Tag. Er lag mit dem Rücken zu mir flach am Boden des Boots, die Hinterbeine gespreizt und weit von sich gestreckt, die Fußsohlen nach oben gedreht. Es war eine lächerliche Stellung, aber zweifellos sehr bequem.

Dann widmete ich mich wieder der Frage des Überlebens. Ich öffnete eine Notration und aß, bis ich satt war, etwa ein Drittel des Päckchens. Es war erstaunlich, wie wenig davon man brauchte, um den Magen zu füllen. Ich war gerade im Begriff, einen Schluck aus dem Regenbehälter zu nehmen, den ich mir über die Schulter gehängt hatte, da fiel mein Blick auf die Trinkbecher mit Maßeinteilung. Wenn ich schon nicht baden konnte, warum sollte ich mich dann nicht wenigstens laben? Meine eigenen Wasservorräte würden schließlich nicht ewig reichen. Ich ergriff einen Becher, beugte mich vor, klappte den Stauraumdeckel gerade so weit wie nötig zurück und tauchte den Becher zitternd in Parkers Teich, gut einen Meter von seinen Hinterbeinen entfernt. Die nach oben gewandten Ballen seiner Pranken mit dem nassen Fell ringsherum sahen aus wie winzige unbewohnte Inseln in einem Gürtel aus Seetang.

Ich ergatterte gut 500 Milliliter. Das Wasser war ein wenig trübe. Kleine Verunreinigungen schwammen darin. Ob ich mir Sorgen machte, dass ich mich mit entsetzlichen Bakterien infizierte? Keinen Gedanken verschwendete ich darauf. Ich dachte nur an meinen Durst. Ich leerte den Becher mit großem Behagen bis auf den Grund.

Gleichgewicht ist der Grundgedanke der Natur, daher überraschte es mich nicht, dass ich fast unmittelbar danach den Drang zum Wasserlassen verspürte. Ich benutzte den Becher zum Auffangen und produzierte exakt die gleiche Menge, die ich eben zu mir genommen hatte, als ob es die Minute dazwischen nie gegeben hätte und ich hielte noch immer das Glas mit Richard Parkers Regenwasser in der Hand. Ich zögerte. Am liebsten hätte ich es gleich noch einmal getrunken. Ich trotzte der Versuchung. Doch es war schwer. Man mag das noch so seltsam finden, aber mein Urin sah köstlich aus! Ich war ja noch nicht so ausgetrocknet wie später, und die Flüssigkeit war hell und klar. Sie funkelte in der Sonne wie ein Glas Apfelsaft. Und sie war garantiert frisch, was man von den Wasserkonserven in meinem Vorrat mit Sicherheit nicht behaupten konnte. Aber stattdessen tat ich etwas Vernünftigeres. Ich versprengte den Urin auf Plane und Stauraumdeckel und meldete damit meine Revieransprüche an.

Ich stahl Richard Parker zwei weitere Becher Wasser, diesmal ohne anschließend zu urinieren. Ich fühlte mich gut, wie eine frisch gegossene Zimmerpflanze.

Jetzt war es an der Zeit, dass ich meine Lage verbesserte. Ich wandte mich dem Inhalt des Stauraums und den vielen Möglichkeiten zu, die er mir eröffnete.

Ich holte ein zweites Seil hervor und vertäute damit das Floß am Rettungsboot.

Ich fand heraus, was eine Solardestille ist. Eine Solardestille ist ein Gerät zum Entsalzen von Meerwasser. Es besteht aus einem aufblasbaren durchsichtigen Kegel, der auf einer Art Schwimmring sitzt, über dessen Mitte ein Stück schwarzes, gummibeschichtetes Segeltuch gespannt ist. Das Ganze arbeitet nach dem Verdunstungsprinzip: Meerwasser, das unter dem abgeschlossenen Kegel auf dem schwarzen Segeltuch steht, wird von der Sonne erhitzt, verdampft und schlägt sich an der Innenseite des Kegels nieder. Dieses salzfreie Wasser läuft an der Kegelwand herab, sammelt sich in einer Rinne am äußeren Rand und tropft von dort in einen Auffangbeutel. Das Rettungsboot war mit zwölf solchen Destilliergeräten ausgerüstet. Ich las die Gebrauchsanweisung sorgfältig durch, wie es im Überlebenshandbuch stand. Dann blies ich alle zwölf Kegel auf und füllte die Schwimmkammern vorschriftsmäßig mit je zehn Litern Meerwasser. Ich band die Destillen aneinander und befestigte ein Ende des kleinen Flottenverbands am Rettungsboot, das andere am Floß. Auf diese Weise würde ich, falls einer der Knoten sich löste, nicht gleich alle Destillen verlieren, und außerdem hatte ich noch ein weiteres Sicherungsseil, das mich mit dem Rettungsboot verband. Die Destilliergeräte sahen hübsch und sehr technisch aus, wie sie so im Wasser schwammen, aber sie wirkten auch zerbrechlich, und ich hatte meine Zweifel, ob man damit tatsächlich Trinkwasser gewinnen konnte.

Als Nächstes widmete ich mich dem Floß. Ich inspizierte jeden einzelnen Knoten, vergewisserte mich noch einmal, dass alles gut festgezurrt war. Nach einigem Überlegen beschloss ich, aus dem fünften Ruder – meiner Fußstütze – eine Art Mast zu machen. Also band ich das Ruder los. Mit der gezahnten Messerklinge schnitt ich auf halber Höhe sorgsam eine Kerbe hinein, und mit der Spitze bohrte ich drei Löcher durch den flachen Teil. Die Arbeit war mühsam, doch befriedigend. Sie hielt meinen Verstand beschäftigt. Als ich fertig war, band ich das Ruder in aufrechter Stellung an die Innenseite einer Floßecke, sodass das Blatt – die Mastspitze – nach oben zeigte und das Stielende unter Wasser verschwand. Das Seil spannte ich fest über die Kerbe, damit das Ruder nicht nach unten rutschte. Anschließend fädelte ich Seile durch die Löcher, die ich in die Mastspitze gebohrt hatte, und verband sie mit den Spitzen der horizontalen Ruder. Auf diese Weise sollte der Mast in seiner aufrechten Stellung verankert werden, und ich bekam Leinen, an denen ich eine Art Dach befestigen und Essensvorräte aufhängen konnte. Die Schwimmweste, die mit der Fußstütze verbunden gewesen war, band ich an den Fuß des Masts. Ihr war eine doppelte Funktion zugedacht: Sie lieferte dem Floß zusätzlich Auftrieb, als Ausgleich für das Gewicht des Masts, und sie ergab einen leicht erhöhten Sitzplatz für mich.

Dann warf ich eine Decke über die gespannten Leinen. Sie rutschte herunter. Der Neigungswinkel war zu steil. Ich faltete die Längsseite der Decke einmal um, schnitt in der Mitte zwei Löcher hinein, im Abstand von etwa dreißig Zentimetern, und verband diese Löcher mit einer Schnur, die ich dadurch erhielt, dass ich ein Stück Seil aufdröselte. Dann warf ich die Decke erneut über die Leinen, nur dass ich sie diesmal mit der Schlaufe am Mast befestigte. Jetzt hatte ich einen Baldachin.

Ich verbrachte fast den ganzen Tag mit Arbeiten am Floß. Es gab so viele Kleinigkeiten zu bedenken. Die See war ruhig, aber trotzdem machten die ständigen Wellenbewegungen mir die Arbeit nicht leichter. Und ich musste Richard Parker im Auge behalten. Das Ergebnis meiner Mühen war keine stolze Galeone. Der so genannte Mast endete wenige Zentimeter über meinem Kopf. Und was das Deck angeht, so war es gerade groß genug, dass ich im Schneidersitz darauf sitzen oder zusammengerollt wie ein Embryo darauf liegen konnte. Aber es war seetüchtig, und es bot Schutz vor Richard Parker.

Als ich meine Arbeiten abgeschlossen hatte, neigte der Nachmittag sich dem Ende zu. Ich holte eine Dose Wasser, einen Dosenöffner, vier Notration-Zwiebacke und vier

Wolldecken. Dann schloss ich den Stauraum (diesmal sehr leise), setzte mich auf das Floß und wickelte die Leine wieder ab. Das Floß entfernte sich vom Rettungsboot. Das Hauptseil spannte sich, das Sicherungsseil hingegen, das ich bewusst länger gelassen hatte, hing durch. Ich legte zwei Decken unter mich, sorgsam zusammengefaltet, sodass sie nicht mit dem Wasser in Berührung kamen. Die beiden anderen wickelte ich mir um die Schultern und lehnte mich gegen den Mast. Ich genoss die leicht erhöhte Position, die mir die zusätzliche Schwimmweste verschaffte. Ich saß zwar kaum höher als jemand, der auf einem dicken Sitzkissen auf dem Fußboden hockt, aber trotzdem hatte ich Hoffnung, dass ich nicht ganz so nass werden würde.

Ich aß mit Vergnügen und beobachtete den Sonnenuntergang bei wolkenlosem Himmel. Es war ein Augenblick der Entspannung. Das Himmelsgewölbe erstrahlte in den herrlichsten Farben. Auch die Sterne wollten ihren Teil dazu beitragen; kaum hatte sich die bunte Decke ein wenig gelüftet, da begannen sie schon auf tiefblauem Untergrund zu funkeln. Es wehte eine sanfte, laue Brise, und die See bewegte sich sanft; die Wellen wirkten wie Tänzer, die bei einem Rundtanz in der Mitte zusammenkommen, die Hände heben und sie dann im Auseinandergehen wieder sinken lassen, und das immer und immer wieder.

Richard Parker hatte sich aufgesetzt. Nur der Kopf und ein Teil seiner Schultern ragten über den Bootsrand. Er blickte sich um. »Hallo, Richard Parker!«, rief ich und winkte. Er sah mich an. Er schnaubte oder nieste, keins dieser Worte gibt den Laut wirklich wieder. Am ehesten war es wohl wieder das Prusten. Was für ein faszinierendes Geschöpf. Was für ein edles Antlitz. Wie passend, dass man ihn auch *Königs*tiger nennt. In gewisser Hinsicht konnte ich mich glücklich schätzen. Ich hätte ebenso gut mit jemandem hier draußen sein können, der lächerlich oder hässlich aussah, einem Tapir oder einem Vogel Strauß oder einer

Truthahnfamilie. Das wäre in mancherlei Hinsicht schwieriger gewesen.

Ich hörte ein Platschen und sah hinunter zum Wasser. Der Anblick verschlug mir den Atem. Ich hatte gedacht, ich sei allein. Die ruhige Luft, das wunderbare Licht, das Gefühl relativer Sicherheit – all das hatte diese Illusion geweckt. In unserer Vorstellung sind ja Stille und Einsamkeit und Frieden untrennbar verbunden. Oder kann man sich vorstellen, dass man ruhig und friedlich in einer belebten U-Bahn-Station sitzt? Was war das also für eine Unruhe dort unten?

Mit einem einzigen Blick erkannte ich, dass der Ozean eine Stadt ist. Direkt unter der Wasseroberfläche und von mir bislang unbemerkt gab es Schnellstraßen, Boulevards, Alleen und Kreisel, mit submarinem Verkehrsgewühl. Unten im Wasser, wo es wimmelte von Plankton, von Millionen durchsichtiger, leuchtender Partikelchen, rasten Fische wie Lastwagen und Busse und Autos und Fahrräder und Fußgänger wild durcheinander, ohne Zweifel begleitet von Hupen und Schimpfen. Die vorherrschende Farbe war Grün. In unterschiedlichen Tiefen, so weit mein Auge reichte, gab es flüchtige Bahnen phosphoreszierender grüner Bläschen, die Spuren dahinflitzender Fische. Sobald eine Spur sich verlor, tauchte eine neue auf. Diese Bahnen kamen von überallher und führten überallhin. Sie glichen den lang belichteten Aufnahmen nächtlicher Straßen, auf denen die Rücklichter der Autos lange roten Streifen hinterlassen. Nur dass die Autos hier über- und untereinander herfuhren, als bewegten sie sich auf zehnstöckigen Straßenkreuzungen. Und hier hatten die Autos die verrücktesten Farben. Die Doraden – es müssen mehr als fünfzig davon unter dem Floß ihre Runden gedreht haben – stellten im Vorbeihuschen stolz ihr leuchtendes Gold, Blau und Grün zur Schau. Andere Fische, die ich nicht identifizieren konnte, waren gelb, braun, silbern, blau, rot, rosa, grün und weiß, in allen möglichen Kombinationen, einfarbig, gestreift und gesprenkelt. Nur die Haie waren zu stur für dieses bunte Spiel. Und wie groß und farbenprächtig ein Fahrzeug auch immer sein mochte, eins blieb immer gleich: der riskante Fahrstil. Es gab viele Zusammenstöße – immer mit Todesopfern, fürchte ich –, und manche Autos gerieten völlig außer Kontrolle und prallten gegen Absperrungen, sie wurden aus dem Wasser geschleudert und fielen in leuchtenden Kaskaden klatschend wieder hinein. Ich betrachtete dieses Chaos wie jemand, der vom Heißluftballon aus auf eine Stadt hinabschaut. Es war ein faszinierendes, Ehrfurcht gebietendes Schauspiel. So ungefähr musste Tokio zur Stoßzeit aussehen.

Ich sah zu, bis die Lichter der Stadt verloschen.

Von der *Tsimtsum* aus hatte ich nur Delphine beobachtet. Ich hatte mir vorgestellt, dass der Pazifik, von vorüberziehenden Fischschwärmen abgesehen, eine dünn besiedelte Wasserwüste war. Seither habe ich gelernt, dass ein solcher Frachter für die Fische einfach zu schnell ist. Von einem fahrenden Schiff aus kann man genauso wenig die Meeresbewohner sehen wie vom Auto auf einer Schnellstraße aus die Tiere des Waldes. Delphine sind schnelle Schwimmer und umspielen Boote und Schiffe, wie Hunde Jagd auf Autos machen: sie verfolgen sie, bis sie nicht mehr mithalten können. Wer Tiere beobachten will, muss in den Wald gehen und mucksmäuschenstill sein. Und genauso ist es mit dem Meer. Nur wer den Pazifik sozusagen zu Fuß überquert, wird seinen Reichtum entdecken.

Ich legte mich auf die Seite. Zum ersten Mal seit fünf Tagen fühlte ich ein gewisses Maß an Ruhe. Ein Hoffnungsschimmer – hart erarbeitet, wohlverdient, gut begründet – glomm in mir. Ich schlief ein.

Kapitel 60

Einmal erwachte ich in der Nacht. Ich schob meinen Bettvorhang beiseite und sah hinaus. Der Mond stand als scharf umrissene Sichel am kristallklaren Himmel. Die Sterne schienen mit solch vehementer, konzentrierter Macht, dass es abwegig schien, die Nacht dunkel zu nennen. Die See lag still da, gebadet in ein scheues, leichtfüßiges Licht, ein Ballett aus Schwarz und Silber, das rund um mich wogte bis ins Unendliche. Unermesslich schien der Himmel über und der Ozean unter mir. Halb war ich fasziniert gebannt, halb vor Schrecken starr. Ich fühlte mich wie der heilige Markandeya, der dem schlafenden Vishnu aus dem Munde fiel und so das gesamte Universum bis in die kleinste Kleinigkeit erblickte. Beinahe wäre der Heilige vor Schrecken gestorben, doch im letzten Augenblick erwachte Vishnu und holte ihn zurück in seinen Mund. Zum ersten Mal wurde mir wirklich bewusst – und im Laufe meiner Meerfahrt sollte es mir noch oft aufgehen, immer wenn zwischen zwei Höhepunkten der Qual eine kleine Flaute kam –, auf welch grandioser Bühne das Drama meiner Leiden sich vollzog. Ich begriff, wie klein und unbedeutend mein Unglück war, und ich verstummte. In einer solchen Szenerie war mein Leiden kleinlich. Das sah ich ein, dagegen gab es keinen Widerspruch. (Erst bei Tag kamen die Proteste: »Nein! Nein! Nein! Mein Leiden *ist* von Bedeutung. Ich will leben! Das Leben ist wie ein Blick durchs Schlüsselloch, ein winziger Zipfel der Unendlichkeit, den wir erhaschen – was soll ich denn anderes tun als mich an diesen einen, kurzen Augenblick zu klammern? Das Schlüsselloch ist doch alles, was ich habe!«) Ich murmelte muslimische Gebetsworte und schlief wieder ein.

Kapitel 61

Am nächsten Morgen war ich nicht allzu durchnässt und fühlte mich erholt. Und das trotz der Anstrengungen der letzten Tage und obwohl ich nur sehr wenig gegessen hatte.

Es war ein schöner Tag. Ich nahm mir vor, mein Glück beim Fischen zu versuchen – zum ersten Mal im Leben. Mein Frühstück bestand aus drei Schiffszwiebacken und einer Dose Wasser; anschließend las ich, was das Überlebenshandbuch zum Thema Fischen zu sagen hatte. Und stand gleich vor dem ersten Problem: Köder. Ich überlegte. Ich hatte natürlich die toten Tiere. Aber einem Tiger das Futter unter der Nase wegzuziehen war ein Unternehmen, dem ich mich nicht gewachsen fühlte. Er würde nicht begreifen, dass es eine Investition war, die gute Rendite versprach. Also beschloss ich, meinen Lederschuh zu nehmen. Ich hatte nur noch einen. Den anderen hatte ich beim Schiffbruch verloren.

Ich kletterte vorsichtig an Bord und holte aus dem Stauraum eine Angelrute, das Messer sowie einen Eimer für den Fang. Richard Parker lag auf der Seite. Sein Schwanz erwachte zum Leben, als ich mich im Bug zu schaffen machte, aber sein Kopf rührte sich nicht. Ich kehrte zurück aufs Floß und ließ es ein Stück weiter abdriften.

Ich befestigte den Angelhaken an einem Vorfach aus Draht und band dies an die Angelschnur. Danach beschwerte ich das Ganze mit Bleigewichten. Die drei, die ich auswählte, hatten eine lustige Torpedoform. Ich zog meinen Schuh aus und zerschnitt ihn. Es ging sehr schwer; das Leder war zäh. Sorgsam bohrte ich den Haken in ein flaches Stück Leder, nicht einfach hindurch, sondern so tief hinein, dass die Spitze des Hakens nicht zu sehen war. Ich ließ die Schnur hinunter. Am Abend zuvor hatte ich so viele Fische gesehen, dass ich mit baldigem Erfolg rechnete.

Doch der ließ auf sich warten. Stück für Stück verschwand der ganze Schuh, wieder und wieder spürte ich ein leichtes Zerren an der Schnur, wieder und wieder machte sich ein Fisch froh und unbeschadet mit seiner Beute davon, wieder und wieder zog ich den bloßen Haken aus dem Wasser, bis von meinem Schuh nur noch die Gummisohle und der Schnürsenkel übrig waren. Nachdem der Schnürsenkel sich als wenig überzeugender Regenwurm erwiesen hatte, versuchte ich es aus schierer Verzweiflung mit der Sohle, unzerschnitten an einem Stück. Das war ein Fehler. Ich spürte ein leichtes, viel versprechendes Rucken, dann fühlte sich die Schnur plötzlich ganz leicht an. Als ich sie einzog, war nur noch die Schnur da; der Rest war verschwunden.

Der Verlust traf mich nicht allzu hart. Schließlich gehörten zu dem Satz noch andere Haken und Gewichte, und die zweite Angelausrüstung war auch noch da. Außerdem angelte ich nicht einmal für mich selbst. *Meine* Nahrungsvorräte waren noch längst nicht erschöpft.

Dennoch tadelte mich ein Teil meines Verstands – der Teil, der immer das ausspricht, was wir nicht hören wollen. »Dummheit hat ihren Preis. Beim nächsten Mal solltest du mehr Sorgfalt und Umsicht walten lassen.«

Später am Vormittag tauchte zum zweiten Mal eine Schildkröte auf. Sie schwamm ganz nah an das Floß heran. Wenn sie gewollt hätte, hätte sie sich recken und mich in den Hintern beißen können. Als sie sich abwandte, griff ich nach ihrer Flosse, doch bei der ersten Berührung zuckte ich angewidert zurück. Die Schildkröte schwamm davon.

Die Stimme, die mich schon für das Ungeschick mit der Angel getadelt hatte, meldete sich wieder zu Wort. »Womit willst du deinen Tiger füttern? Was glaubst du, wie lange ihm die drei toten Tiere noch reichen? Muss ich dich tatsächlich daran erinnern, dass Tiger keine Aasfresser sind? Gut, wenn ihm der Magen knurrt, wird er nicht wählerisch sein. Aber bevor er ein halb verwestes, aufgedunsenes Zebra anrührt, hält er sich doch lieber an den saftigen kleinen Inder direkt vor seiner Nase, meinst du nicht? Und wie steht's mit Wasser? Du weißt doch, wie unleidlich ein durstiger Tiger wird. Hast du in letzter Zeit mal seinen Atem gerochen? Er stinkt erbärmlich. Das ist ein schlechtes Zeichen. Hoffst du am Ende, dass er den Pazifik aussäuft, damit du zu Fuß nach Amerika gehen kannst? Schon erstaunlich, dass bengalische Tiger bis zu einem gewissen Grade die Fähigkeit entwickelt haben, Salz auszuscheiden. Das kommt wohl daher, dass sie in den Mangrovensümpfen an der Küste leben. Aber eben nur bis zu einem gewissen Grade. Heißt es nicht auch, dass ein Tiger, der zu viel Salzwasser trinkt, zum Menschenfresser wird? Oh, sieh nur. Wenn man vom Teufel spricht. Schau ihn dir an. Er gähnt. Donnerwetter, was für eine riesige rosa Höhle. Und die Stalagmiten und Stalaktiten darin, lang und gelb. Vielleicht kannst du sie dir ja demnächst von nahem ansehen.«

Richard Parker zog seine Zunge zurück – sie war groß und rot wie eine Gummiwärmflasche – und schloss das Maul. Er schluckte.

Den Rest des Tages war ich krank vor Sorge. Ich mied das Rettungsboot. Entgegen meinen eigenen düsteren Prophezeiungen blieb Richard Parker bemerkenswert ruhig. Er hatte noch genug Regenwasser, und der Hunger schien ihn nicht übermäßig zu plagen. Aber er stieß allerlei Tigerlaute aus – Knurren und Stöhnen und dergleichen mehr –, die nicht gerade zu meiner Beruhigung beitrugen. Eine unlösbare Aufgabe: Zum Fischen brauchte ich Köder, aber Köder hatte ich erst, wenn ich Fisch hatte. Was sollte ich tun? Mir eine Zehe abschneiden? Ein Ohr?

Die Lösung kam am späten Nachmittag, und unerwarteter hätte sie kaum sein können. Ich hatte mich wieder an das Rettungsboot angenähert. Mehr noch: Ich war an Bord geklettert und durchwühlte den Stauraum, fieberhaft auf der Suche nach einer lebensrettenden Idee. Ich hatte das Floß so festgebunden, dass es etwa zwei Meter vom Boot entfernt lag. Wenn ich sprang und sofort Leine gab, konnte ich mich notfalls vor Richard Parker in Sicherheit bringen, dachte ich. Die Verzweiflung hatte mich dazu getrieben, dass ich ein solches Risiko einging.

Als ich nichts fand, weder Köder noch eine neue Idee, richtete ich mich auf – und stellte fest, dass er mich geradewegs anstarrte. Er saß am anderen Ende des Rettungsboots, da wo vorher das Zebra gewesen war, und hatte allem Anschein nach seelenruhig abgewartet, bis ich ihn bemerkte. Wieso hatte ich nicht gehört, dass er sich regte? Wie konnte ich mir einbilden, ich könnte ihn überlisten? Plötzlich traf mich ein heftiger Schlag ins Gesicht. Ich schrie auf und schloss die Augen. Mit einem Raubtiersatz war er ans andere Ende des Rettungsboots gesprungen und hatte mir einen Hieb versetzt. Er würde mir das Gesicht zerfleischen – so grausam würde ich sterben. Der Schmerz war so stark, dass ich nichts spürte. Dem Himmel sei Dank für den Schock. Dem Himmel sei Dank für das in uns, was uns vor übergroßem Schmerz und Kummer bewahrt. Mitten im Herzen des Lebens sitzt ein Sicherungskasten. »Nun mach schon, Richard Parker, töte mich. Tu was du tun musst«, hauchte ich, »aber bitte tu es schnell. So eine Sicherung hält nicht ewig.«

Er ließ sich Zeit. Er war direkt vor mir und machte seltsame Geräusche. Bestimmt hatte er den Stauraum und seinen Inhalt entdeckt. Voller Angst schlug ich ein Auge auf.

Es war ein Fisch. Im Stauraum lag ein Fisch. Er zappelte auf dem Trockenen. Er war etwa dreißig Zentimeter lang und hatte Flügel. Ein Fliegender Fisch. Schlank und graublau, mit trockenen, federlosen Flügeln und runden, lidlosen, gelblichen Augen. Der Fisch hatte mir ins Gesicht geschlagen, nicht Richard Parker. Der saß noch immer in drei Metern Entfernung und wunderte sich zweifellos über mein merkwürdiges Benehmen. Aber er hatte den Fisch gesehen. Gespannte Neugier spielte auf seinen Zügen. Er schien im Begriff, die Lage zu erkunden.

Ich bückte mich, hob den Fisch auf und schleuderte ihn zu ihm hinüber. So würde ich ihn zähmen! Erst eine Ratte, jetzt ein Fliegender Fisch. Doch leider konnte der Fliegende Fisch fliegen. Mitten in der Luft, unmittelbar vor Richard Parkers weit aufgerissenem Maul, schlug der Fisch plötzlich einen Haken und stürzte sich ins Meer. Es geschah blitzartig. Richard Parker drehte den Kopf zur Seite und schnappte, seine Kiefer schlugen aufeinander, aber der Fisch war zu schnell. Er blickte verblüfft und missmutig drein. Er wandte sich wieder mir zu. »Wo ist mein Leckerbissen?«, schien er zu fragen. Angst und Verzagtheit packten mich. Ich wandte mich um in der halbherzigen Hoffnung, ich könne das Floß erreichen, bevor er zum Sprung ansetzte.

Im selben Augenblick schien die Luft zu beben, und wir steckten mitten in einem Schwarm Fliegender Fische. Sie brachen über uns herein wie die Heuschrecken. Es war nicht nur die große Zahl; auch das Geräusch ihrer raschelnden, schwirrenden Flügel erinnerte an Insekten. Sie kamen zu Dutzenden aus dem Wasser geschossen, und manche flatterten über hundert Meter weit durch die Luft. Viele tauchten unmittelbar vor dem Boot wieder ins Wasser. Einige segelten geradewegs darüber hinweg. Einige prallten gegen die Seiten, und es klang wie explodierende Knallfrösche. Einige fanden nach einem kleinen Hopser auf der Plane den Weg zurück ins Wasser. Andere hatten weniger Glück und landeten mitten im Boot, wo sie verzweifelt flatterten und zappelten und spritzten. Wieder andere stießen direkt mit uns zusammen. Ungeschützt, wie ich dastand, kam ich mir wie der heilige Sebastian vor. Jeder Fisch, der mich traf, war wie ein Pfeil in meinem Fleische. Ich versuchte, mich mit einer Decke zu schützen und gleichzeitig ein paar von den Fischen zu fangen. Ich trug Schrunden und blaue Flecken am ganzen Körper davon.

Den Grund für die Aufregung sahen wir sogleich: Doraden jagten blitzschnell ihrer Beute nach. Diese weit größeren Fische konnten zwar nicht fliegen, aber sie waren schnelle Schwimmer, und ihre kurzen Sprünge waren sehr kraftvoll. Wenn sie unmittelbar hinter ihnen waren, im gleichen Moment aus dem Wasser schnellten und in die gleiche Richtung sprangen, konnten sie die Fliegenden Fische fangen. Haie waren ebenfalls zur Stelle; auch sie sprangen aus dem Wasser, nicht so elegant, aber mit fatalen Folgen für einige Doraden. Das ganze Chaos war binnen kurzem vorüber, aber solange es anhielt, kochte und brodelte die See, Fische sprangen und Mäuler schnappten erbarmungslos zu.

Richard Parker ließ sich von dem Ansturm der Fische weniger aus der Ruhe bringen als ich, und er war weitaus erfolgreicher. Er richtete sich auf und konzentrierte sich ganz darauf, so viele Fische wie möglich mit seinen Pranken und Zähnen zu fangen. Viele verschlang er bei lebendigem Leibe, unbeirrt von den Flügeln, die noch im Maul flatterten. Es war atemberaubend, mit welcher Kraft und Schnelligkeit er zuschlug. Genauer gesagt war es weniger die Geschwindigkeit als vielmehr die traumwandlerische Sicherheit des Tieres, die so eindrucksvoll war, sein völliges Aufgehen im Augenblick. Um eine solche Mischung aus Leichtigkeit und Konzentration, ein solches In-der-Gegenwart-Sein hätten ihn selbst die weisesten Yogis beneidet.

Als der Spuk vorbei war, war ich geschunden am ganzen Leib, im Stauraum lagen sechs Fliegende Fische und eine weit größere Zahl im Rettungsboot. Rasch wickelte ich einen Fisch in eine Decke, schnappte mir ein Beil und kletterte auf das Floß.

Ich ging mit größter Umsicht zu Werke. Der Misserfolg des Vormittags hatte mich ernüchtert. Noch so einen Fehler konnte ich mir nicht leisten. Behutsam wickelte ich den Fisch aus und hielt ihn mit einer Hand fest, denn mir war klar, dass er versuchen würde, sich durch einen Sprung zu retten. Je näher der Augenblick der Enthüllung rückte, desto größer meine Angst und mein Ekel. Der Kopf des Fisches kam zum Vorschein. So wie ich ihn hielt, sah er wie eine Kugel widerliches Fisch-Eis auf einem wollenen Waffelhörnchen aus. Das Ding schnappte nach Wasser, Maul und Kiemen öffneten und schlossen sich langsam. Ich spürte den Druck seiner Flügel in meiner Hand. Ich nahm den umgestülpten Eimer als Hackklotz und legte seinen Kopf oben darauf. Ich packte das Beil. Ich hob es empor.

Mehrmals holte ich mit dem Beil aus, aber ich konnte einfach nicht zuschlagen. Nach allem, was ich in den Tagen zuvor erlebt hatte, mögen solche Gefühlsanwandlungen lächerlich wirken, aber das waren die Taten anderer gewesen, Taten von Raubtieren. Man konnte sagen, dass ich mitverantwortlich für den Tod der Ratte war, aber ich hatte sie nur geworfen; getötet hatte Richard Parker sie. Mein ganzes bisheriges Leben als friedfertiger Vegetarier stand zwischen mir und der gezielten Enthauptung dieses Fisches.

Ich bedeckte den Fischkopf mit der Decke und drehte das Beil um. Wieder schwebte meine Hand in der Luft. Der Gedanke, dass ich mit einem Hammer auf einen weichen, lebendigen Kopf einschlagen sollte, war unerträglich.

Ich legte das Beil zur Seite. Ich würde dem Fisch den Hals brechen und dabei nicht hinsehen. Ich wickelte ihn fest in die Decke. Mit beiden Händen bog ich das Päckchen. Je mehr Druck ich ausübte, desto heftiger zappelte der Fisch. Ich stellte mir vor, wie ich mich fühlen würde, wenn ich in eine Decke gewickelt wäre und jemand versuchte, mir das Genick zu brechen. Ich war entsetzt. Mehrmals gab ich auf. Und doch wusste ich, dass ich es tun musste, und je länger ich wartete, desto länger dauerten die Qualen des Fischs.

Mit tränenüberströmten Wangen trieb ich mich an, bis ich endlich ein Knacken hörte und der Überlebenskampf in meinen Händen endete. Ich zog die Decke beiseite. Der Fliegende Fisch war tot. Der Kopf war auf einer Seite aufgeplatzt und blutig, da wo die Kiemen waren.

Ich weinte bitterlich um diese arme verstorbene Seele.

Es war das erste fühlende Wesen, das ich getötet hatte. Ich hatte getötet. Ich war schuldig geworden wie Kain. Ich war sechzehn Jahre alt, ein harmloser Junge, fromm und weltfremd, und jetzt klebte Blut an meinen Händen. Das ist eine entsetzliche Bürde. Jedes fühlende Wesen ist heilig. Bis heute schließe ich diesen Fisch in alle meine Gebete ein.

Danach war es leichter. Jetzt wo er tot war, sah der Fliegende Fisch nicht anders aus als die Fische auf dem Markt in Pondicherry. Er war etwas anderes, etwas, das außerhalb des großen Schöpfungsplans stand. Ich hackte ihn in Stücke und legte sie in den Eimer.

Als der Tag sich seinem Ende zuneigte, versuchte ich erneut mein Glück mit dem Fischen. Anfangs erging es mir nicht besser als am Morgen. Aber der Erfolg schien nur eine Frage der Zeit. Die Fische knabberten eifrig an dem Köder. Ihr Interesse war unverkennbar. Mir ging auf, dass es kleine Fische waren, zu klein für den Haken. Also warf ich meine Angel weiter aus und ließ sie tiefer ins Wasser sinken, jenseits der Reichweite der kleineren Fische, die sich rings um das Floß und das Rettungsboot scharten.

Schließlich hatte ich meinen ersten Erfolg. Ich hatte den Kopf des Fliegenden Fisches als Köder genommen und nur ein Gewicht angehängt, und nach dem Auswerfen zog ich die Schnur rasch wieder zurück, sodass der Fischkopf über die Wellen hüpfte. Eine Dorade schoss heran und schnappte nach dem Fischkopf. Ich ließ die Schnur ein wenig locker, weil ich sichergehen wollte, dass sie den Köder tatsächlich verschluckte, bevor ich dann mit kräftigem Ruck wieder zu mir hinzog. Die Dorade schnellte aus dem Wasser und zerrte so heftig an der Schnur, dass sie mich beinahe vom Floß gerissen hätte. Ich stemmte mich dagegen. Die Schnur war zum Zerreißen gespannt. Es war eine gute Angelschnur; sie würde nicht reißen. Ich begann meinen Fang einzuholen. Die Dorade kämpfte mit aller Kraft, sie sprang und tauchte und zappelte. Die Angelschnur schnitt mir in die Hände. Ich schützte meine Hände mit der Decke. Mein Herz hämmerte. Der Fisch war so stark wie ein Ochse. Allmählich kamen mir Zweifel, ob es mir wirklich gelingen würde, ihn aus dem Wasser zu ziehen.

Mir fiel auf, dass alle anderen Fische rings um das Boot und das Floß verschwunden waren. Zweifellos hatten sie bemerkt, in welcher Gefahr die Dorade war. Ich musste mich beeilen. Der Kampf würde Haie anlocken. Aber die Dorade wehrte sich wie der Teufel. Meine Arme schmerzten. Jedes Mal wenn ich sie in der Nähe des Floßes hatte, schlug sie mit solcher Wucht um sich, dass ich wieder Schnur nachlassen musste, ob ich wollte oder nicht.

Aber schließlich gelang es mir, meinen Fang an Bord zu ziehen. Er war über einen Meter lang, viel zu groß für meinen Eimer. Bestenfalls hätte die Dorade ihn sich als Hut überstülpen können. Mit Knien und beiden Händen hielt ich den Fisch fest. Es war eine einzige zuckende Muskelmasse, so lang, dass der Schwanz noch unter mir hervorschaute und heftig gegen das Floß schlug. Ich kam mir vor wie ein Rodeoreiter, der einen wilden Mustang bezwingen will. Ich war in ausgelassener Stimmung, vom Sieg berauscht. Die Dorade ist ein wunderschöner Fisch, groß, fleischig und schlank, mit einer gewölbten Stirn, die auf starken Charakter schließen lässt, einer sehr langen Rückenflosse, stolz wie ein Hahnenkamm, und einem glatten, glänzenden Schuppenkleid. Mir war, als hätte ich dem Schicksal einen Schlag versetzt, als ich einen solchen Gegner bezwang. Mit diesem Fisch rächte ich mich an der See, am Wind, an Schiffsuntergängen, an allen Umständen, die sich gegen mich verschworen hatten. »Ich danke dir, Vishnu, ich danke dir!«, rief ich. »Einst hast du in Gestalt eines Fisches die Welt gerettet. Jetzt kommst du als Fisch zu mir und rettest *mich*. Ich danke dir, ich danke dir!«

Das Töten war einfach. Ich hätte mir die Mühe erspart – schließlich war der Fisch für Richard Parker bestimmt, und der hätte es auf seine bewährte Art erledigt –, hätte nicht der Angelhaken in dem Fischmaul gesteckt. Eine Dorade an der Angel, da hatte ich allen Grund zum Jubeln – aber wenn an dem Haken ein Tiger hing, sah das anders aus. Ich rückte dem Problem sogleich zu Leibe. Ich packte das Beil mit beiden Händen und schlug es dem Fisch mit der stumpfen Seite heftig auf den Kopf. (Ich brachte es immer noch nicht fertig, die Seite mit der Klinge zu nehmen.) Im Todeskampf ging mit der Dorade etwas Unglaubliches vor: Sie leuchtete in rascher Folge in allen erdenklichen Farben. Blau, Grün, Rot, Gold und Violett huschten wie Neonblitze über den sterbenden Körper. Mir war, als erschlüge ich einen Regenbogen. (Später erfuhr ich, dass die Dorade berühmt ist für dieses Farbenspiel im Augenblick des Todes.) Als der Fisch endlich reglos, matt und grau vor mir lag, konnte ich den Haken herausziehen. Es gelang mir sogar, einen Teil meines Köders zu retten.

Man mag sich wundern, dass jemand, der noch kurz zuvor den Tod eines Fliegenden Fisches beweint hatte, nun plötzlich voller Genugtuung eine Dorade totschlagen konnte. Ich könnte es damit erklären, dass mich die skrupellose Art bekümmerte, in der ich den Navigationsfehler eines Fliegenden Fisches ausnutzen wollte, dass der mannhafte Fang einer Dorade hingegen mir Optimismus und Selbstsicherheit verlieh. Aber das ist nicht die Wahrheit. Die Erklärung ist einfach und hart: Der Mensch gewöhnt sich an alles, sogar an das Töten.

Von Jagdstolz erfüllt zog ich das Floß näher an das Rettungsboot heran. Ich brachte es längsseits und duckte mich. Mit einer schwungvollen Armbewegung schleuderte ich die Dorade ins Boot. Sie landete mit einem lauten Klatschen, das Richard Parker mit einem überraschten *Wuff* quittierte. Er schnüffelte ein- oder zweimal vernehmlich, dann hörte ich das schmatzende Mahlen seiner Kiefer. Ich stieß mich ab, jedoch nicht ohne vorher mehrmals kräftig die Trillerpfeife zu blasen, damit Richard Parker auch wusste, wer ihn so großzügig mit frischer Nahrung bewirtet hatte. Außerdem holte ich mir einige Zwiebacke und eine Dose Wasser. Die fünf Fliegenden Fische im Stauraum waren tot. Ich riss ihnen die Flügel ab, warf sie fort und wickelte die Fische in die Fischdecke, wie ich sie nun nannte.

Bis ich mir das Blut abgewaschen, mein Angelgerät gereinigt und verstaut und zu Abend gegessen hatte, war die Nacht hereingebrochen. Mond und Sterne verbargen sich hinter einem dünnen Wolkenschleier, und es war stockfinster. Ich war müde, aber noch immer aufgewühlt von den Ereignissen der vergangenen Stunden. Dass ich mir eine Aufgabe gestellt hatte, hatte mir gut getan; ich war so vertieft gewesen, dass ich nicht eine Minute lang an meine schlimme Lage oder an mich selbst gedacht hatte. Kein Zweifel: Fischen war ein besserer Zeitvertreib als Geschichtenerzählen oder »Ich sehe was, was du nicht siehst«. Am Morgen würde ich weiterfischen, sobald es hell genug war.

Ich schlief ein, in Gedanken immer noch bei den Chamäleontönen, dem schimmernden Farbenspiel der sterbenden Goldmakrele.

Kapitel 62

In der Nacht wurde ich immer wieder wach. Als sich der Sonnenaufgang schon ankündigte, gab ich die Hoffnung auf, dass ich noch einmal einschlafen würde, und stützte mich mit beiden Ellenbogen auf. Ich hielt mir die Hände vor die Augen, und als ich sie fortzog, sah ich einen Tiger. Richard Parker war nervös. Er brummte und grollte und strich im Boot auf und ab. Es war beunruhigend. Ich überlegte, was ihn irritierte. Hungrig konnte er nicht sein. Jedenfalls nicht so hungrig, dass es gefährlich wurde. Durst vielleicht? Manchmal ließ er die Zunge heraushängen, aber nicht immer, und er hechelte auch nicht. Seine Pranken und sein Bauch waren noch feucht. Wenn auch nicht mehr vom Wasser gekühlt. Wahrscheinlich stand nicht mehr viel Wasser am Bootsboden. Bald würde er Durst bekommen.

Ich sah hinauf zum Himmel. Die Wolkendecke war wieder verschwunden. Von ein paar Federwölkchen am Horizont abgesehen, war der Himmel ringsum klar. Auch diesmal würde es ein heißer Tag werden, ohne einen Tropfen Regen. Die See hob und senkte sich bleiern, als sei sie schon jetzt von der erst aufkommenden Hitze erschöpft.

Ich lehnte mich an den Mast und überlegte, was ich tun konnte. Zwieback und Angelrute sorgten dafür, dass wir nicht ganz ohne Nahrung waren. Knapp war das Wasser. Das, was uns in solchem Übermaß umgab, nur leider mit Salz verdorben, war zugleich das, woran es uns am meisten mangelte. Vielleicht konnte ich ein wenig Salzwasser in sein Trinkwasser mischen, aber dazu musste ich erst einmal genug Trinkwasser haben. Für zwei würde das Dosenwasser nicht lange reichen – und um ehrlich zu sein wollte ich nicht einmal eine einzige Dose mit Richard Parker teilen –, und sich auf Regenwasser zu verlassen, wäre die reine Dummheit gewesen.

Die einzige andere Trinkwasserquelle waren die Solardestillen. Ich warf einen zweifelnden Blick hinüber. Immerhin schwammen sie jetzt schon seit zwei Tagen dort draußen. Eine von ihnen sah ein wenig schlaff aus. Ich holte das Seil ein und kümmerte mich darum. Ich blies den Kegel wieder auf. Ohne große Hoffnung angelte ich unter der runden Schwimmkammer nach dem Beutel für das Destillat. Doch meine Finger spürten etwas unerwartet Dickes. Ich zitterte vor Aufregung. Ich rief mich zur Ordnung. Wahrscheinlich war es nur Salzwasser, das hineingesickert war. Ich nahm den Sack vom Haken und kippte, genau nach Anweisung, die Apparatur, damit auch das letzte Wasser unter dem Kegel noch hineinlief. Dann schloss ich die beiden kleinen Hähne, die den Sack mit dem Verdunster verbanden, löste ihn und zog ihn aus dem Wasser. Es war ein länglicher Beutel aus dickem, weichem, gelben Plastik mit einer Maßskala auf einer Seite. Ich probierte das Wasser. Ich probierte noch einmal. Es war Süßwasser.

»Heilige Seekuh!«, rief ich der Solardestille zu. »Du hast Milch gegeben. Und wie köstlich sie schmeckt! Etwas nach Gummi, aber wer wollte da klagen? Sieh nur, wie ich trinke!«

Ich trank den ganzen Beutel aus. Er hatte ein Fassungsvermögen von einem Liter und war beinahe voll. Eine kurze Zeit der Seufzer, des Glücks, der Zufriedenheit mit geschlossenen Augen, dann klemmte ich den Beutel wieder an. Ich sah bei den anderen nach. Jede Destille hatte einen ähnlich vollen Euter. Ich sammelte die Milch, über acht Liter, in meinem Fischeimer. Mit einem Male waren diese so wenig versprechenden Apparate mir so lieb wie einem Bauern sein Milchvieh. So wie sie schwammen, in einem friedlichen Bogen, sahen sie sogar wie Kühe auf der Wiese aus. Ich fütterte und pflegte sie, ich sorgte dafür, dass in jeder genug Meerwasser war und dass die Kegel und Kammern zu genau der richtigen Größe aufgepustet waren.

Ich mischte dem Inhalt des Eimers ein wenig Meerwasser bei, und dann stellte ich ihn auf die Seitenbank knapp hinter der Plane. Jetzt wo die Kühle des Morgens vorüber war, hatte Richard Parker es sich gewiss unten bequem gemacht. Mit einem Stück Seil band ich den Eimer an einem der Haken für die Plane fest. Ich riskierte einen Blick über die Bordwand. Er lag auf der Seite. Es sah übel bei ihm aus. Die toten Tiere lagen alle auf einem Haufen, eine groteske Ansammlung von halbverfaulten Kadaverteilen. Ein oder zwei Beine und ein paar Fellfetzen waren noch zu erkennen, ein Stück Kopf, eine große Anzahl Knochen. Der Boden war mit den Flügeln von Fliegenden Fischen übersät.

Ich zerteilte einen aus meinem eigenen Fischvorrat und warf ein Stück auf die Seitenbank. Als ich aus dem Stauraum geholt hatte, was ich für den Tag brauchte, und bereit zum Aufbruch war, warf ich ein weiteres Stück über die

Plane, und zwar so, dass es direkt vor Richard Parkers Nase fiel. Der gewünschte Effekt stellte sich ein. Als ich mit dem Floß davondriftete, sah ich, wie er unter der Plane hervorkam, um seinen Fischbissen zu holen. Er sah sich um und entdeckte den zweiten sowie den neuen Gegenstand daneben. Er richtete sich auf. Nun stand er mit dem gewaltigen Kopf über dem Eimer. Ich befürchtete, dass er ihn umkippen würde. Sein Gesicht, das knapp hineinpasste, verschwand darin, und ich hörte, wie er das Wasser aufleckte. Binnen kurzem ruckte der leere Eimer mit jedem Zungenschlag. Als er aufblickte, starrte ich ihm trotzig in die Augen und blies ein paarmal auf der Trillerpfeife. Er zog sich unter die Plane zurück.

Mit jedem Tag, ging mir auf, sah das Rettungsboot einem Zoogehege ähnlicher: Richard Parker hatte seinen Rückzugsbereich, in dem er schlafen und ruhen konnte, seine Futterstelle, seinen Ausguck und jetzt sogar sein Wasserloch.

Die Temperatur stieg. Die Hitze stach. Ich verbrachte den Rest des Tages unter meinem Baldachin und fischte. Anscheinend war jene erste Dorade Anfängerglück gewesen. Ich fing den ganzen Tag über nichts, nicht einmal am späten Nachmittag, wo die Meeresbewohner mich nur so umschwärmten. Eine Schildkröte kam vorbei, eine andere Art als die vorigen; es war eine grüne Meeresschildkröte, rundlicher und mit glatterem Panzer, aber auf ihre distanzierte Art genauso neugierig wie die Karettschildkröte. Wieder ließ ich sie ziehen, aber ich sagte mir noch einmal, dass das anders werden musste.

Das einzig Gute an der Hitze des Tages war, dass die Solardestillen einen prachtvollen Anblick boten. Jeder Kegel war an der Innenseite voller Kondenströpfchen, und das Wasser lief in Bächlein hinunter.

Der Tag ging zu Ende. Ich rechnete nach: Am nächsten Morgen war es eine Woche her, dass die *Tsimtsum* gesunken war.

Kapitel 63

Die Familie Robertson überlebte achtunddreißig Tage auf hoher See. Kapitän Bligh und seine Gefährten überlebten nach der berühmten Meuterei auf der *Bounty* siebenundvierzig Tage. Steven Callahan überlebte sechsundsiebzig. Owen Chase, dessen Bericht über den Untergang des Walfängers *Essex* nach dem Zusammenstoß mit einem Wal Herman Melville zu seinem Roman inspirierte, überlebte dreiundachtzig Tage auf See, zusammen mit zwei Gefährten und mit einem einwöchigen Zwischenstop auf einer unwirtlichen Insel. Die Familie Bailey überlebte 118 Tage. Ein Matrose der koreanischen Handelsmarine namens Poon soll in den fünfziger Jahren sogar 173 Tage auf dem Pazifik überlebt haben.

Ich überlebte 227 Tage. So lang dauerte meine Prüfung, mehr als sieben Monate.

Ich machte mir Beschäftigung. Das war ein Schlüssel zum Überleben. Auf einem Rettungsboot, sogar auf einem Floß, gibt es immer etwas zu tun. Mein normaler Tagesablauf, falls man bei einem Schiffbrüchigen von so etwas sprechen kann, sah etwa folgendermaßen aus:

Sonnenaufgang bis mittlerer Vormittag:
    aufwachen
    beten
    Frühstück für Richard Parker
    Floß und Rettungsboot gründlich inspizieren, dabei
        besonderes Augenmerk auf Knoten und Taue
    Destilliervorrichtungen warten (auswischen,
        aufblasen, Wasser nachfüllen)
    Frühstück und Überprüfung der Lebensmittelvorräte
    fischen und gegebenenfalls Fang verarbeiten (Fisch
        ausnehmen, reinigen, in Streifen schneiden und
        zum Trocknen in die Sonne hängen)

Mittlerer Vormittag bis später Nachmittag:
  beten
  leichtes Mittagessen
  ausruhen und leichtere Tätigkeiten (Tagebuch
    schreiben, Wunden und Verletzungen versorgen,
    Ausrüstung pflegen, im Stauraum herumkramen,
    intensive Beobachtung von Richard Parker,
    Schildkrötenknochen säubern usw.)

Spätnachmittag bis früher Abend:
  beten
  fischen und Fisch verarbeiten
  zum Trocknen aufgehängte Fischstreifen versorgen
    (wenden, verdorbene Teile abschneiden)
  Essensvorbereitung
  Abendessen für mich und Richard Parker

Sonnenuntergang:
  Floß und Rettungsboot gründlich inspizieren
    (nochmals Knoten und Taue überprüfen)
  gewonnenes Trinkwasser aus den Destilliervorrich-
    tungen sammeln und verstauen
  alle Nahrungsmittel und Ausrüstungsgegenstände
    sicher verwahren
  Vorbereitungen für die Nacht (Bett herrichten,
    Signalfackel auf dem Floß sicher unterbringen,
    falls Schiff auftaucht, ebenso
    Regenauffangbehälter, falls Regen)
  beten

Nacht:
  unruhiger Schlaf
  beten

Die Vormittage waren in der Regel besser als die späten Nachmittage, wenn die Leere der Zeit mir allmählich aufs Gemüt schlug.

Vielerlei Zwischenfälle durchbrachen diese Routine. Bei Regen kam alles andere zum Erliegen, egal zu welcher Tages- oder Nachtzeit; solange es regnete, hielt ich die Auffangbehälter in die Höhe und war fieberhaft damit beschäftigt, das aufgefangene Wasser in Sicherheit zu bringen. Der Besuch einer Schildkröte sorgte ebenfalls für Aufregung. Und natürlich brauchte Richard Parker ständig Aufmerksamkeit. Sein Wohlergehen hatte Vorrang vor allem anderen. Er tat nicht viel außer essen, trinken und schlafen, aber es gab Zeiten, da erwachte er aus seiner Lethargie und durchstreifte sein Revier; dabei gab er allerlei Laute von sich und machte einen gereizten Eindruck. Zum Glück ließen Sonne und Seeluft ihn jedes Mal schnell ermüden, und er zog sich wieder unter die Plane zurück, legte sich auf die Seite oder auf den Bauch, den Kopf auf die gekreuzten Vorderpranken gebettet.

Aber ich schenkte ihm mehr Aufmerksamkeit als unbedingt notwendig. Ich beobachtete ihn stundenlang, weil es eine willkommene Abwechslung war. Ein Tiger ist immer ein faszinierendes Tier, und das gilt erst recht für den Fall, dass er der einzige Gefährte ist.

Anfangs hielt ich beständig Ausschau nach Schiffen, es war wie ein Zwang. Doch nach ein paar Wochen, fünf oder sechs vielleicht, hörte ich fast ganz damit auf.

Und ich überlebte, weil ich mit Absicht vergaß. Meine Geschichte begann an einem Kalendertag – dem 2. Juli 1977 – und endete an einem Kalendertag – dem 14. Februar 1978 –, doch in der Zeit dazwischen gab es keinen Kalender. Ich zählte weder Tage noch Wochen noch Monate. Die Zeit ist eine Illusion, die uns nur atemlos macht. Ich überlebte, weil ich vergaß, dass es so etwas wie Zeit überhaupt gab.

Woran ich mich erinnere, das sind Ereignisse und Begegnungen und Routinen, Meilensteine, die hie und da aus dem Ozean der Zeit auftauchten und sich in mein Gedächtnis einprägten. Der Geruch von abgefeuerten Signalraketen, Gebete bei Tagesanbruch, das Töten von Schildkröten und die Biologie der Algen beispielsweise. Und vieles andere mehr. Aber ordnen kann ich meine Erinnerungen nicht. Sie sind und bleiben ein Durcheinander.

Kapitel 64

Meine Kleider zergingen unter der Einwirkung von Sonne und Salz. Erst wurden sie fadenscheinig und dünn. Dann zerrissen sie, bis nur noch die Nähte übrig waren. Schließlich lösten auch die sich auf. Monatelang war ich splitternackt bis auf die Trillerpfeife, die ich an einer Schnur um den Hals trug.

Salzwassergeschwüre – rot, beißend, hässlich – waren die Lepra der hohen See, übertragen durch das Wasser, dem ich ständig ausgesetzt war. Wo sie aufbrachen, war die Haut äußerst empfindlich; berührte ich zufällig eine wunde Stelle, so verschlug es mir den Atem, und ich schrie laut auf vor Schmerz. Natürlich entwickelten sich die Geschwüre an dem Körperteil, der auf dem Floß am stärksten strapaziert wurde und am meisten mit dem Wasser in Berührung kam: am Gesäß. Es gab Tage, an denen ich kaum wusste, wie ich mich legen oder setzen sollte. Zeit und Sonne ließen ein Geschwür abheilen, aber es dauert lange, und sobald ich wieder nass wurde, entwickelten sich neue.

Kapitel 65

Ich brütete Stunden über dem Handbuch, um hinter das Geheimnis der Navigation zu kommen. Einfache Anweisungen, wie man auf See überlebte, gab es im Überfluss, aber nautische Grundkenntnisse setzte der Verfasser voraus. Als Schiffbrüchigen hatte er einen erfahrenen Seemann vor Augen, der mit Kompass, Seekarte und Sextanten in der Hand untergegangen war und nur nicht wusste, wie er sie halten musste, um zum nächsten Hafen zu finden. Das führte zu Sätzen wie: »Denken Sie daran: Zeit ist Entfernung. Vergessen Sie nie, Ihre Uhr aufzuziehen« oder »Notfalls ermitteln Sie den Breitengrad mit den Fingern.« Ich hatte auch einmal eine Uhr gehabt, aber die lag jetzt auf dem Grund des Pazifiks. Sie war mit der *Tsimtsum* untergegangen. Aber ich konnte den Breiten- nicht vom Längengrad unterscheiden. Ich wusste eine ganze Menge über das Meer, aber eben nur über diejenigen, die dar*in* schwammen, nicht über diejenigen obendrauf. Wind und Strömungen waren für mich ein Buch mit sieben Siegeln. Die Sterne sagten mir nichts. Ich hätte nicht ein einziges Sternbild nennen können. Wir zu Hause hatten uns nur nach einem Stern gerichtet: der Sonne. Wir gingen früh schlafen und standen früh auf. Sicher, ich hatte im Laufe meines Lebens in manch klarer Nacht den Sternenhimmel bewundert, wo die Natur mit nur zwei Farben und in einfachster Technik grandiose Bilder malt, und wie jeder Mensch hatte ich ehrfürchtig hinaufgeschaut und gespürt, wie klein ich war; es war ein Schauspiel, an dem ich mich durchaus orientierte, doch orientierte im spirituellen, nicht im geographischen Sinne. Wie man den Nachthimmel als Straßenkarte nehmen konnte, davon wusste ich nichts. Die Sterne mochten noch so funkeln – wie sollten sie mir denn den Weg weisen, wenn sie selbst über den Himmel zogen?

Nach einer Weile gab ich es auf. Was ich erfuhr, würde mir ja doch nichts nützen. Ich hatte keinen Einfluss darauf, in welche Richtung ich fuhr – kein Steuer, keine Segel, kein Motor, ein paar Ruder, aber nicht die Muskeln dazu. Wozu sollte ich mir denn einen Kurs ausdenken, wenn ich ihn doch nicht halten konnte? Und selbst wenn ich es gekonnt hätte, wusste ich denn, welches die richtige Rich-

tung war? Nach Westen, von wo ich gekommen war? Ost-
wärts nach Amerika? Nach Norden, Richtung Asien? Nach
Süden, wo die großen Schifffahrtsrouten waren? Alle vier
schienen gute und schlechte Richtungen zugleich.

Also ließ ich mich treiben. Wind und Meeresströmungen bestimmten, wohin ich fuhr. Wie für alle sterblichen
Wesen war auch für mich Zeit und Entfernung eins – ich
war unterwegs auf der Straße des Lebens –, und meine
Finger hatten anderes zu tun als die Breitengrade zu ermitteln. Später fand ich heraus, dass ich mich immer auf einer
schmalen Straße gehalten hatte, dem, wie die Wissenschaft
sagt, äquatorialen Gegenstrom.

Kapitel 66

Ich warf Haken aller Art nach Fischen aller Art aus, in jede
erdenkliche Tiefe, versuchte es vom Tiefseeangeln mit
großen Haken und vielen Gewichten bis hin zum Fischen
an der Oberfläche mit kleineren Haken und nur ein, zwei
Gewichten. Der Erfolg ließ auf sich warten, und wenn er
sich einstellte, freute ich mich gebührend, aber meine Anstrengung stand in keinem Verhältnis zum Fang. Der Zeit-
aufwand war groß, die Fische waren klein und Richard Parker blieb stets hungrig.

Am Ende erwiesen die Fischhaken sich als das bessere
Werkzeug. Sie bestanden aus drei zusammenschraubbaren
Teilen: zwei röhrenförmigen Elementen, die den Schaft
bildeten – einer davon mit einem Plastikgriff am Ende
und einem Ring zum Festbinden der Sicherungsleine –,
und einem gebogenen Haken von etwa fünf Zentimetern
Durchmesser mit einer messerscharfen, mit Widerhaken
versehenen Spitze. Insgesamt war so ein Fischhaken etwa
anderthalb Meter lang und fühlte sich so leicht und robust
an wie ein Schwert.

Anfangs fischte ich im offenen Wasser. Ich hielt den

Fischhaken einen guten Meter tief ins Wasser, bisweilen mit einem Fisch als Köder auf den Haken gespießt, und wartete. Ich wartete stundenlang mit angespannten Muskeln, bis mir der ganze Körper schmerzte. Sobald ein Fisch genau an der richtigen Stelle war, riss ich den Fischhaken so schnell wie möglich mit aller Kraft nach oben. Dabei kam es auf Bruchteile von Sekunden an. Ich erkannte, dass ich nicht wild zuschlagen durfte; ich musste ruhig abwarten, bis die Chance groß genug war, denn auch Fische lernen durch Erfahrung und gehen nur selten zweimal in die gleiche Falle.

Im Idealfall bohrte sich der Haken fest in den Fisch, und ich konnte meinen aufgespießten Fang ohne Schwierigkeiten an Bord ziehen. Doch wenn ich einen großen Fisch nur an Bauch oder Schwanz erwischte, konnte er nicht selten entfliehen; er bäumte sich auf und schnellte mit aller Kraft davon. Mit einer solchen Verletzung wurde er zur leichten Beute, ein unbeabsichtetes Geschenk für andere Räuber. Deshalb zielte ich bei großen Fischen auf eine Stelle unterhalb der Kiemen und der Seitenflossen, denn ein Fisch, der dort getroffen wird, versucht instinktiv nach *oben* zu fliehen, fort vom Haken und damit genau dahin, wo ich ihn haben wollte. Dann kam es vor, dass mir ein Fisch, mehr gestochen als tatsächlich aufgespießt, aus dem Wasser heraus geradewegs ins Gesicht sprang. Mein anfänglicher Ekel vor der Berührung mit Meerestieren verlor sich rasch, und die alberne Fischdecke hatte bald ausgedient. Sobald ein Fisch aus dem Wasser sprang, traf er auf einen hungrigen Jungen, der ohne Skrupel und falsche Scheu zupackte. Wenn ich weniger gut getroffen hatte, ließ ich den Haken los – ich hatte ihn ja schließlich mit einem Seil am Floß gesichert – und packte den Fisch mit bloßen Händen. Finger waren zwar stumpf, aber sehr viel wendiger als ein Haken. Dann folgte ein kurzer, erbitterter Kampf. Die Fische waren glitschig und verzweifelt, ich selbst war bloß verzweifelt. Hätte ich doch nur so viele Arme gehabt wie die Göttin Durga – zwei für die Fischhaken, vier für die Fische und zwei für die Beile. Doch ich musste mich mit zweien begnügen. Also bohrte ich Finger in Fischaugen, rammte Hände in Kiemen, zerquetschte weiche Körper unter meinen Knien, biss den Fisch in den Schwanz – kurz, ich hielt ihn mit allen Mitteln so lange fest, bis ich das Beil packen und ihm den Kopf abhacken konnte.

Im Laufe der Zeit wuchs meine Erfahrung, und ich entwickelte mich zum immer geschickteren Jäger. Ich wurde kühner und gewandter. Ein Instinkt stellte sich ein, ein Gefühl für das, was zu tun war.

Mein Erfolg steigerte sich gewaltig, als ich auf die Idee kam, ein Stück Packnetz zu nehmen. Als Fischernetz war es nicht zu gebrauchen – zu steif und schwer und mit zu großen Maschen. Doch es erwies sich als hervorragendes Lockmittel. Als ich es lose im Wasser treiben ließ, übte es eine unwiderstehliche Anziehungskraft auf die Fische aus, und das steigerte sich noch, als sich Seetang darin ansiedelte. Fische, die ein eher sesshaftes Leben führten, machten das Netz zu ihrer Heimat, und die schnelleren, die sonst nur vorbeihuschten, die Doraden, verlangsamten ihr Tempo, um der neuen Ansiedlung einen Besuch abzustatten. Weder die Einheimischen noch die Durchreisenden hegten je den Verdacht, dass das Netz einen Haken haben könnte. Es gab Tage – leider zu wenige –, an denen ich so viele Fische aufspießen konnte, wie ich nur wollte. Bei solchen Gelegenheiten fing ich mehr als ich brauchte, um meinen Hunger zu stillen, mehr als ich trocknen konnte; ich hatte einfach nicht genügend Platz auf dem Rettungsboot, zu wenig Leinen auf dem Floß, um all die Doraden, Fliegenden Fische, Hechte, Barsche und Makrelen in Streifen zum Trocknen aufzuhängen, und schon gar nicht genügend Platz in meinem Magen. Ich behielt so viel ich konnte und gab den Rest Richard Parker. An solchen Tagen des Überflusses legte ich Hand an so viele Fische, dass mein Körper von all den Fischschuppen zu glänzen begann. Ich trug die silbrig glänzenden Flecken wie Tilaks, wie die Farbpunkte, die wir Hindus uns auf die Stirn malen, als Symbole des Göttlichen. Wenn fremde Seeleute mich an einem solchen Tag entdeckt hätten, hätten sie mich für einen Fischgott gehalten, der über sein Königreich gebietet, und wären vorübergefahren. Das waren die guten Tage. Davon gab es nur wenige.

Schildkröten waren tatsächlich eine leichte Beute, genau wie es im Überlebenshandbuch stand. Im Kapitel »Jagen und Sammeln« standen sie unter »Sammeln«. Zwar waren sie solide gebaut wie Schützenpanzer, aber sie konnten weder schnell noch besonders gut schwimmen. Schon mit einer Hand konnte man eine Schildkröte an der Hinterflosse packen und festhalten. Was das Handbuch nicht erwähnte, war die Tatsache, dass man eine gefangene Schildkröte noch längst nicht in seiner Gewalt hatte. Man musste sie immer noch an Bord holen. Und eine zappelnde 130 Pfund schwere Schildkröte in ein Rettungsboot zu ziehen war alles andere als einfach. Ein solches Unterfangen verlangte Kräfte, die eines Hanuman würdig gewesen wären. Ich ging so vor, dass ich das Opfer längsseits holte, bis der Panzer den Schiffsrumpf berührte, und anschließend versuchte, ein Seil um Hals, Vorderflosse und Hinterflosse zu legen. Dann zog ich mit aller Kraft, bis mir beinahe der Kopf platzte und die Arme rissen. Ich wickelte die Seile um die Haken für die Plane an der gegenüberliegenden Seite des Bugs; jedes Mal wenn ein Seil ein wenig nachgab, sicherte ich meinen Vorteil, bevor es wieder zurückrutschen konnte. Zentimeter für Zentimeter hievte ich die Schildkröte aus dem Wasser. Und das dauerte lang. Ich erinnere mich noch an eine grüne Meeresschildkröte, die zwei Tage lang so an der Seite des Rettungsbootes hing, die ganze Zeit erbittert kämpfte und mit den freien Flossen um sich schlug. Zum Glück kamen die Schildkröten mir in der letzten Phase, wenn sie an die Bootskante gekommen waren, oft unfreiwillig zu Hilfe. Bei dem Versuch, die schmerzhaft verdrehten Flossen zu befreien, zerrten sie daran; wenn ich im gleichen Augenblick ebenfalls zog, vereinte sich unsere gegenläufige Kraft, und auf einmal ging alles ganz leicht: So spektakulär wie man es sich nur vorstellen kann schoss die Schildkröte über den Bootsrand und schlitterte auf die Plane. Ich fiel hintenüber, erschöpft, doch triumphierend.

Grüne Meeresschildkröten hatten mehr Fleisch als Karettschildkröten, und ihr Bauchpanzer war dünner. Aber sie waren meist auch größer, oft so groß, dass ein schwacher Schiffbrüchiger wie ich sie nicht aus dem Wasser ziehen konnte.

Und das alles mir als Vegetarier. Als Kind hatte ich gezittert, wenn ich eine Bananenschale aufriss, denn für meine Ohren klang es, als bräche ich einem Tier das Genick. Ich war auf eine Stufe der Barbarei gesunken, die ich nie für möglich gehalten hätte.

Kapitel 67

An der Unterseite des Floßes siedelte sich mancherlei maritimes Leben an, ähnlich wie beim Netz, nur in kleinerem Umfang. Es begann mit weichen hellgrünen Algen, die sich unter den Schwimmwesten breit machten. Borstige, dunklere Algen kamen hinzu. Sie fühlten sich wohl und bildeten bald einen dichten Teppich. Die ersten Tiere tauchten auf. Als Erstes sah ich winzige, halb durchsichtige Garnelen, kaum anderthalb Zentimeter lang. Als Nächstes folgten Fische im gleichen Format, die aussahen wie ihr eigenes Röntgenbild: man sah ihre inneren Organe durch die transparente Haut. Dann fielen mir die schwarzen Würmer mit den weißen Borsten auf, die grünen gallertartigen Schnecken mit ihren urtümlichen Fortsätzen, die drei Zentimeter langen bunten Fische mit den Kugelbäuchen, und schließlich die Krabben, anderthalb bis zwei Zentimeter im Durchmesser, von bräunlicher Farbe. Ich probierte sie alle, die Algen eingeschlossen, nur die Würmer nicht. Nur die Krabben waren genießbar, die anderen waren grässlich bitter oder salzig. Wenn Krabben da waren, steckte ich sie eine nach der anderen in den Mund wie Bonbons, bis keine mehr übrig war. Ich konnte mich nicht beherrschen. Und es dauerte immer lange, bis sich eine neue Krabbenpopulation angesiedelt hatte.

Auch das Rettungsboot wurde besiedelt, und zwar in Form von kleinen Entenmuscheln. Ich saugte ihnen die Flüssigkeit aus. Das Fleisch war ein guter Angelköder.

Ich freundete mich mit diesen ozeanischen Reisegefährten an, auch wenn das Floß durch sie ein wenig tiefer im Wasser lag. Sie sorgten für Zerstreuung, genau wie Richard Parker. Ich verbrachte viele Stunden damit, dass ich einfach nur auf der Seite lag, eine Schwimmweste ein kleines Stück beiseite gedrückt wie der Vorhang an einem Fenster, damit ich ungehindert hinuntersehen konnte. Was ich sah, war eine auf dem Kopf stehende Stadt, klein, still und friedlich, deren Bewohner ihren Geschäften mit der heiteren Gelassenheit von Engeln nachgingen. Es war eine willkommene Entspannung für meine zerrütteten Nerven.

Kapitel 68

Mein Schlafrhythmus veränderte sich. Ich ruhte zwar viel, aber schlafen konnte ich selten länger als eine Stunde am Stück, nicht einmal nachts. Es war nicht das unablässige Auf und Ab der See, das mich daran hinderte, und auch nicht der Wind; daran gewöhnt man sich genauso wie an eine durchgelegene Matratze. Immer wieder schreckte ich vor Angst und Beklemmung auf. Es war bemerkenswert, mit wie wenig Schlaf ich auskam.

Das unterschied mich von Richard Parker. Er entwickelte sich zum Meisterschläfer. Die meiste Zeit hielt er unter der Plane seine Nickerchen. Aber an Tagen mit ruhiger See, wenn die Sonne nicht zu sehr stach, oder in ruhigen Nächten kam er hervor. Ein Lieblingsplatz war die Heckbank, wo er auf der Seite lag, sodass der Bauch über die Kante hing, Vorder- und Hinterbeine auf den Seitenbänken ausgestreckt. Es war eine Menge Tiger für eine so kleine Bank, aber er machte den Rücken sehr rund, und dann passte er genau hinein. Wenn er wirklich schlief, legte er den Kopf auf die Vorderpranken; in weniger schläfriger Stimmung, wenn er schon einmal die Augen aufschlug und sich umsah, drehte er den Kopf und legte das Kinn auf den Bootsrand.

In einer zweiten Lieblingsstellung drehte er mir den Rücken zu; mit dem hinteren Teil des Körpers lag er auf dem Bootsboden, mit dem vorderen auf der Bank, das Gesicht im Heck vergraben, die Pranken neben dem Kopf – er sah aus, als spielte er Verstecken, als hielte er sich gerade die Augen zu und zähle. In dieser Position blieb er reglos liegen, und nur ein gelegentliches Zucken der Ohren verriet, dass er nicht unbedingt schlief.

Kapitel 69

Ein paar Mal war ich nachts überzeugt, dass in der Ferne ein Licht zu sehen war. Jedes Mal gab ich Signale. Als ich die Leuchtraketen verschossen hatte, brauchte ich die Signalfackeln auf. Waren es Schiffe, die mich nicht bemerkten? Das Licht von auf- oder untergehenden Sternen, das auf der Wasseroberfläche tanzte? Wellenkämme, die Mondlicht und verzweifelte Hoffnung zum Trugbild machten? Eine Antwort bekam ich jedenfalls nie. Jeder Versuch vergebens. Jedes Mal das bittere Gefühl, dass Hoffnung geweckt und dann zerschlagen wurde. Nach einer Weile gab ich den Gedanken, ein Schiff könne mich retten, einfach auf. Wenn der Horizont von einem anderthalb Meter hohen Standort vier Kilometer weit fort war, wie nahe musste er dann sein, wenn ich auf meinem Floß saß und ihn aus vielleicht neunzig Zentimetern Höhe sah? Wie groß war denn die Wahrscheinlichkeit, dass ein Schiff, das die Unendlichkeit des Pazifiks befuhr, ausgerechnet diesen winzigen Zirkel kreuzte? Und dass es ihn kreuzte und *mich sah* – wie wahrscheinlich war das? Nein, auf die Menschheit, unzuverlässig, wie sie war, konnte ich nicht zählen. Ich musste Land finden, hartes, festes, sicheres Land.

Ich weiß noch, wie die ausgebrannten Signalfackeln rochen. Es war nur eine Kuriosität der Chemie, aber sie rochen genau wie Kreuzkümmel. Es war betörend. Ich schnupperte an den Kunststoffhüllen, und sofort erschien Pondicherry vor meinem inneren Auge, ein wunderbarer Trost dafür, dass ich um Hilfe gerufen und niemand mich gehört hatte. Es war ein ungeheuer starker Eindruck, fast eine Halluzination. Aus einer einzigen kleinen Rauchfahne entwickelte sich eine ganze Stadt. (Und wenn ich heute Kreuzkümmel rieche, sehe ich den Pazifischen Ozean.)

Richard Parker erstarrte jedes Mal, wenn eine Signalfackel zischend zum Leben erwachte. Seine Augen, die Pupillen klein wie Stecknadelköpfe, waren fest auf die Flamme geheftet. Für mich war die blendend weiße Fackel mit dem rosa Lichtkranz zu hell. Ich musste wegsehen. Ich hielt die Fackel mit ausgestrecktem Arm in die Höhe und schwenkte sie langsam hin und her. Etwa eine Minute lang sprühten Funken auf meinen Arm, und alles war in ein unwirkliches Licht getaucht. Das Wasser rund um das Floß, noch Sekunden zuvor undurchdringlich schwarz, zeigte sich nun wimmelnd vor Fisch.

Kapitel 70

Schildkröten waren Schwerstarbeit. Ich fing mit einer kleinen Karettschildkröte an. Ich hatte es auf ihr Blut abgesehen, den »guten, gesunden, salzfreien Trunk«, von dem das Überlebenshandbuch schrieb. So sehr quälte mich der Durst. Ich packte die Schildkröte am Panzer und umklammerte eine Hinterflosse. Als ich sie fest im Griff hatte, drehte ich sie im Wasser um und wollte sie auf das Floß zerren. Sie wehrte sich mit aller Kraft. Auf dem Floß würde ich nie mit ihr fertig werden. Entweder ließ ich sie los – oder ich versuchte mein Glück im Rettungsboot. Ich blickte zum Himmel. Es war ein heißer, wolkenloser Tag. An Tagen wie diesem, wenn die Luft glühte wie in einem Backofen und er nicht vor Sonnenuntergang unter der Plane hervorkam, hatte Richard Parker offenbar nichts dagegen, dass ich im Bug des Bootes war.

Mit einer Hand hielt ich die Hinterflosse der Schildkröte fest, mit der anderen zog ich mich am Seil zum Rettungsboot hinüber. Es war nicht leicht, an Bord zu klettern. Als ich es endlich geschafft hatte, riss ich die Schildkröte in die Höhe und schleuderte sie mit dem Rücken auf die Plane. Wie erhofft knurrte Richard Parker lediglich ein- oder zweimal. Nach mehr stand ihm bei dieser Hitze nicht der Sinn.

Ich war wild entschlossen. Ich spürte, dass ich keine Zeit zu verlieren hatte. Das Überlebenshandbuch war zugleich mein Kochbuch. Es hieß, man solle die Schildkröte auf den Rücken drehen. Erledigt. Dann das Messer »am Hals ansetzen« und die Arterien und Venen durchtrennen. Ich betrachtete die Schildkröte. Kein Hals zu sehen. Die Schildkröte hatte sich in ihren Panzer verkrochen. Alles, was ich von ihrem Kopf sah, waren die Augen und das schnabelförmige Maul, das Ganze umringt von dicken Hautwülsten. Sie musterte mich von unten herauf mit strengem Blick. Ich griff zum Messer und stach in eine der Vorderflossen, in der Hoffnung, sie so aus der Reserve zu locken. Aber sie zog sich nur noch weiter in ihren Panzer zurück. Also entschloss ich mich zu einer direkteren Methode. So selbstverständlich, als hätte ich es schon tausendmal getan, stieß ich das Messer schräg neben dem Kopf in den Körper der

Schildkröte. Ich bohrte die Klinge tief in die Hautfalten und drehte das Messer. Die Schildkröte zog sich noch weiter zurück, besonders da, wo die Messerklinge steckte. Plötzlich schnellte ihr Kopf nach vorn. Sie schnappte nach mir. Ich sprang beiseite. Alle vier Flossen kamen unter dem Panzer hervor, und das Tier versuchte zu fliehen. Sie schaukelte auf dem Rücken, schlug heftig mit den Flossen um sich und schleuderte den Kopf hin und her. Ich packte ein Beil und schlug damit auf den Hals der Schildkröte ein. Aus einer klaffenden Wunde schoss hellrotes Blut. Ich packte den Trinkbecher und fing etwa dreihundert Milliliter auf, den Inhalt einer Limonadendose. Ich hätte viel mehr haben können, einen Liter vielleicht, aber die Kiefer der Schildkröte waren scharf und ihre Vorderflossen lang und kräftig und mit je zwei Klauen besetzt. Das Blut, das ich aufgefangen hatte, roch eigentlich nach nichts. Ich nahm einen Schluck. Es schmeckte warm und tierisch, in meiner Erinnerung jedenfalls. Es ist schwer, sich an erste Eindrücke zu erinnern. Ich trank das Blut bis zum letzten Tropfen.

Anfangs wollte ich den harten Bauchpanzer mit dem Beil entfernen, aber wie sich herausstellte, war die gezahnte Klinge des Messers dafür besser geeignet. Ich setzte einen Fuß in die Mitte des Panzers, den anderen außer Reichweite der furchteinflößenden Flossen. Die ledrige Haut am Kopfende des Panzers ließ sich leicht durchtrennen, nur in der Nähe der Flossen ging es etwas schwerer. Aber am Rand, da wo die beiden Hälften des Panzers aneinanderstießen, war das Sägen mühsam, zumal die Schildkröte sich immer noch bewegte. Als ich den Panzer ringsum gelöst hatte, war ich schweißgebadet und völlig erschöpft. Ich zog an dem Bauchpanzer. Er löste sich widerstrebend, mit einem feuchten, schmatzenden Geräusch. Das Innenleben der Schildkröte lag offen vor mir, zuckend und bebend – Muskeln, Fett, Blut, Därme und Knochen. Und die Schildkröte schlug immer noch um sich. Ich durchtrennte ihren Hals bis an die Wirbel. Keine Veränderung. Die Flossen schlugen nach wie vor. Mit zwei Beilhieben trennte ich den Kopf ganz ab. Die Flossen kamen nicht zur Ruhe. Schlimmer noch: der abgetrennte Kopf schnappte weiter nach Luft und blinzelte mit den Lidern. Ich schleuderte ihn ins Meer. Den zuckenden Rest der Schildkröte hob ich hoch und warf ihn in Richard Parkers Revier. Der war ohnehin längst unruhig geworden und schien im Begriff hervorzukommen. Er hatte vermutlich das Blut der Schildkröte gerochen. Ich flüchtete auf das Floß.

Mürrisch sah ich zu, wie er sich geräuschvoll und mit sichtlichem Vergnügen über mein Geschenk hermachte. Ich war vollkommen erschöpft. Der eine Becher Blut wog das nicht auf.

Ich machte mir zum ersten Mal ernsthafter Gedanken, wie ich mit Richard Parker umgehen sollte. Seine Nachsicht an heißen, wolkenlosen Tagen, wenn es denn Nachsicht war und nicht einfach nur Faulheit, war auf Dauer nicht genug. Ich konnte nicht immer vor ihm fortlaufen. Ich brauchte einen sicheren Zugang zum Stauraum und der Oberseite der Plane, unabhängig von der Tageszeit und vom Wetter, unabhängig von seiner Stimmung. Ich brauchte Rechte, und Rechte konnte ich nur bekommen, wenn ich Macht über ihn gewann.

Es war an der Zeit, dass ich mich behauptete und mein Revier absteckte.

Kapitel 71

Allen, die sich jemals in der Notlage finden sollten, in der ich mich befand, würde ich das folgende Programm empfehlen:

1. Beginnen Sie an einem Tag, an dem die Wellen nicht zu hoch, doch gleichmäßig sind. Man muss die See ordent-

lich spüren, wenn das Boot quer zu ihr steht, aber es soll natürlich nicht kentern.

2. Geben Sie dem Treibanker gut Leine, damit das Rettungsboot so stabil wie nur möglich schwimmt. Sorgen Sie dafür, dass Sie eine Zuflucht parat haben (Sie werden sie brauchen). Schützen Sie, soweit möglich, Ihren Körper. Fast alles kann als Schild dienen. Kleider oder Decken, die man sich um die Gliedmaßen wickelt, sind immerhin ein gewisses Maß an Rüstung.

3. Jetzt beginnt der schwierige Teil: Sie müssen das Tier, das Sie gefährdet, herausfordern. Ob Tiger, Nashorn, Vogel Strauß, ob Wildschwein oder Braunbär – ganz gleich, mit wem Sie es zu tun haben, Sie müssen das Tier zunächst einmal reizen. Das beste Mittel dazu ist erfahrungsgemäß, dass Sie ganz an den Rand Ihres eigenen Territoriums gehen und demonstrativ an die Demarkationslinie treten. Genau das habe ich getan: Ich ging ganz ans Ende der Plane, stampfte auf die Mittelbank und blies meine Pfeife, doch nicht zu laut. Es ist wichtig, dass Sie immer das gleiche Geräusch machen, etwas, das als Zeichen Ihres Angriffs wiedererkennbar ist. Übertreiben Sie nicht. Sie wollen Ihr Tier herausfordern, aber auch nicht zu sehr. Sie wollen ja nicht, dass es sich auf Sie stürzt. Denn wenn es das tut, dann gnade Ihnen Gott. Sie werden zerstückelt, zerfleischt, zu Tode getrampelt und höchstwahrscheinlich gefressen. So weit darf es nicht kommen. Sie wollen ein Tier, das gereizt ist, ungehalten, verärgert, besorgt, bedrückt, bekümmert – aber keinen Mörder. Dringen Sie auf keinen Fall in das Territorium des Tieres ein. Beschränken Sie Ihre Aggression darauf, dass Sie ihm in die Augen starren, machen Sie Lärm, verspotten Sie es.

4. Wenn das Tier gereizt ist, provozieren Sie eine Grenzverletzung. Nach meiner Erfahrung bewährt es sich, mit dem Gesicht zum Tier langsam rückwärts zu gehen und dazu kräftig zu lärmen. VERLIEREN SIE NICHT

DEN BLICKKONTAKT! Sobald das Tier seinen ersten Fuß in Ihr Territorium setzt, ja sobald es auch nur weiter in den neutralen Bereich vordringt, haben Sie Ihr Ziel erreicht. Es kommt darauf an, dass das Tier vermerkt, dass sein Nachbar von oben *sehr* darauf achtet, dass seine Grenze nicht verletzt wird.

5. Sobald das Tier erst einmal in Ihren Bereich vorgedrungen ist, kennt Ihr Zorn keine Grenzen. Ob Sie nun Ihre Zuflucht jenseits des Rettungsboots gewählt haben oder nur ganz ans Hinterende Ihres Reviers gegangen sind, BLASEN SIE IHRE PFEIFE AUS LEIBESKRÄFTEN und LICHTEN SIE SOFORT DEN TREIBANKER. Beides ist von entscheidender Bedeutung. Jede verlorene Sekunde gefährdet den Erfolg. Wenn Sie noch nachhelfen können, dass Ihr Rettungsboot sich quer zu den Wellen stellt, mit einem Ruder zum Beispiel, dann tun Sie das, und zwar unverzüglich. Je schneller Ihr Boot ins Schlingern kommt, desto besser.

6. Das unablässige Trillerpfeifeblasen ist für einen geschwächten Schiffbrüchigen eine schwere Anstrengung, aber Sie dürfen nicht nachlassen. Das verwirrte Tier muss seinen zunehmenden Schwindel mit den schrillen Pfiffen Ihrer Pfeife in Verbindung bringen. Sie können die Wirkung noch verstärken, wenn Sie sich ans Ende Ihres Bootes stellen, die Füße beiderseits auf dem Bootsrand, und im Rhythmus der schwankenden See hin- und herschaukeln. So klein Sie auch sein mögen und so groß Ihr Rettungsboot, Sie werden staunen, welche Wirkung Sie damit erzielen. Glauben Sie mir, binnen kurzem vollführt Ihr Rettungsboot einen Rock 'n' Roll, als wäre es Elvis Presley persönlich. Und denken Sie daran, bei alldem müssen Sie unablässig Ihre Pfeife blasen, und treiben Sie es nicht so weit, dass das Boot kentert.

7. Machen Sie weiter, bis das Tier, das Ihnen zusetzt – ob Tiger, ob Rhinozeros – grün vor Seekrankheit ist. Sie

müssen hören, wie es sich die Seele aus dem Leibe spuckt. Machen Sie weiter, bis es am Boden des Bootes liegt, an allen vieren zuckend, die Augen verdreht, und ein verzweifeltes Röcheln ist alles, was es noch herausbekommt. Und traktieren Sie es unablässig mit der schrillenden Pfeife. Sollte Ihnen selbst schlecht werden, übergeben Sie sich nicht an der Reling. Erbrochenes ist eine ausgezeichnete Grenzmarkierung. Spucken Sie es genau an der Grenze Ihres eigenen Reviers aus.

8. Sobald Ihrem Tier sterbenselend ist, können Sie aufhören. Seekrankheit stellt sich schlagartig ein, aber es dauert lange, bis sie wieder verfliegt. Sie wollen es ja auch nicht übertreiben. Keiner stirbt an Schwindel, aber er kann einem schon sehr den Lebensmut nehmen. Wenn Sie das Gefühl haben, dass Sie weit genug gegangen sind, werfen Sie den Treibanker und sehen Sie zu, dass Sie Ihrem Tier Schatten verschaffen, wenn es im grellen Sonnenlicht zusammengebrochen ist. Stellen Sie ihm Wasser hin, das es trinken kann, wenn es ihm besser geht, und lösen Sie Tabletten gegen Seekrankheit darin auf, wenn Sie welche haben. Der Wasserverlust ist zu diesem Zeitpunkt eine ernste Gefahr. Ansonsten ziehen Sie sich in Ihr eigenes Territorium zurück und lassen das Tier in Ruhe. Wasser, Ruhe und Entspannung, dazu ein gleichmäßiger Seegang, werden es bald wieder beleben. Lassen Sie ihm Zeit, bis es sich vollständig erholt hat, dann wiederholen Sie Schritt 1 bis 8.

9. Setzen Sie die Behandlung fort, bis im Hirn des Tieres der Klang der Pfeife und das Gefühl der entsetzlichsten Übelkeit fest miteinander verbunden sind und die Gedankenverbindung tief eingebrannt ist. Danach wird die Pfeife allein genügen, um es bei Grenzverletzungen oder sonstigen Übergriffen zu disziplinieren. Ein einziger kräftiger Pfeifentriller, und Sie werden sehen, wie Ihrem Tier übel wird und wie es sich unverzüglichst in den sichersten Teil seines Reviers zurückzieht, am wei-

testen von Ihnen fort. Ist dieser Lerneffekt erst einmal erreicht, sollte die Pfeife nur noch sparsam zum Einsatz kommen.

Kapitel 72

Ich beschloss, einen Schildkrötenpanzer als Schild zu nehmen, wenn ich Richard Parker dressierte. Ich schnitt in beide Seiten des Panzers eine Kerbe und band ein Stück Seil darum. Dieser Schild war schwerer als mir lieb war, aber welchem Krieger steht schon die Wahl seiner Rüstung frei?

Beim ersten Versuch fletschte Richard Parker die Zähne, drehte die Ohren einmal um ihre eigene Achse, stieß ein kurzes, kehliges Knurren aus und ging auf mich los. Eine riesige, krallenbewehrte Pranke sauste durch die Luft und traf meinen Schild. Der Schlag schleuderte mich über Bord. Ich stürzte ins Wasser und ließ den Panzer sofort los. Er verschwand spurlos in der Tiefe, nachdem er mich noch am Schienbein getroffen hatte. Ich war außer mir vor Angst – vor Richard Parker, aber auch weil ich über Bord gegangen war. Ich war überzeugt, dass schon im nächsten Augenblick ein Hai nach mir schnappen würde. Verzweifelt versuchte ich, das Floß zu erreichen, mit genau der Art von hektischen Bewegungen, bei denen einem Hai das Wasser im Mund zusammenläuft. Zum Glück waren keine Haie da. Ich erreichte das Floß und gab Leine, soweit sie reichte. Die Hände um die Knie geschlungen und den Kopf gesenkt saß ich da und versuchte, das Feuer der Angst zu löschen, das in mir loderte. Es dauerte lange, bis das Zittern in meinem Körper ganz aufhörte. Ich verbrachte den Rest des Tages und die ganze Nacht auf dem Floß. Ich trank nicht und aß nicht.

Als ich das nächste Mal eine Schildkröte fing, versuchte ich es von neuem. Ihr Panzer war kleiner und leichter und eignete sich besser als Schild. Wieder unternahm ich einen Vorstoß und stampfte mit dem Fuß auf die Mittelbank.

Ich frage mich, ob jemand, der meine Geschichte hört, verstehen wird, dass mein Verhalten weder die Tat eines Wahnsinnigen noch ein verkappter Selbstmordversuch war, sondern schlichte Notwendigkeit. Entweder zähmte ich ihn und gab ihm zu verstehen, wer Nummer eins war und wer Nummer zwei – oder ich starb an dem Tag, an dem ich zum ersten Mal bei rauer See an Bord des Rettungsbootes klettern wollte und ihm das nicht lieb war.

Wenn ich meine Lehrzeit als Hochseedompteur überlebt habe, dann lag es daran, dass Richard Parker mich nicht wirklich angreifen wollte. Wie alle Tiere halten auch Tiger im Grunde nichts von gewaltsamen Auseinandersetzungen. Wenn Tiere kämpfen, dann geschieht es mit der Absicht zu töten und im Bewusstsein, dass sie selbst getötet werden können. Kommt es zum Kampf, riskieren sie viel. Deshalb verfügen Tiere über ein umfassendes System von Warnsignalen, das dazu dient, den Kampf zu vermeiden, und sie sind gern bereit nachzugeben, wenn sie eine Chance dazu sehen. Es kommt nur selten vor, dass ein Tiger ein anderes Raubtier ohne vorherige Warnung angreift. In der Regel geht er laut knurrend und brüllend geradewegs auf den Gegner los. Doch kurz bevor es zu spät ist, bleibt er wie angewurzelt stehen und stößt ein tiefes, donnerndes Grollen aus. Er wägt sorgsam ab. Wenn er für sich keine Bedrohung sieht, macht er kehrt und ist zufrieden, überzeugt, dass er seine Position hinreichend deutlich gemacht hat.

Mir gegenüber machte Richard Parker seine Position viermal deutlich. Viermal versetzte er mir einen Hieb mit der rechten Pranke und schleuderte mich über Bord, und viermal verlor ich meinen Schild. Vor, nach und während jeder Attacke war ich vor Angst wie gelähmt und hockte lange Zeit zitternd auf meinem Floß. Aber nach und nach lernte ich seine Signale verstehen. Ich erkannte, dass er mit

Ohren, Augen, Schnurrhaaren, Zähnen, Schwanz und Kehle eine einfache, unmissverständliche Sprache sprach, die mir genau sagte, was er als Nächstes vorhatte. Ich lernte, mich zu ducken, bevor er die Pranke hob.

Und dann machte *ich* meine Position klar. Die Füße auf dem Bootsrand, ließ ich das Boot schaukeln und meine Trillerpfeife ihre eigene, einsilbige Sprache sprechen, bis Richard Parker stöhnend am Boden lag.

Mein fünfter Schild blieb mir erhalten bis zum Ende der Dressur.

Kapitel 73

Mein sehnlichster Wunsch – von der Rettung abgesehen – war ein Buch. Ein langes Buch mit einer unendlichen Geschichte. Eins, das ich immer wieder lesen konnte, immer wieder mit neuen Augen und neuem Verständnis. Leider gehörte keine heilige Schrift zur Ausstattung des Rettungsboots. Ich war wie der verzagte Arjuna in seinem zerbeulten Streitwagen, doch ohne den aufmunternden Beistand von Krishnas Worten. Als ich später zum ersten Mal im Nachttisch eines kanadischen Hotelzimmers eine Bibel fand, brach ich in Tränen aus. Gleich am folgenden Tag schickte ich eine Spende an die Gideon-Gesellschaft, zusammen mit einem Brief, in dem ich sie anspornte, ihre Aktivitäten auf Orte aller Art auszudehnen, an denen ein erschöpfter Reisender sein müdes Haupt betten mochte, nicht nur Hotelzimmer, und dort nicht nur Bibeln bereitzulegen, sondern auch andere heilige Schriften. Ich kann mir gar keinen besseren Weg zur Verbreitung des Glaubens vorstellen. Kein Wettern von der Kanzel, kein kirchliches Strafgericht, kein Druck der Gemeinschaft, nur ein heiliges Buch, das geduldig wartet, bis es den Wanderer willkommen heißt, sanft und bewegend, als habe ein kleines Mädchen ihn auf die Wange geküsst.

Wenn ich wenigstens einen guten Roman gehabt hätte! Aber mir blieb nur das Überlebenshandbuch, und das habe ich in der Zeit meines Schiffbruchs wohl zehntausendmal gelesen.

Ich führte Tagebuch. Es ist schwer zu entziffern. Ich schrieb so klein wie möglich. Ich hatte Angst, das Papier würde nicht reichen. Viel ist es nicht. Gekritzelte Worte, die versuchten, eine Wirklichkeit in Worte zu fassen, die mich überwältigte. Ich begann mit dem Schreiben etwa eine Woche nach dem Untergang der *Tsimtsum*. Davor war ich zu beschäftigt und durcheinander. Die Einträge sind nicht datiert oder nummeriert. Was mir heute auffällt, ist die Art, wie sie das Vergehen der Zeit festhalten. Mehrere Tage, mehrere Wochen, alles auf einer Seite. Inhaltlich ist es das, was man erwarten würde: Ereignisse und Gefühle, Erfolge und Misserfolge beim Fischen, das Meer und das Wetter, Probleme und Lösungen, Richard Parker. Lauter praktische Dinge.

Kapitel 74

Ich hielt meine Gottesdienste ab, so gut es unter solchen Umständen ging – einsame Messen ohne Priester und ohne geweihte Hostie, Darshans ohne Murtis und Pujas mit Schildkrötenfleisch als Prasad, Gebete zu Allah, auch wenn ich nicht wusste, in welcher Richtung Mekka lag und mein Arabisch mehr als dürftig war. Sie waren mir ein Trost, das steht fest. Aber es war schwer, das muss ich sagen. Der Glaube an Gott ist ein Sichöffnen, ein Loslassen, ein tiefes Vertrauen, eine bedingungslose Liebe – aber manchmal war es so schwer zu lieben. Manchmal sank mein Herz vor Wut, Verzagtheit und Erschöpfung so tief, dass ich befürchtete, es würde bis ganz hinab auf den Grund des Pazifiks sinken und ich würde es nie wieder heraufziehen können.

In solchen Augenblicken versuchte ich mir Mut zu machen. Ich fasste mir an den Turban, den ich mir aus den Überresten meines Hemds gewunden hatte, und rief: »DAS IST GOTTES HUT!«

Ich fuhr mir über meine Hosen und rief: »DAS SIND GOTTES KLEIDER!«

Ich wies auf Richard Parker und rief: »DAS IST GOTTES KATZE!«

Ich wies auf das Rettungsboot und rief: »DAS IST GOTTES ARCHE!«

Ich breitete meine Arme weit und rief: »DAS SIND DIE GÖTTLICHEN GEFILDE!«

Ich hob den Finger zum Himmel und rief: »DAS IST GOTTES OHR!«

Auf diese Weise rief ich mir ins Gedächtnis, was die Schöpfung war und wo ich meinen Platz darin hatte.

Aber Gottes Hut hielt nicht zusammen. Gottes Hosen zergingen. Gottes Katze war eine Bedrohung rund um die Uhr. Gottes Arche war ein Gefängnis. Die göttlichen Gefilde brachten mich langsam, aber stetig um. Gottes Ohr hörte anscheinend überhaupt nicht mehr zu.

Verzweiflung war ein ewiges Dunkel, in das kein Lichtstrahl drang. Eine namenlose Hölle. Ich danke Gott, dass sie jedes Mal wieder verging. Ein Schwarm Fische näherte sich dem Netz oder ein Knoten löste sich und musste neu geknotet werden. Oder ich dachte an meine Familie, daran, dass ihnen diese entsetzlichen Leiden erspart geblieben waren. Das Dunkel hob sich, und schließlich war es fort, aber Gott blieb, ein Licht in meinem Herzen. Ich würde weiterlieben.

Kapitel 75

An dem Tag, der nach meiner Berechnung Mutters Geburtstag sein musste, sang ich laut »Happy Birthday« für sie.

Kapitel 76

Ich gewöhnte mir an, bei Richard Parker sauber zu machen. Sobald ich merkte, dass er seinen Darm entleert hatte, beseitigte ich es, eine gefährliche Unternehmung, bei der ich den Kot mit dem Fischhaken zu mir heranscharrte und dann auf die Plane holte. Fäkalien können mit Parasiten infiziert sein. Das spielt für frei lebende Tiere keine Rolle, denn sie bleiben in der Regel nicht in der Nähe dieser Fäkalien und kümmern sich nicht weiter darum; Baumbewohner bekommen ihren Kot kaum zu Gesicht, und Landtiere entleeren sich und ziehen dann weiter. Für das kompakte Territorium eines Zoos gelten hingegen andere Regeln, denn wenn man Fäkalien im Gehege eines Tieres liegen lässt, ermuntert man es geradezu, diese zu fressen und sich damit zu infizieren; Tiere verschlingen alles, was auch nur entfernt nach Nahrung aussieht. Deshalb werden die Gehege ständig gereinigt, aus Sorge um die Gesundheit ihrer Bewohner, nicht aus Rücksicht auf Augen und Nasen der Besucher. Aber nicht um den hohen zoohygienischen Standard der Familie Patel zu halten, räumte ich bei Richard Parker auf. Nach wenigen Wochen litt er ohnehin so sehr an Verstopfung, dass sein Darm sich nur noch einmal im Monat entleerte, und meine riskante Pflegerarbeit wäre aus Gesundheitsgründen nicht notwendig gewesen. Es steckte etwas anderes dahinter: Als Richard Parker sich das erste Mal im Rettungsboot Erleichterung verschafft hatte, war mir aufgefallen, dass er versuchte, den Haufen zu verscharren. Die Bedeutung dieser Geste war mir nicht verborgen geblieben. Den Kot offen liegen zu lassen, sodass jeder ihn roch, wäre ein Zeichen der Dominanz gewesen. Ihn zu verscharren oder es zumindest zu versuchen, bedeutete Unterwerfung – er unterwarf sich *mir*.

Dass es ihn nervös machte, war nicht zu übersehen. Er stand geduckt, den Kopf eingezogen, die Ohren flach angelegt, und stieß ein leises langgezogenes Knurren aus. Ich ging energisch und zielstrebig zu Werke, nicht nur um mein Leben zu schützen, sondern auch, damit ich ihm möglichst schnell das erforderliche Signal gab. Dieses Signal bestand darin, dass ich den Kot in die Hand nahm, ihn einige Sekunden lang hin- und herrollte, ihn mir unter die Nase hielt und hörbar daran schnüffelte, und dabei starrte ich den Tiger ein paar Mal theatralisch an, die Augen weit aufgerissen (vor Furcht, aber das durfte er nicht merken), und das lang genug, dass es ihn ordentlich einschüchterte, aber nicht so lang, dass er sich auf mich stürzte. Und jedes Mal, wenn ich ihn so ansah, blies ich leise drohend auf meiner Pfeife. Indem ich ihm derart mit den Augen zusetzte (denn natürlich ist bei allen Tieren, uns Menschen eingeschlossen, das Anstarren ein Akt der Aggression) und indem ich jenen Pfeifton produzierte, mit dem er in Gedanken so unangenehme Gefühle verband, machte ich Richard Parker klar, dass es mein Recht war, mein Recht als Souverän, seinen Kot in die Hand zu nehmen und daran zu schnüffeln, wenn mir danach war. Nicht die Sorge des Zoowärters trieb mich also an, sondern angewandte Psychologie. Und es funktionierte. Richard Parker starrte nie zurück; er hielt den Blick stets in mittlerer Entfernung, nicht auf mich gerichtet, aber auch nicht von mir abgewandt. Es war etwas, das ich spüren konnte, so wie ich die Kugel in meiner Hand spürte: So entstand Macht. Nach der Anspannung dieser Übung war ich stets schwer erschöpft, aber glücklich.

Wo wir schon bei dem Thema sind: Ich war bald genauso verstopft wie Richard Parker. Das lag an unserer Ernährung, zu wenig Wasser, zu viel Protein. Auch bei mir kam die Entleerung des Darms nur noch einmal im Monat, und eine Erleichterung war es nicht. Es war ein langer, mühsamer und schmerzlicher Kampf, an dessen Ende ich schweißgebadet und bis zur Hilflosigkeit ermattet dalag, eine Tortur, die schlimmer war als das höchste Fieber.

Kapitel 77

Als die Päckchen mit den Notrationen zusehends schwanden, aß ich immer weniger, bis ich schließlich genau den Anweisungen folgte und nur noch alle acht Stunden zwei Zwiebacke zu mir nahm. Ich war ständig hungrig. Ich dachte nur noch an Nahrung. Je weniger ich zu essen hatte, desto größer wurden die Portionen, von denen ich träumte. Die Mahlzeiten meiner Phantasie waren so groß wie ganz Indien. Ströme von roter Linsensuppe so mächtig wie der Ganges. Chappatis so groß wie Rajasthan. Reisschüsseln so riesig wie Uttar Pradesh. Sambars, die ganz Tamil Nadu überflutet hätten. Berge von Eiscreme so hoch wie der Himalaja. In meinen Träumen war ich ein wahrer Meisterkoch: Alle Zutaten waren stets frisch und in Hülle und Fülle vorhanden, Backofen oder Bratpfanne hatten immer genau die richtige Temperatur, alles war sorgsam aufeinander abgestimmt, nichts war je angebrannt oder noch halbroh, nichts zu heiß oder zu kalt. Jede Mahlzeit war einfach perfekt – zum Greifen nah und doch unerreichbar für mich.

Im Laufe der Zeit entdeckte ich immer neue Nahrungsquellen. Anfangs hatte ich die Fische noch ausgenommen und ihnen sorgsam die Haut abgezogen, doch bald streifte ich nur noch den glitschigen Schleim von den Schuppen, dann biss ich hinein, und es schien mir der größte Leckerbissen. Ich weiß noch, dass Fliegende Fische durchaus schmackhaft waren, zart und rosa-weiß. Doraden hatten festeres Fleisch und einen intensiveren Geschmack. Ich nagte nun Fischköpfe ab, statt dass ich sie Richard Parker vorwarf oder als Köder nahm. Dabei machte ich eine großartige Entdeckung: Ich stellte fest, dass nicht nur die Augen größerer Fische, sondern auch ihre Wirbelsäule eine erfrischende Flüssigkeit enthielten. Schildkröten – die ich zuvor nur hastig mit dem Messer geöffnet und achtlos für Richard Parker auf den Boden des Bootes geschleudert hatte wie eine Schale mit heißer Suppe – wurden jetzt mein Leibgericht.

Man mag es kaum glauben, dass es eine Zeit gab, in der ich eine Meeresschildkröte als Delikatesse, als köstliches zehngängiges Menü betrachtete, eine ersehnte Abwechslung vom ewigen Fisch. Doch genau so war es. In den Adern der Schildkröten strömte ein süßes Lassi, das getrunken werden musste, sobald es aus ihrem Hals sprudelte, denn es gerann binnen Sekunden. Selbst die köstlichsten Poriyals und Kootus von ganz Indien konnten es nicht mit Schildkrötenfleisch aufnehmen, ob nun braun und getrocknet oder frisch und dunkelrot. Nie hatte ich ein Kardamom-Payasam gekostet, so süß und so cremig wie Schildkröteneier oder getrocknetes Schildkrötenfett. Eine Mischung aus gehacktem Herz, Lunge, Leber, Fleisch und gereinigten Därmen, bestreut mit Fischstückchen und getränkt mit einer Soße aus Dotter und Blutserum ergab ein unvergleichliches Thali, nach dem ich mir die Finger leckte. Am Ende meiner Reise aß ich alles, was eine Schildkröte zu bieten hatte. In dem Algenbewuchs auf dem Panzer mancher Karettschildkröten entdeckte ich hin und wieder kleine Krebse und Entenmuscheln. Was immer ich im Magen einer Schildkröte fand, wanderte in den meinen. So manche Stunde verbrachte ich mit glücklichem Nagen an einem Flossengelenk, oder ich leckte das Mark aus gespaltenen Knochen. Und meine Finger zupften unablässig an den winzigen Fettresten und trockenen Fleischfasern, die an der Innenseite der Schildkrötenpanzer klebten – wie bei einem Affen waren meine Finger automatisch immer auf der Suche nach Nahrung.

Die Schildkrötenpanzer waren sehr vielseitig. Ich wüsste nicht, wie ich ohne sie ausgekommen wäre. Sie dienten nicht nur als Rüstung, sondern auch als Schneidbretter und als Schüsseln zur Nahrungszubereitung. Und als die Elemente meine Decken ein für alle Mal zerstört hatten, benutzte ich die Schildkrötenpanzer als Sonnenschutz: ich stellte zwei aneinander und legte mich dazwischen.

Es war beunruhigend, in welchem Maße ein voller Bauch für gute Laune sorgte. Das eine stand im direkten Verhältnis zum anderen: so viel Nahrung und Wasser, so viel gute Laune. Es war wirklich ein erbärmliches Leben. Mein Glück hing davon ab, dass ich eine Schildkröte fing.

Als auch die letzten Zwiebacke verschwunden waren, war mir alles recht, was essbar war, ganz gleich wie es schmeckte. Ich konnte alles in den Mund stecken, darauf herumkauen und es herunterschlucken – ob wohlschmeckend, ekelhaft oder geschmacklos –, solange es nicht salzig war. Mein Körper entwickelte einen Abscheu vor Salz, der bis zum heutigen Tage anhält.

Einmal wollte ich sogar Richard Parkers Kot essen. Das war noch zu Anfang, als mein Körper noch nicht gelernt hatte, mit dem Hunger zu leben, und als meine Phantasie noch glaubte, sie könne sich durchsetzen. Ich hatte seinen Eimer kurz zuvor mit frischem Wasser aus den Destillen gefüllt. Nachdem er ihn mit einem Zug geleert hatte, war er unter der Plane verschwunden, und ich war zum Stauraum zurückgekehrt, wo es immer etwas aufzuräumen gab. Wie stets in dieser Anfangszeit blickte ich häufig unter die Plane, um mich zu vergewissern, dass er auch nichts anstellte. Und tatsächlich, diesmal hatte ich ihn erwischt. Er hatte sich mit rundem Rücken und gespreizten Hinterbeinen hingekauert. Sein Schwanz war hoch erhoben und berührte die Plane. Die Stellung war eindeutig, und sofort dachte ich an Nahrung, nicht an Hygiene. Allzu gefährlich konnte es nicht sein. Er kehrte mir den Rücken zu, und sein Kopf war nicht zu sehen. Wenn ich ihn nicht störte, bemerkte er mich vielleicht gar nicht. Ich griff mir ein Schöpfgefäß und streckte den Arm aus. Das Gefäß erreichte sein Ziel genau im rechten Augenblick. Just in der Sekunde, in der ich es an der Wurzel seines Schwanzes hatte, weitete sich Richard Parkers Anus und förderte, wie eine

Kaugummiblase, eine schwarze Kugel zutage. Sie fiel mit einem hellen, blechernen Geräusch in den Becher, und wenn ich jetzt sage, dass es in meinen Ohren so lieblich klang wie einem Bettler das Klingeln einer Fünf-Rupien-Münze in seiner Schale, dann werden die vielen, die das Maß meines Leidens nicht begreifen, gewiss denken, ich hätte auch den letzten Rest von Menschlichkeit noch verloren. Das Lächeln zog meine Lippen so breit, dass sie aufplatzten. Ich war Richard Parker unendlich dankbar. Ich zog das Gefäß zurück. Ich nahm die Kotkugel in die Hand. Sie war heiß, roch aber nicht allzu stark. Von der Größe her glich sie einer dicken Kugel Gulab Jamun, nur nicht so weich. Sie war sogar hart wie Stein. Wenn man eine Muskete damit geladen hätte, hätte man ein Nashorn erschießen können.

Ich legte die Kugel zurück in das Gefäß und goss ein wenig Wasser hinein. Dann deckte ich es zu und stellte es beiseite. Mir lief schon das Wasser im Munde zusammen. Als ich es schließlich nicht mehr aushielt, stopfte ich mir die Kugel in den Mund. Doch ich konnte sie nicht essen. Sie schmeckte bitter, aber daran lag es nicht. Es lag vielmehr daran, dass mein Mund auf Anhieb und ohne jeden Zweifel zu dem Schluss kam: da ist nichts zu holen. Das war Abfall, ohne auch nur den kleinsten Nährwert. Ich spuckte sie aus, grämte mich, dass ich dafür Wasser vergeudet hatte. Ich nahm den Fischhaken und holte den Rest von Richard Parkers Kot aus dem Boot. Ich warf ihn den Fischen vor.

Schon nach wenigen Wochen zeigte mein Körper die ersten Zeichen des Zerfalls. Die Füße und Knöchel schwollen an, und ich konnte nur noch mit Mühe stehen.

Kapitel 78

Der Himmel hatte tausend Gesichter. Der Himmel war übersät von weißen Wolken, unten flach, nach oben riesig aufgeplustert. Der Himmel war wolkenlos, von einem Blau, das alle Sinne verwirrte. Der Himmel war eine schwere, drückende Wolkendecke, gleichmäßig grau, doch ohne Hoffnung auf Regen. Der Himmel war leicht verhangen. Der Himmel war übersät von Schäfchenwolken. Der Himmel war mit langen, dünnen Federwolken bedeckt, als hätte jemand einen Wattebausch auseinander gezupft. Der Himmel war ein endloser milchiger Dunst. Der Himmel war vollgestopft mit dicken schwarzen Regenwolken, die der Sturm vorüberpeitschte, ohne dass ein Tropfen Wasser fiel. Der Himmel war blau bis auf ein paar kleine flache Wolken, die wie Sandbänke aussahen. Der Himmel war nichts als ein Farbfeld, das einen besseren Blick zum Horizont ermöglichte, Sonnenlicht überflutete den Ozean, die Kanten zwischen Licht und Schatten wie mit dem Messer gezogen. Der Himmel war ein gleichmäßig schwarzer Regenvorhang in der Ferne. Der Himmel war ein Gewimmel von Wolken auf allen Ebenen, manche dick und kompakt, dann wieder durchscheinend wie Rauch. Der Himmel war schwarz und schleuderte mir den Regen ins glückliche Gesicht. Der Himmel war ein einziger Sturzbach, meine Haut wund und runzlig davon, und ich war starr vor Kälte.

Das Meer hatte tausend Gesichter. Das Meer brüllte wie ein Tiger. Das Meer flüsterte ins Ohr wie ein Freund, der einem Geheimnisse anvertraut. Das Meer klimperte wie Kleingeld in der Tasche. Das Meer donnerte wie eine Lawine. Das Meer zischte wie Sandpapier, wenn man Holz damit schleift. Das Meer klang, als ob jemand sich erbricht. Das Meer war totenstill.

Und zwischen beiden, zwischen Himmel und Meer, waren die Winde.

Und die Nächte und Monde.

Ein Schiffbrüchiger auf See ist immer der Mittelpunkt eines Kreises. So sehr sich allem Anschein nach die Welt ringsum verändert – das Meer kann sich vom Flüstern zum Tosen aufschwingen, aus hellblauem Himmel wird blendendes Weiß oder tiefstes Schwarz –, ändert sich doch die Perspektive nie. Er blickt immer in die Runde. Stets ist es ein Kreis von beträchtlichem Durchmesser. Genauer gesagt eine Vielfalt von Kreisen. Der Schiffbrüchige ist umgeben von einem ganzen Ballett von Zirkeln. Sitzt er im Mittelpunkt des einen, drehen sich über ihm zwei weitere in gegenläufigen Richtungen. Die Sonne setzt ihm zu wie eine Menschenmenge, eine lärmende, aufdringliche Masse, dass er sich die Ohren zuhalten, die Augen schließen, sich verkriechen möchte. Der Mond setzt ihm zu, weil er ihn in aller Stille daran erinnert, wie einsam er ist; er reißt die Augen auf und hofft, dass irgendwo noch jemand ist. Wenn er hinauf zum Himmel blickt, fragt er sich bisweilen, ob nicht im Mittelpunkt eines Sonnensturms, in den Weiten des Meers der Ruhe, doch noch jemand ist wie er selbst, der ebenfalls aufblickt, genauso gefangen in der Geometrie, einer, der sich ebenso müht mit Furcht, Wut, Wahnsinn, Hoffnungslosigkeit und Gleichgültigkeit.

Man könnte auch sagen, ein Schiffbrüchiger ist gefangen zwischen den krassesten, zermürbendsten Gegensätzen. Wenn es hell ist, blendet die offene See das Auge, und die Weite schreckt ihn. Nachts ist das Dunkel bedrückend. Bei Tage leidet er unter der Hitze, er wünscht sich Kühle und träumt von Eiscreme und übergießt sich mit Meerwasser. Am Abend wird es kalt, er hätte es gern wärmer, er träumt von dampfendem Curry und wickelt sich in Decken. Wenn es heißt ist, quält ihn der Durst, und er wünscht sich Wasser. Wenn es regnet, ertrinkt er beinahe darin und sucht nur noch nach einem trockenen Plätzchen. Wenn Nahrung da ist, ist es zu viel und er muss sich vollstopfen. Wenn nichts da ist, ist auch nichts zu finden, und er leidet Hunger. Ist die See reglos und spiegelglatt, wünscht er sich Bewegung.

Wenn es auffrischt und ringsum steigen die Wasserberge auf, erlebt er jene seltsame Beklemmung, die es nur auf hoher See gibt, ein Gefühl des Erstickens an der freien Luft, und wünscht sich nichts sehnlicher als eine ruhige See. Oft hat er zwei Extreme zur gleichen Zeit; zum Beispiel brennt die Sonne, bis er halb ohnmächtig daliegt, aber er weiß auch, dass die Fischstreifen an der Leine prächtig dörren und die Solardestillen ihr Maximum produzieren. Wenn andererseits ein Regenguss die Trinkwasservorräte auffüllt, weiß er zugleich, dass die Feuchtigkeit nicht gut für den Stockfisch ist, und manches wird hinterher verdorben sein, zergangen und grün. Wenn das schlechte Wetter schließlich nachlässt und sich abzeichnet, dass er den Angriff des Himmels und die Tücke der See überlebt hat, wird ihm der Triumph gleich wieder durch die Wut darüber vergällt, dass so viel gutes Wasser einfach ins Meer gefallen ist, und den Kummer darüber, dass es vielleicht der letzte Regen war, den er im Leben gesehen hat, dass er verdursten wird, bevor die nächsten Tropfen fallen.

Das schlimmste Gegensatzpaar sind Langeweile und Angst. Manchmal geht sein Leben wie ein Pendel zwischen beiden hin und her. Die See liegt unbewegt. Kein Lüftchen weht. Die Stunden ziehen sich endlos. Er langweilt sich dermaßen, dass er in eine Apathie, fast schon ein Koma, verfällt. Dann plötzlich raue See, und die Nerven sind zum Zerreißen gespannt. Und nicht einmal zwei so krasse Gegensätze bleiben klar getrennt. Die Langeweile bringt selbst ihre Schrecken hervor: plötzlich bricht er in Tränen aus, entsetzliche Angst packt ihn, er schreit, er verletzt sich mutwillig. Und mitten im Schrecken – im schlimmsten Sturm – spürt er eine Langeweile, einen tiefen Überdruss am ganzen Leben.

Nur der Gedanke an den Tod kann ihn dann noch wirklich berühren, ob er ihn nun in der Sicherheit eines langweiligen Augenblicks bedenkt oder ob er sich vor ihm retten will, im Moment, in dem das Leben flüchtig und bedroht ist.

Viel Leben gibt es auf einem Rettungsboot nicht. Es ist wie die letzten Züge einer Schachpartie, wenn nur noch ganz wenige Figuren auf dem Brett sind. Die einzelnen Elemente könnten nicht einfacher sein, der Einsatz nicht höher. Körperlich ist es unglaublich anstrengend, und es tötet den Willen schließlich ab. Man muss sich anpassen, wenn man überleben will. Vieles wird entbehrlich. Der Schiffbrüchige holt sich sein Glück, wo er es bekommen kann. Der Tag kommt, an dem er in der tiefsten Hölle sitzt, und doch hat er die Arme vor der Brust verschränkt und ein Lächeln auf den Lippen, und fühlt sich wie der glücklichste Mensch auf Erden. Und warum? Vor ihm am Boden liegt ein winziger toter Fisch.

Kapitel 79

Haie begegneten uns Tag für Tag, in erster Linie Makos und Blauhaie, aber auch Weißflossenhaie und einmal ein Tigerhai wie aus dem finstersten Alptraum. Die Dämmerung war ihre liebste Zeit. Sie belästigten uns nie ernsthaft. Hin und wieder schlug einer von ihnen mit dem Schwanz an den Bootsrumpf. Ich glaube nicht, dass das zufällig geschah (andere Meeresbewohner taten es ebenfalls, Schildkröten und sogar Doraden). Vermutlich wollten die Haie erkunden, was es mit dem Boot auf sich hatte. Ein gezielter Schlag mit dem Beil auf die Nase ließ den Übeltäter blitzschnell in die Tiefe verschwinden. Das Schlimmste an den Haien war, dass sie den Aufenthalt im Wasser gefährlich machten – als betrete man unbefugt ein Grundstück mit dem Schild »Vorsicht, bissiger Hund«. Ansonsten schloss ich sie durchaus ins Herz. Sie waren wie griesgrämige alte Freunde, die nie zugeben wollten, dass sie mich mochten, und doch andauernd zu Besuch kamen. Die Blauhaie waren kleiner, meist eins zwanzig bis eins fünfzig lang, und sie waren von allen die schönsten: schlank und elegant, mit kleinem Maul und feinen Kiemen. Ihr Rücken war ultra-marinblau und ihr Bauch schneeweiß, Farben, die zu Grau oder Schwarz verblassten, wenn sie tiefer ins Wasser tauchten, die aber nahe der Oberfläche eine überraschende Leuchtkraft entfalteten. Die Makos waren größer und hatten Mäuler vollbesetzt mit Furcht einflößenden Zähnen, aber auch sie waren schön gefärbt, ein Indigoblau, das in der Sonne wunderbar schimmerte. Die Weißflossenhaie waren oft kürzer als die Makos – die bis zu dreieinhalb Meter lang sein konnten –, doch sie waren weitaus massiger und reckten ihre gewaltigen Rückenflossen hoch aus dem Wasser wie eine Standarte, und wenn sie blitzschnell durch die Fluten schossen, war es immer ein beunruhigender Anblick. Außerdem hatten sie eine gedämpfte Farbe, eine Art Graubraun, und die weiß gesprenkelten Flossenspitzen waren nicht allzu attraktiv.

Ich fing eine Reihe von kleinen Haien, überwiegend Blauhaie, aber auch einige Makos. Das geschah jedes Mal unmittelbar nach Sonnenuntergang, im letzten Tageslicht, und ich fing sie mit bloßen Händen, wenn sie nah an das Rettungsboot heranschwammen.

Der erste war auch der größte, ein etwa einen Meter zwanzig langer Mako. Er hatte sich mehrmals dem Bug genähert. Als er ein weiteres Mal vorbeischwamm, tauchte ich ohne viel nachzudenken die Hand ins Wasser und packte ihn unmittelbar hinter der Schwanzflosse, da wo der Körper am dünnsten ist. Die raue Haut bot einen so erstaunlich guten Halt, dass ich unwillkürlich anfing zu ziehen. Als er das spürte, machte der Hai einen Satz und versetzte meinem Arm einen heftigen Stoß. Zu meinem freudigen Entsetzen schnellte das Tier in die Höhe, begleitet von einer Fontäne aus Wasser und Gischt. Einen Sekundenbruchteil lang wusste ich nicht, was ich tun sollte. Das Ding war kleiner als ich – aber führte ich mich nicht auf wie ein einfältiger Goliath? Sollte ich nicht lieber loslassen? Ich machte eine schwungvolle Drehung, fiel rücklings auf die Plane und schleuderte den Mako ins Heck. Der Fisch fiel vom Himmel geradewegs in Richard Parkers Revier. Er landete mit einem lauten Aufprall und begann mit solcher Wucht um sich zu schlagen, dass ich Angst hatte, er würde das Boot zertrümmern. Richard Parker war verblüfft. Und griff auf der Stelle an.

Nun begann ein Kampf von epischen Dimensionen. Zoologen dürfte es interessieren, dass ein Tiger, wenn er einem Hai auf dem Trockenen begegnet, nicht zuerst mit den Zähnen angreift, sondern zunächst mit den Vorderpranken auf ihn losgeht. Richard Parker begann auf den Hai einzuschlagen. Ich zuckte bei jedem Prankenhieb zusammen. Sie waren wahrhaft entsetzlich. Ein Einziger dieser Hiebe hätte einem Menschen sämtliche Knochen gebrochen, hätte Möbel zu Kleinholz gemacht, ein ganzes Haus in einen Trümmerhaufen verwandelt. Wie wenig dem Mako diese Behandlung behagte, sah man daran, wie er sich wand und mit dem Schwanz um sich schlug und nach seinem Angreifer schnappte.

Vielleicht lag es daran, dass Richard Parker keine Erfahrung mit Haien hatte und noch nie einem Raubfisch begegnet war – wie auch immer, es passierte: ein Unfall, eine der wenigen Gelegenheiten, die mir vor Augen führten, dass auch Richard Parker nicht vollkommen war, dass ihm trotz seiner hoch entwickelten Instinkte Fehler unterlaufen konnten. Er geriet mit der linken Pranke in das Maul des Hais. Der Mako biss zu. Sofort richtete Richard Parker sich auf. Der Hai wurde emporgerissen, aber er ließ nicht locker. Richard Parker ließ sich wieder nach vorne fallen, öffnete das Maul weit und brüllte aus vollem Hals. Ich spürte einen glühend heißen Luftstrom auf meinem Körper. Die Luft zitterte, wie die Hitze, die an einem heißen Tag über dem Asphalt flimmert. Ich kann mir gut vorstellen, dass irgendwo in der Ferne, vielleicht 150 Meilen entfernt, ein Matrose bei der Wache überrascht aufblickte und später etwas sehr Merkwürdiges zu berichten wusste: dass er glaubte, er habe gegen acht Glasen eine Katze miauen gehört. Noch Tage später spürte ich dieses Brüllen in allen Knochen. Leider sind Haie stocktaub, zumindest nach konventionellen Maßstäben. Während ich, der ich nie auf den Gedanken käme, einen Tiger in die Pranke zu zwicken, geschweige denn sie zu verschlucken, also mit voller Wucht von einem Brüllen wie aus einem Vulkan getroffen wurde, sodass ich zitternd und bebend und mit weichen Knien zu Boden sank, spürte der Hai nur ein dumpfes Vibrieren.

Richard Parker vollführte eine Drehung und begann, den Kopf des Hais mit den Krallen seiner freien Vorderpranke zu bearbeiten und ihn zu beißen, während er mit den Hinterbeinen Bauch und Rücken seines Gegners traktierte. Der Hai ließ die Pranke nicht los – seine einzige Möglichkeit zu Verteidigung und Angriff – und peitschte mit dem Schwanz. Tiger und Hai schlugen um sich und wälzten sich am Boden. Nur mit Mühe bekam ich meinen Körper so weit in die Gewalt, dass ich auf das Floß fliehen und es losmachen konnte. Das Rettungsboot entfernte sich. Ich sah gelbe und blaue Blitze, hier ein Stück Fell, da ein Stück Haut, und das Rettungsboot schwankte und schaukelte. Richard Parkers Fauchen war Furcht einflößend.

Schließlich hörte das Schwanken auf. Nach mehreren Minuten setzte sich Richard Parker auf und leckte sich die linke Pranke.

An den folgenden Tagen verbrachte er viel Zeit mit der Pflege aller vier Pranken. Die Haut eines Hais ist besetzt mit winzig kleinen Hautzähnchen und ist folglich so rau wie Schmirgelpapier. Richard Parker hatte sich zweifellos wehgetan, als er so vehement auf den Hai einhieb. Die linke Vorderpranke war verletzt, aber er hatte offenbar keinen bleibenden Schaden davongetragen; alle Zehen und Krallen waren noch da. Was den Mako angeht, so war außer der seltsam unversehrten Schwanzflosse und dem Maul nur ein halb aufgefressener, zerfleischter Kadaver übrig geblieben. Rötlich-graue Fleischbrocken und Fetzen von inneren Organen lagen überall verstreut.

Es gelang mir, ein paar von den Überresten des Hais mit dem Haken zu angeln, doch zu meiner Enttäuschung enthalten die Wirbel von Haien keine Flüssigkeit. Immerhin war das Fleisch schmackhaft und gar nicht fischig, und die Knorpel hatten guten Biss, eine willkommene Abwechslung nach so viel weicher Nahrung.

In der Folgezeit beschränkte ich mich auf kleinere Haie, Haikinder im Grunde, und erlegte sie selbst. Wie ich feststellte, war es schneller und weniger anstrengend, wenn ich sie mit einem Messerstich ins Auge tötete, statt ihnen mit dem Beil den Schädel einzuschlagen.

Kapitel 80

Unter all den Doraden, die ich fing, ist mir eine ganz besonders im Gedächtnis geblieben. Es war frühmorgens an einem bewölkten Tag, und wieder einmal suchte uns ein Schwarm Fliegender Fische heim. Richard Parker schlug danach wie ein Boxer. Ich hatte mich hinter einem Schildkrötenpanzer verschanzt und hielt einen Fischhaken mit einem Stück Netz in die Höhe, in der Hoffnung, dass Fliegende Fische sich darin verfingen. Aber der Erfolg war mäßig. Ein Fliegender Fisch zischte vorbei. Die Dorade, die ihn verfolgte, sprang aus dem Wasser. Aber sie hatte sich verschätzt. Der Fisch segelte vorüber, knapp über mein Netz hinweg, und die Dorade schlug gegen die Bootswand wie eine Kanonenkugel. Das ganze Boot bebte von dem Aufprall. Blut spritzte auf die Plane. Ich reagierte sofort. Ich tauchte unter dem Hagel Fliegender Fische hindurch und packte die Dorade, als schon ein Hai von unten heraufkam. Ich zog sie an Bord. Sie war tot, oder doch so gut wie, und durchlief eben alle Farben des Regenbogens. Was für ein Fang! Was für ein Fang!, jubilierte es in meinem Kopf.

Dank sei dir, Jesus-Matsya. Es war ein Prachtexemplar, fett und fleischig. Sie wog gut und gern ihre vierzig Pfund. Davon konnte eine ganze Horde satt werden. Augen und Rückgrat brächten eine Wüste zum Blühen.

Doch leider hatte Richard Parkers mächtiges Haupt sich mir zugewandt. Ich sah es aus den Augenwinkeln. Die Fliegenden Fische hagelten nach wie vor herunter, aber die interessierten ihn jetzt nicht mehr; der Fisch in meinen Händen hielt seine ganze Aufmerksamkeit gebannt. Der Abstand zwischen uns war zweieinhalb Meter. Das Maul hatte er halb geöffnet, aus dem Mundwinkel hing noch eine Schwanzflosse. Sein Rücken rundete sich. Seine Hinterhand tänzelte. Sein Schwanz zuckte. Die Haltung war eindeutig: er kauerte sich zum Sprung. Zur Flucht war es zu spät, selbst an meine Trillerpfeife kam ich jetzt nicht mehr heran. Mein Stündlein hatte geschlagen.

Aber man darf sich nicht alles gefallen lassen. Ich hatte schon so viel gelitten. Mein Hunger war so groß. Ich konnte einfach nur eine bestimmte Zahl von Tagen aushalten, ohne etwas zu essen.

Und so blickte ich in einem Augenblick des Wahnsinns, des wahnsinnigen Hungers – weil es mir wichtiger war zu essen als am Leben zu bleiben – ohne jedes Mittel der Verteidigung, nackt in jeglichem Sinne des Wortes, Richard Parker fest ins Gesicht. Mit einem Male war all seine rohe Kraft nur schwache Moral. Sie war nichts im Vergleich zu meiner Willensstärke. Ich starrte ihm trotzig in die Augen, und das Duell begann. Jeder Zoowärter weiß, dass ein Tiger, wie alle Katzen, nicht angreift, solange sein Opfer ihn direkt ansieht; er wartet, bis die Antilope oder der Hirsch oder der Büffel den Blick abwendet. Aber da klafft zwischen Theorie und Praxis eine große Lücke (und es nützt einem überhaupt nichts bei Katzen, die gesellig leben; während man den einen Löwen mit seinen Blicken lähmt, langt der andere von hinten zu). Zwei, vielleicht drei Sekunden lang fochten ein Junge und ein Tiger einen erbitterten Kampf, den Kampf ihrer Persönlichkeiten um Rang und Autorität. Er brauchte ja nur einen winzigen Satz zu machen, schon hatte er mich gepackt. Aber ich hielt seinem Blick stand.

Richard Parker leckte sich die Nase, knurrte und wandte sich ab. Wütend schlug er nach einem Fliegenden Fisch. Ich war Sieger. Ungläubig stand ich da und rang nach Luft. Dann packte ich die Dorade und kletterte hinunter zum Floß. Bald darauf brachte ich Richard Parker seinen fairen Anteil an dem Fisch.

Von jenem Tage an stand fest, dass ich Herrscher über das Boot war, und ich verbrachte immer mehr Zeit darauf, zunächst im Bug, dann, als mein Selbstvertrauen wuchs, oben auf der bequemeren Plane. Nach wie vor fürchtete ich mich vor Richard Parker, aber nur noch wenn wirklich Grund dazu bestand. Dass er ebenfalls auf dem Boot lebte, war keine Belastung mehr für mich. Man gewöhnt sich an alles – habe ich das nicht schon gesagt? Und sagen das nicht alle Überlebenden?

Anfangs legte ich, wenn ich auf der Plane lag, den Kopf auf das aufgerollte Bugende. Dort lag ich ein wenig höher – die beiden Enden des Bootes waren leicht erhöht – und konnte besser ein Auge auf Richard Parker halten.

Später legte ich meinen Kopf dann auf das andere aufgerollte Ende, knapp über der Mittelbank, mit dem Rücken zu Richard Parker und seinem Revier. In dieser Lage, weiter vom Bootsrand, bekam ich nicht ganz so viel Wind und Gischt ab.

Kapitel 81

Ich weiß, es ist schwer zu glauben, dass ich diese Fahrt überstanden habe. Wenn ich heute daran zurückdenke, kann ich es ja selbst kaum glauben.

Dass ich Richard Parkers mangelnde Seetüchtigkeit so

schnöde ausnützte, ist nur die eine Hälfte der Erklärung. Die andere ist: Ich versorgte ihn mit Nahrung und Wasser. Richard Parker hatte im Zoo gelebt, soweit sein Gedächtnis zurückreichte, und er war es gewohnt, dass Futter sich einstellte, ohne dass er dafür eine Pranke hob. Wenn es regnete und das ganze Boot zum Wasserbecken wurde, wusste er natürlich, dass es Regenwasser war. Und wenn ein Schwarm Fliegender Fische über uns hereinbrach, kam er auch nicht auf die Idee, sie kämen von mir. Doch das änderte nichts an der Lage, in der er war, an der Tatsache, dass er über den Bootsrand blickte und keinen Dschungel sah, in dem er jagen konnte, und keinen Bach, um daraus zu trinken. Aber ich brachte ihm zu essen und ich brachte ihm Wasser. Es muss für ihn wie ein Wunder gewesen sein. Und das gab mir Macht. Der Beweis: Ich blieb am Leben, Tag für Tag, Woche um Woche. Der zweite Beweis: Er griff mich nicht an, selbst wenn ich auf der Plane lag und schlief. Und noch ein Beweis: Ich bin hier und kann meine Geschichte erzählen.

Kapitel 82

Regenwasser und das Wasser, das ich mit den Solardestillen gewann, bewahrte ich in den drei 50-Liter-Plastiksäcken auf, im Stauraum, wo Richard Parker sie nicht sah. Ich band sie mit Seil zu. Hätten sie Gold, Saphire, Rubine und Diamanten enthalten, hätten diese Säcke mir nicht mehr bedeuten können. Ununterbrochen machte ich mir Sorgen um sie. Mein schlimmster Alptraum war, dass ich eines Morgens die Klappe zum Stauraum öffnen würde und alle drei waren ausgelaufen, oder schlimmer noch, zerrissen. Um ein solches Unglück zu verhindern, wickelte ich sie in Decken, damit sie sich nicht am Metallrumpf des Rettungsbootes aufscheuerten, und ich bewegte sie so wenig wie möglich, damit sie nicht vor der Zeit zerschlissen. Aber ich sorgte mich um die Hälse. Würde denn nicht gerade das Seil sie durchscheuern? Wenn das Oberende einen Riss bekam, wie sollte ich dann die Säcke verschließen?

Wenn die Wasserversorgung gut war, wenn der Regen kein Ende nahm, wenn ich die Säcke so weit gefüllt hatte, wie ich mich traute, füllte ich das Schöpfgefäß, die beiden Plastikeimer, die zwei Mehrzweckbehälter, die drei Trinkbecher und die leeren Wasserdosen (die ich längst nicht mehr fortwarf). Dann füllte ich eine nach der anderen die Spucktüten, drehte das obere Ende zu und verschloss sie mit einem Knoten. Fiel dann immer noch weiteres Wasser vom Himmel, nahm ich mich selbst als Gefäß. Ich spannte den Regensammler auf, steckte das Ende des Gummischlauchs in den Mund und trank und trank und trank.

Richard Parkers Trinkwasser mischte ich immer ein wenig Meerwasser bei, größere Mengen in den Tagen nach einem Regenguss, weniger in Trockenzeiten. Zu Anfang unserer Reise lehnte er sich noch manchmal über Bord, schnüffelte am Meerwasser und nahm ein paar Schluck, aber das ließ er bald sein.

Trotz allem kamen wir nur mit Müh und Not aus. Auf der ganzen Fahrt war keine andere Sorge so groß und so allgegenwärtig wie die Sorge um Wasser.

Von allem, was ich an Essbarem fing, bekam Richard Parker, wenn ich so sagen darf, den Löwenanteil. Es blieb mir nichts anderes übrig. Er bemerkte es sofort, wenn ich eine Schildkröte oder eine Dorade oder einen Hai ergatterte, und ich musste sie rasch und großzügig mit ihm teilen. Ich glaube, im Aufsägen von Schildkröten habe ich einen Weltrekord aufgestellt. Fische wurden schon zerteilt, wenn sie noch zuckten. Dass ich alles in mich hineinstopfte, was auch nur halbwegs essbar war, lag nicht nur an meinem entsetzlichen Hunger; es lag auch an dem Tempo, das gefordert war. Manchmal konnte ich gar nicht überlegen, was ich da vor mir hatte: entweder ich steckte es in den Mund, oder ich hatte es an Richard Parker verloren, der ungeduldig am

Rande seines Reviers stand, mit den Krallen angelte, scharrte und schnaufte. Irgendwann – und besser hätte mir nicht zu Bewusstsein kommen können, wie tief ich gesunken war – merkte ich zu meinem Entsetzen, dass ich fraß wie ein Tier, dass ich meine Beute genauso gierig, geräuschvoll, in großen Brocken herunterschlang wie Richard Parker.

Kapitel 83

Ganz allmählich zog eines Nachmittags der Sturm auf. Die Wolken sahen aus, als stolperten sie ängstlich vor dem Wind her. Das Meer verstand den Wink und wusste, was es zu tun hatte. Ein Auf und Ab begann, das mir Angst und Bange machte. Ich holte die Destillieranlagen und das Netz an Bord. Was für eine Landschaft dort draußen! Was ich bis dahin gekannt hatte, waren allenfalls Hügel aus Wasser gewesen. Jetzt türmten sich ganze Gebirge aus Wellen, mit Tälern dazwischen finster und tief. Die Abhänge waren so steil, dass das Rettungsboot ins Rutschen geriet, fast wie ein Surfbrett. Das Floß hatte besonders schwer zu kämpfen; es wurde aus dem Wasser gerissen und wild hin- und hergeschleudert. Ich warf beide Treibanker aus, unterschiedlich weit, damit sie sich nicht in die Quere gerieten.

Wenn das Boot einen riesigen Wellenberg erklomm, hing es an den Treibankern wie ein Bergsteiger an seinem Seil. Wir schossen aufwärts, bis wir mitten in einer Explosion von Licht und Schaum den schneeweißen Gipfel erreichten und das Boot nach vorn kippte. In solchen Augenblicken konnte man meilenweit sehen. Doch der Berg war in Bewegung, und der Boden unter unseren Füßen sauste so schnell in die Tiefe, dass unsere Mägen rebellierten. Ehe wir uns versahen, waren wir wieder am Grund eines finsteren Tals, anders als das vorherige und dennoch gleich. Über uns türmten sich gewaltige Wassermassen, und nur die Tatsache, dass wir so leicht waren, konnte uns retten.

Dann geriet das Land erneut in Bewegung, die Ankertaue waren zum Zerreißen gespannt, und es begann eine neue Achterbahnfahrt.

Die Treibanker taten ihre Arbeit sehr gut – fast zu gut, könnte man sagen. Jeder Wellenkamm wollte uns mit auf die Reise nehmen, doch die Anker hielten uns zurück – mit dem Erfolg, dass das Boot vorn heruntergezogen wurde und der Bug durch eine Wolke von Schaum und Gischt tauchte. Ich war jedes Mal völlig durchnässt.

Schließlich kam eine Welle, die uns noch stürmischer als die anderen davontragen wollte. Diesmal tauchte der Bug unter die Wasseroberfläche. Ich war wie gelähmt und außer mir von Angst. Ich konnte mich kaum festhalten. Das Boot stand unter Wasser. Ich hörte Richard Parker brüllen. Wir schwebten in Todesgefahr, das spürte ich. Mir blieb nur die Wahl, ob die See mich verschlang oder ein Tier. Ich wählte das Tier.

Auf dem Weg nach unten sprang ich auf die Plane und rollte sie zum Heck hin aus, sodass Richard Parker darunter eingeschlossen war. Mag sein, dass er protestierte, aber ich hörte ihn nicht. Schneller als eine Nähmaschine ein Stück Stoff verarbeitet, hakte ich die Plane auf beiden Seiten des Bootes fest. Es ging wieder aufwärts. Das Boot schoss unaufhaltsam nach oben. Ich konnte nur schwer das Gleichgewicht halten. Das Rettungsboot war jetzt verschlossen und die Plane ringsum befestigt, außer an meinem Ende. Ich zwängte mich zwischen die Seitenbank und die Plane und zog sie so gut es ging über meinen Kopf. Ich hatte nur sehr wenig Platz. Der Abstand zwischen Bank und Bootsrand maß nur etwa dreißig Zentimeter, und die Seitenbänke waren keinen halben Meter breit. Aber selbst im Angesicht des Todes war ich nicht so leichtsinnig, dass ich hinunter ins Boot gestiegen wäre. Vier Haken waren noch zu befestigen. Ich schob eine Hand durch die Öffnung und versuchte mein Glück mit der Leine. Je mehr Haken geschlossen waren, desto schwieriger wurde es. Ich schaffte immerhin zwei. Blieben noch zwei. Das Boot bewegte sich gleichmäßig und unaufhaltsam aufwärts, mit einer Neigung von gut dreißig Grad. Ich spürte, wie die Schwerkraft mich hinunter zum Heck zog. Ich reckte die Hand in einer verzweifelten Anstrengung und führte das Seil durch einen weiteren Haken. Aber mehr war nicht möglich. Es war einfach nicht vorgesehen, dass man die Plane vom Inneren des Boots aus befestigte. Ich zog das Seil straff, was mir nicht schwer fiel, denn ich musste mich ohnehin daran festhalten, wenn ich nicht durch das ganze Boot rutschen wollte. Nicht lange, und die Fünfundvierzig-Grad-Marke war erreicht.

Es müssen sechzig Grad gewesen sein, als wir hoch oben den Wellenkamm durchbrachen. Nur ein winziger Bruchteil der Wassermassen stürzte auf uns ein. Dennoch war mir, als träfe mich ein gewaltiger Fausthieb. Das Rettungsboot kippte unvermittelt nach vorn, und nun verkehrte sich alles ins Gegenteil: Jetzt befand ich mich am unteren Ende des Rettungsboots, und das Wasser, das eingedrungen war, schwappte nun, mit einem nassen Tiger darin, in meine Richtung. Ich spürte nichts von dem Tiger – ich konnte nur ahnen, wo Richard Parker war; es war stockdunkel unter der Plane –, doch bevor wir das nächste Wellental erreichten, war ich halb ertrunken.

Den ganzen restlichen Tag über und noch bis weit in die Nacht hinein ging es unablässig auf und ab, auf und ab, auf und ab, bis der Schrecken zur Routine wurde und einer dumpfen Betäubung und schließlich der Teilnahmslosigkeit wich. Mit einer Hand hielt ich das Befestigungsseil der Plane umklammert, mit der anderen die Kante der vorderen Bank, den Körper auf die Seitenbank gedrückt. In dieser Lage – bald im Wasser und bald wieder draußen – war ich wehrlos dem Schlagen der Plane ausgesetzt; ich war nass und kalt, und ich hatte Prellungen und Schürfwunden von Knochen und Schildkrötenpanzern, die durchs Boot geschleudert kamen. Unablässig toste der Sturm, und unablässig fauchte Richard Parker.

Irgendwann in der Nacht merkte ich plötzlich, dass der Sturm vorüber war. Das Boot tanzte wieder wie immer auf den Wellen. Durch einen Riss in der Plane sah ich den Nachthimmel. Sternenklar und wolkenlos. Ich löste die Plane und legte mich oben darauf.

Bei Tagesanbruch sah ich, dass das Floß nicht mehr da war. Alles was übrig geblieben war, waren zwei aneinander gebundene Ruder und die Schwimmweste dazwischen. So musste jemandem zumute sein, der vor dem letzten aufrechten Balken seines heruntergebrannten Hauses steht. Ich blickte mich um und musterte den Horizont. Nichts. Meine kleine schwimmende Stadt war verschwunden. Dass die Treibanker, so unglaublich das war, nicht verloren waren – sie zerrten noch immer brav am Boot –, war ein geringer Trost. Für den Körper mochte der Verlust des Floßes nicht tödlich sein, doch für die Moral schon.

Das Boot war in schlimmem Zustand. Die Plane war an mehreren Stellen eingerissen; einige Risse waren offensichtlich von Richard Parkers Krallen verursacht. Ein großer Teil unserer Nahrungsvorräte war verloren, entweder über Bord gegangen oder vom eindringenden Wasser zerstört. Mir tat alles weh, und am Oberschenkel hatte ich eine böse Wunde; die Wunde war geschwollen und weiß. Ich wagte kaum, den Inhalt des Stauraums zu mustern. Gott sei Dank war keiner der Wassersäcke geplatzt. Das Netz und die Destilliervorrichtungen, die ich nicht vollständig zerlegt hatte, hatten den Hohlraum ausgefüllt und verhindert, dass sich die Säcke zu sehr bewegten.

Ich fühlte mich erschöpft und niedergeschlagen. Ich löste die Plane im Heck. Richard Parker lag so reglos da, dass ich zuerst dachte, er sei ertrunken. Aber er lebte. Als ich die Plane zur Mitte der Bank zurückrollte und das Tageslicht ins Bootsinnere drang, rührte er sich und knurrte. Er kletterte aus dem Wasser und setzte sich auf die hintere Bank. Ich holte Nadel und Faden und begann, die Risse in der Plane zu flicken.

Später band ich einen der Eimer an ein Seil und schöpfte das Boot aus. Richard Parker beobachtete mich ohne großes Interesse. Anscheinend fand er meine Arbeiten langweilig. Es war ein heißer Tag, und ich kam nur langsam voran. In einem Eimer fand ich etwas, das ich verloren glaubte. Ich betrachtete es. In meiner Hand lag alles, was jetzt noch zwischen mir und dem Tod stand: die letzte der orangefarbenen Trillerpfeifen.

Kapitel 84

Ich lag in eine Decke gehüllt auf der Plane und schlief, träumte, wachte auf, hing Tagträumen nach und verdöste einfach nur die Zeit. Es wehte ein steter Wind. Hin und wieder wurde etwas Schaum von einem Wellenkamm geblasen und spritzte auf das Boot. Richard Parker war unter der Plane verschwunden. Er mochte es nicht, wenn er nassgespritzt wurde, ebenso wenig wie das Schaukeln des Bootes. Aber der Himmel war blau, die Luft warm, und die Wellen bewegten sich gleichmäßig. Ich erwachte von einem lauten Schnauben. Ich schlug die Augen auf und sah Wasser am Himmel. Es fiel klatschend auf mich herab. Ich sah nochmals nach oben. Der Himmel war blau und wolkenlos. Dann ein weiteres Schnauben zu meiner Linken, nicht ganz so laut wie beim ersten Mal. Richard Parker knurrte bedrohlich. Wieder klatschte Wasser auf mich nieder. Es roch unangenehm.

Ich schaute über den Bootsrand. Das Erste, was ich sah, war ein großes schwarzes Etwas, das im Wasser schwamm. Ich brauchte ein paar Sekunden, bis ich erkannte, was es war. Eine bogenförmige Falte am Rand brachte mich auf die richtige Idee. Es war ein Auge. Was dort schwamm, war ein Wal. Sein Auge war so groß wie mein Kopf, und es starrte mich unverwandt an.

Richard Parker kam unter der Plane hervor. Er fauchte.

Aus einem leichten Glitzern im Auge des Wals schloss ich, dass er jetzt Richard Parker musterte. Etwa eine halbe Minute lang betrachtete er ihn, dann sank der Wal ganz langsam hinab in die Tiefe. Ich machte mir Sorgen, dass er uns mit seiner Schwanzflosse treffen könne, aber er tauchte einfach unter und verschwand. Der Schwanz war bald kaum noch zu erkennen; er sah aus wie eine riesige geschwungene Klammer.

Ich glaube, der Wal war auf der Suche nach einem Gefährten. Er muss zu dem Schluss gekommen sein, dass ich nicht die richtige Größe hatte. Außerdem hatte ich ja offenbar schon Gesellschaft.

Wir begegneten einer Reihe von Walen, aber keiner kam uns je wieder so nah wie der erste. Wenn sie sich näherten, bemerkte ich es an ihren Wasserfontänen. Sie tauchten nicht weit von uns auf, manchmal drei oder vier auf einmal – ein kurzlebiger Archipel mit Geysiren darauf. Diese sanften Riesen munterten mich jedes Mal auf. Ich war sicher, dass sie meine Lage verstanden, dass einer von ihnen bei meinem Anblick ausrief: »Ach! Da ist ja der Schiffbrüchige mit dem Kätzchen, von dem Bamphoo mir erzählt hat. Der arme Junge. Hoffentlich hat er genug Plankton. Ich muss Mamphoo und Tomphoo und Stimphoo von ihm erzählen. Vielleicht ist ja ein Schiff in der Nähe, das man alarmieren könnte. Seine Mutter wäre sicher glücklich, wenn sie ihn wiederhätte. Leb wohl, mein Junge. Ich werde sehen, was ich tun kann. Mein Name ist Pimphoo.« Und so kannten mich alle Wale im Pazifik vom Hörensagen, und ich wäre längst gerettet worden, hätte nicht Pimphoo ausgerechnet bei einem japanischen Schiff Hilfe gesucht, dessen heimtückische Mannschaft sie abschlachtete, und nicht besser erging es Lamphoo, die einem Norweger zum Opfer fiel. Gibt es ein abscheulicheres Verbrechen als den Walfang?

Delphine kamen recht regelmäßig zu Besuch. Einmal begleitete uns eine Gruppe einen ganzen Tag und eine

Nacht lang. Sie waren sehr munter. Ihre Sprünge und Saltos und Wettrennen knapp unter dem Bootsrumpf unternahmen sie offenbar allein zu ihrem Vergnügen. Ich versuchte, einen zu fangen. Aber keiner kam nah genug an den Fischhaken heran. Und selbst wenn – sie waren viel zu schnell und zu groß. Ich gab es auf und sah ihnen einfach nur zu.

Insgesamt sah ich sechs Vögel. Ich hielt jeden von ihnen für einen Engel, der die Nähe von Land verkündete. Aber es waren Seevögel, die den Pazifik fast ohne einen Flügelschlag überqueren konnten. Ich beobachtete sie voller Ehrfurcht, doch auch voller Selbstmitleid.

Zweimal sah ich einen Albatros. Beide segelten in großer Höhe vorüber und nahmen keine Notiz von uns. Ich starrte ihnen mit offenem Munde nach. Es war etwas Übernatürliches, Unbegreifliches um sie.

Ein andermal flogen zwei Sturmschwalben ganz nah am Boot vorüber, so niedrig, dass ihre Füße die Wellen berührten. Auch sie schenkten uns keine Beachtung und ließen mich ebenso staunend zurück.

Schließlich erregten wir die Aufmerksamkeit eines Sturmtauchers. Er kreiste über uns und stieß dann hinab. Er steckte die Beine nach vorn, drehte die Flügel zum Landen und schwamm leicht wie ein Korken auf dem Wasser. Dabei musterte er mich mit neugierigen Blicken. Ich steckte rasch ein Stückchen Fisch als Köder auf einen Angelhaken und warf die Angelschnur in seine Richtung. Ich hatte keine Gewichte an der Schnur befestigt, und es war schwer, den Haken weit genug zu werfen. Beim dritten Versuch schwamm der Vogel zu dem sinkenden Köder und tauchte den Kopf ins Wasser, um danach zu schnappen. Mein Herz hämmerte vor Erregung. Ich wartete einige Sekunden, bevor ich an der Schnur zog. Doch als ich es tat, antwortete der Vogel nur mit einem Kreischen und würgte den Köder wieder heraus. Und noch ehe ich einen neuen Versuch unternehmen konnte, breitete er die Schwingen aus und erhob sich in die Lüfte. Mit zwei, drei Flügelschlägen nahm er seine Reise wieder auf.

Mehr Glück hatte ich mit einem Tölpel. Er tauchte wie aus dem Nichts plötzlich auf, schwebte auf uns zu, mit einer Flügelspannweite von gut einem Meter, und landete auf dem Bootsrand – so nah, dass ich ihn mit Händen greifen konnte. Seine runden Augen musterten mich mit verblüfftem, ernsthaftem Blick. Er war ein großer Vogel mit schneeweißem Gefieder, nur die Flügel hatten pechschwarze Spitzen und Ränder. An dem großen, runden Kopf saß ein extrem spitzer, orangegelber Schnabel, und mit den roten Augen hinter der schwarzen Maske sah er aus wie ein Dieb nach einer langen Nacht. Nur die zu groß geratenen Schwimmfüße passten nicht recht zu seiner Erscheinung. Der Vogel zeigte überhaupt keine Scheu. Minutenlang zupfte er mit dem Schnabel an seinen Federn, sodass man die weichen Daunen darunter sehen konnte. Als er damit fertig war, hob er den Kopf und sah wieder aus wie neu: ein elegantes aerodynamisches Luftschiff. Als ich ihm ein Stückchen Doradenfleisch hinhielt, pickte er es mir aus der Hand, und sein Schnabel berührte meine Handfläche.

Ich brach ihm das Genick, indem ich seinen Kopf wie einen Hebel nach hinten bog: Mit einer Hand drückte ich den Schnabel nach oben, die andere umschloss den Hals. Die Federn saßen so fest, dass sich beim Versuch, sie herauszuziehen, die Haut mit ablöste – ich rupfte den Vogel nicht, ich riss ihn in Stücke. Er war ohnehin sehr leicht, ein Körper ohne Gewicht. Also nahm ich das Messer und häutete ihn. Trotz seiner Größe hatte er enttäuschend wenig Fleisch, nur ein bisschen an der Brust. Es war zäher als das Fleisch der Doraden, aber ich fand, dass es kaum anders schmeckte. Im Magen des Vogels fand ich außer dem Stückchen Dorade, das ich ihm gerade gegeben hatte, drei kleine Fische. Nachdem ich die Verdauungssäfte abgespült hatte, aß ich sie. Ich aß Herz, Leber und Lungen des Vogels. Ich spülte seine Augen und Zunge mit einem Schluck

Wasser hinunter. Ich zertrümmerte den Kopf und löste das kleine Gehirn heraus. Ich aß die Schwimmhäute an seinen Füßen. Der Rest war nichts als Haut, Knochen und Federn. Ich warf ihn über den Rand der Plane hinunter zu Richard Parker, der die Ankunft des Vogels nicht bemerkt hatte. Eine orangefarbene Pranke griff danach.

Tage später wirbelten immer noch Federn und Daunen aus Richard Parkers Unterschlupf und wurden aufs Meer hinaus getragen. Wenn sie im Wasser landeten, schnappten die Fische danach.

Ein Vogel, der Land verkündet hätte, kam nie.

Kapitel 85

Einmal gab es ein Gewitter. Der Himmel war am helllichten Tag so schwarz wie sonst in der Nacht. Es goss in Strömen. Von ferne hörte ich Donner. Ich dachte, dabei würde es auch bleiben. Dann aber frischte der Wind auf und peitschte den Regen kreuz und quer. Gleich darauf fuhr ein grellweißer Keil vom Himmel herab und bohrte sich in das Wasser. Er schlug in einiger Entfernung ein, doch der Effekt war deutlich zu sehen. Eine Art weißes Wurzelwerk durchzog das Wasser; für kurze Zeit ragte ein riesiger Himmelsbaum aus dem Ozean. Das hatte ich nie für möglich gehalten: ein Blitzeinschlag im Meer. Der nachfolgende Donner war gewaltig. Der Blitz unvorstellbar hell.

Ich drehte mich zu Richard Parker um und sagte: »Sieh nur, Richard Parker, ein Blitz.« Es war deutlich genug, was er davon hielt. Er lag mit ausgestreckten Beinen flach auf dem Boden und zitterte.

Auf mich hatte das Ereignis genau die gegenteilige Wirkung. Es war etwas, das mich aus meinem eng begrenzten Dasein riss und in einen Zustand verzückten Staunens versetzte.

Plötzlich schlug ein Blitz unmittelbar neben uns ein.

Vielleicht war er für uns bestimmt: Wir hatten gerade eine Welle überwunden und waren wieder auf dem Weg nach unten, als der Wellenkamm getroffen wurde. Es war wie eine Explosion, eine Wolke von heißer Luft und heißem Wasser. Zwei, vielleicht drei Sekunden lang tanzte ein riesengroßer, leuchtender Splitter von einer zerborstenen kosmischen Fensterscheibe am Himmel, körperlos und doch überwältigend kraftvoll. Zehntausend Trompeter und zwanzigtausend Trommler hätten nicht einen solchen Lärm machen können wie dieser Blitzschlag; er klang noch lange in den Ohren nach. Die See war gleißend hell, und sämtliche Farben verschwanden. Es gab nur noch schneeweißes Licht oder pechschwarzen Schatten. Das Licht strahlte die Dinge nicht an, es durchdrang sie. Ebenso schnell wie er aufgetaucht war, verschwand der Blitz – die heiße Gischt schwebte noch in der Luft, da war bereits alles vorbei. Die getroffene Welle hatte wieder die alte Farbe und setzte ihre Reise fort, als sei nichts geschehen.

Ich saß wie gelähmt, gebannt vom Donnerschlag. Aber Angst hatte ich keine.

»Lob und Preis sei Allah, dem Herrn aller Weltenbewohner, dem gnädigen Allerbarmer, der da herrscht am Tag des Gerichts!«, murmelte ich. Und Richard Parker rief ich zu: »Fürchte dich nicht! Es ist ein Wunder. Ein Zeichen Gottes. Es ist … es ist …« Ich fand keine Worte, es zu beschreiben, dieses gewaltige, phantastische Etwas. Ich war atemlos und sprachlos. Ich lehnte mich zurück auf die Plane, die Arme und Beine gespreizt. Der Regen war eiskalt. Doch ich lächelte. Um Haaresbreite war ich dem tödlichen Stromschlag, den schwersten Verbrennungen entgangen, aber es war einer der wenigen Momente meiner langen Reise, in denen ich wirklich glücklich war.

In solchen Augenblicken des Wunders ergeben sich die großen, weltumspannenden Gedanken ganz von selbst, Gedanken, die den Donnerschlag und das Wimmern einschließen, das Große und das Kleine, Nah und Fern.

Kapitel 86

»Richard Parker, ein Schiff!«

Einmal hatte ich das Vergnügen und konnte das tatsächlich rufen. Ich war überwältigt vor Glück. Aller Schmerz, alle Enttäuschung waren wie weggeblasen, jede Faser in mir jubilierte.

»Wir haben es geschafft! Wir sind gerettet! Hörst du, was ich sage, Richard Parker? WIR SIND GERETTET! Ha, ha, ha, ha!«

Ich versuchte meine Aufregung im Zaum zu halten. Was, wenn das Schiff so weit ab blieb, dass niemand uns sah? Ob ich eine Signalrakete schießen sollte? Unsinn!

»Sie kommen zu uns her, Richard Parker! O Gott Ganesha, ich danke dir! Gesegnet seist du in all deinen Erscheinungen, Allah-Brahman!«

Unmöglich, dass sie uns übersahen. Konnte es ein größeres Glück geben als das Glück der Errettung aus der Not? Die Antwort – das versichere ich – lautet Nein. Ich stellte mich aufrecht hin, das erste Mal seit langem, dass ich mir die Mühe machte.

»Ist das zu glauben, Richard Parker? Menschen, Essen, ein Bett. Wir kehren ins Leben zurück. Welche Glückseligkeit!«

Das Schiff kam immer näher. Allem Anschein nach war es ein Öltanker. Man konnte schon den Bug sehen. Der Retter kam in Schwarz, mit weißen Zierlinien.

»Und was, wenn …?«

Ich wagte nicht, es zu sagen. Aber gab es denn nicht vielleicht doch Hoffnung, dass Vater und Mutter und Ravi noch am Leben waren? Die *Tsimtsum* hatte doch schließlich mehr als nur das eine Rettungsboot gehabt. Vielleicht waren sie schon vor Wochen in Kanada angekommen und warteten sehnlich auf ein Lebenszeichen von mir. Vielleicht war ich das einzige Schiffbruchsopfer, dessen Schicksal ungewiss war.

»Gott, was ist so ein Öltanker groß!«

Es war ein ganzer Berg, der da auf uns zukam.

»Vielleicht sind sie schon alle in Winnipeg. Ich bin gespannt, wie unser neues Haus aussieht. Was meinst du, Richard Parker, haben die Häuser in Kanada Innenhöfe, so wie die alten tamilischen Häuser? Wahrscheinlich nicht. Im Winter würden sie bis obenhin zuschneien. Schade. Nichts auf der Welt ist so friedlich wie ein Innenhof an einem sonnigen Tag. Was wohl in Manitoba für Gewürze wachsen?«

Das Schiff war jetzt schon sehr nahe. Es wurde Zeit, dass sie die Maschinen stoppten oder den Kurs änderten.

»Was würde wachsen, so hoch im Norden …? Liebe Güte!«

Entsetzt begriff ich, dass der Tanker sich uns nicht nur näherte, sondern direkt Kurs auf uns hielt. Die gewaltige Stahlwand des Bugs wurde von Sekunde zu Sekunde größer. Eine mächtige Bugwelle lief unerbittlich auf uns zu. Auch Richard Parker bemerkte nun das Monstrum, das uns niederwalzen würde. Er drehte sich zu ihm hin und stieß ein »Wuff! Wuff!« aus – aber keinen Hunde-, sondern einen Tigerlaut: mächtig, angsteinflößend, der Gefährlichkeit unserer Lage rundum angemessen.

»Richard Parker, sie werden uns rammen! Was sollen wir machen? Schnell, eine Rakete, schnell! Nein! Lieber rudern. Einhaken … los! *UMPF! UMPF! UMPF! UMPF! UMPF! UM —*«

Die Bugwelle erfasste uns. Richard Parker duckte sich, jedes einzelne Haar aufgerichtet. Das Boot hüpfte über die Welle, und der Bug des Tankers ging keinen halben Meter an uns vorbei.

Der Schiffsrumpf glitt vorüber, und es kam mir wie eine ganze Meile vor, eine ganze Meile hoher, schwarzer Wand wie in einer Schlucht, eine Meile Burgmauer mit nicht einem einzigen Wachposten, der uns bemerkt hätte, wie wir aus dem Graben riefen. Ich zündete eine Signalrakete, aber sie war schlecht gezielt. Statt dass sie hinauf zur Brücke schoss und direkt vor der Nase des Kapitäns explodierte, prallte sie von der Schiffswand ab und ging geradewegs in den Pazifik, wo sie mit einem Puffen verlosch. Ich blies meine Pfeife mit aller Macht. Ich brüllte mir die Lunge aus dem Leib. Aber es war alles vergebens.

Mit gewaltig rumpelnden Maschinen, mit dem wütenden Brodeln der Schrauben unter Wasser, stampfte das Schiff an uns vorbei, und das Rettungsboot hüpfte und tanzte im schäumenden Kielwasser. Nach so vielen Wochen, in denen ich nur Naturlaute gehört hatte, war der Maschinenlärm fremd und angsteinflößend, so bedrohlich, dass es mir die Sprache verschlug.

Es dauerte keine zwanzig Minuten, und ein Schiff von dreihunderttausend Tonnen war zum Fleck am Horizont geschrumpft. Als ich mich wieder dem Boot zuwandte, sah Richard Parker ihm noch immer nach. Doch nach ein paar Sekunden wandte auch er sich ab, und für einen kurzen Augenblick trafen sich unsere Blicke. In meinen Augen stand Sehnsucht, Schmerz, Verzweiflung, Einsamkeit geschrieben. Er wusste nur, dass etwas Bedeutendes, Bedrückendes geschehen war, etwas, das über seinen Verstand ging. Dass es die knapp verfehlte Rettung war, verstand er nicht. Er wusste nur, dass das Alphatier, dieser merkwürdige, unberechenbare Tiger, sehr aufgeregt gewesen war. Er ließ sich zu seinem nächsten Nickerchen nieder. Das Einzige, was er zu dem Vorfall zu sagen hatte, war ein halbherziges Miau.

»Ich liebe dich!« Die Worte brachen aus mir heraus, ungeschminkt, ungehindert, grenzenlos. Das Gefühl wallte in mir auf. »Wahrlich, das tue ich. Ich liebe dich, Richard Parker. Wärst du in diesem Augenblick nicht hier, ich wüsste nicht, was ich tun würde. Ich glaube nicht, dass ich weiterkönnte. Nein, mit Sicherheit nicht. Die Hoffnungslosigkeit wäre mein Tod. Gib nicht auf, Richard Parker, gib nicht auf. Ich bringe dich an Land, das verspreche ich! Das verspreche ich.«

Kapitel 87

Zu meinen liebsten Zerstreuungen zählte eine Art milder Erstickungszustand. Dazu nahm ich ein Stück Stoff, das ich aus den Überresten einer Decke herausgeschnitten hatte. Ich nannte es mein Traumtuch. Ich befeuchtete es mit Meerwasser, bis es gut durchnässt war, aber nicht tropfte. Ich legte mich bequem auf die Plane, bedeckte mein Gesicht mit dem Traumtuch und drückte es an, bis es saß wie eine Maske. Danach fiel ich in eine Art Dämmerzustand – kein großes Kunststück für jemanden in einem so fortgeschrittenen Stadium der Lethargie. Aber das Traumtuch verlieh diesem Dämmerzustand eine ganz besondere Qualität. Es lag wohl daran, dass es die Sauerstoffzufuhr drosselte. Jedenfalls verhalf es mir zu wahrhaft außergewöhnlichen Träumen, Trancezuständen, Visionen, Gedanken, Gefühlen, Erinnerungen. Und die Zeit verging wie im Flug. Wenn ein Zucken oder ein zu tiefer Atemzug mich störte und das Tuch herunterrutschen ließ, kam ich wieder zu mir, glücklich, dass so viel Zeit vergangen war. Ein Beweis dafür war die Trockenheit des Tuches. Aber mehr noch das Gefühl, dass sich etwas verändert hatte, dass der gegenwärtige Augenblick anders war als der gegenwärtige Augenblick zuvor.

Kapitel 88

Einmal schwamm Müll vorbei. Erste Anzeichen waren schillernde Öllachen auf dem Wasser. Wenig später kamen Haus- und Industrieabfälle: überwiegend Kunststoffmüll in den unterschiedlichsten Formen und Farben, aber auch Holz, Bierdosen, Weinflaschen, Stoffreste, Seilstücke, alles umgeben von einem gelblichen Schaumkranz. Wir steuerten mitten hinein. Ich wollte nachsehen, ob etwas Nützliches dabei war, und fischte eine leere Weinflasche mit

Korken heraus. Das Rettungsboot stieß gegen einen Kühlschrank, der seinen Motor verloren hatte. Er dümpelte mit der Tür nach oben im Wasser. Ich streckte die Hand aus, packte den Griff und öffnete die Tür. Der Gestank, der mir entgegenschlug, war so ekelerregend, dass ich das Gefühl hatte, selbst die Luft hätte sich davon verfärbt. Ich hielt mir die Hand vor den Mund und sah hinein. Der Kühlschrank war innen voller Schimmelflecke und brauner Flüssigkeit und enthielt neben allerlei verfaultem Gemüse und verdorbener Milch, die schon zu einer grünen, gallertartigen Masse geronnen war, vier Teile eines Tierkadavers in einem so fortgeschrittenen Stadium der Verwesung, dass ich nicht mehr sagen konnte, was es war. Der Größe nach zu urteilen war es wohl ein Lamm gewesen. In der abgeschlossenen, feuchten Atmosphäre des Kühlschranks hatte der Gestank in aller Ruhe reifen können und war so widerlich und beißend, dass er meine Sinne mit einer aufgestauten Wut attackierte, von der mir schwindelte; der Magen drehte sich mir um und meine Knie wurden weich. Zum Glück füllte die See den übelriechenden Hohlraum bald aus, und das ganze Ding verschwand unter der Wasseroberfläche. An der Lücke, die der versunkene Kühlschrank hinterließ, schwamm schon bald anderer Unrat.

Wir ließen den Müll hinter uns. Ich konnte ihn noch lange riechen, wenn der Wind aus dieser Richtung wehte. Die See brauchte einen ganzen Tag, um die ölverschmierten Seiten des Rettungsboots wieder reinzuwaschen.

Ich steckte eine Botschaft in die Flasche: »Japanischer Frachter *Tsimtsum* unter Panamaflagge, gesunken 2. Juli 1977, Pazifik, vier Tagesreisen von Manila. Sitze im Rettungsboot. Name Pi Patel. Habe etwas Nahrung, etwas Wasser, aber bengalischer Tiger ein ernstes Problem. Bitte Familie in Winnipeg, Kanada, benachrichtigen. Hilfe sehr erwünscht. Danke.« Ich verschloss die Flasche mit dem Korken und zog ein Stück Plastik darüber, das ich mit Ny-

lonschnur am Flaschenhals befestigte. Dann schleuderte
ich die Flasche ins Wasser.

Kapitel 89

Alles löste sich auf. Alles wurde von der Sonne gebleicht
und vom Wetter gegerbt. Das Rettungsboot, das Floß, bis
es dann ganz verlorenging, die Plane, die Destillen, die
Regensammler, die Plastiksäcke, die Leinen, die Decken,
das Netz – alles wurde fadenscheinig, ausgeleiert, schlaff,
rissig, trocken, morsch, zerschlissen, farblos. Was einst
orange war, verblasste zu einem weißlichen Gelb. Was glatt
war, wurde rau. Was rau war, wurde glatt. Was scharf war,
wurde stumpf. Was ganz war, hing in Fetzen. Da half es
auch nichts, dass ich alles mit Fischhäuten und Schildkrötenfett einrieb, um Sachen ein wenig geschmeidig zu halten. Das Salz fraß unerbittlich weiter, Millionen hungriger
Mäuler. Und die Sonne verbrannte alles. Immerhin hielt
sie Richard Parker in Schach, zeitweise zumindest. Sie reinigte Skelette und bleichte sie aus zu strahlendem Weiß.
Sie brannte mir die Kleider vom Leib und hätte mir auch
die Haut noch versengt, obwohl sie so dunkel war, hätte ich
mich nicht mit Decken und Schildkrötenpanzern geschützt. Sobald die Hitze unerträglich wurde, nahm ich einen Eimer und übergoß mich mit Meerwasser; manchmal
war das Wasser so warm, dass es sich anfühlte wie Sirup.
Die Sonne vertrieb auch sämtliche Gerüche. Ich kann mich
jedenfalls an keinen Geruch erinnern. Nur an den der ab-
gebrannten Signalfackeln. Habe ich schon erzählt, dass sie
nach Kreuzkümmel rochen? Ich weiß nicht einmal mehr,
wie Richard Parker roch.

Wir siechten dahin. Es ging ganz langsam, so langsam,
dass es mir nicht immer bewusst war. Aber es fiel mir doch
auf. Wir waren zwei ausgemergelte Säuger, vertrocknet und
verhungert. Richard Parkers Fell hing matt und schlaff an

Schultern und Hüfte. Er hatte sehr abgenommen, nur noch ein Knochengerüst in einem viel zu großen Sack aus schütterem Fell. Auch ich schwand zusehends; alle Feuchtigkeit war aus meinem Körper gewichen, die Knochen zeichneten sich durch die Haut deutlich ab.

Ich nahm mir an Richard Parker ein Beispiel und schlief die meiste Zeit. Es war kein echter Schlaf, eher ein halbwacher Dämmerzustand, in dem Tagträume und Wirklichkeit kaum noch zu unterscheiden waren. Mein Traumtuch leistete mir gute Dienste.

Dies sind die letzten Seiten aus meinem Tagebuch:

Heute der größte Hai bisher. Urtümlich, bestimmt zwei Meter lang. Gestreift. Ein Tigerhai – sehr gefährlich. Umkreiste uns. Fürchtete schon, er würde angreifen. Hatte den einen Tiger überlebt, jetzt würde ich vom anderen gefressen. Griff nicht an. Schwamm davon. Wolkiges Wetter, aber kein Regen.

Trocken. Nur Morgendunst. Delphine. Wollte einen fangen. Konnte mich nicht auf den Beinen halten. R. P. schwach und missgelaunt. Bin so schwach, könnte mich nicht verteidigen, wenn er angreift. Keine Kraft mehr, die Pfeife zu blasen.

Windstiller, glutheißer Tag. Sonne brennt gnadenlos. Als ob das Gehirn in meinem Schädel kocht. Fühle mich schrecklich.

Körper und Seele am Boden zerstört. Werde bald sterben. R. P. atmet, aber bewegt sich nicht. Wird auch sterben. Wird mich nicht töten.

Erlösung. Eine Stunde lang heftiger, köstlicher, wunderbarer Regen. Füllte Mund, füllte Säcke und Dosen, trank bis kein Tropfen mehr hineinpasste. Ließ mich nassregnen, um Salz abzuwaschen. Kroch hinüber zu R. P. Reagierte nicht. Körper zusammengerollt, Schwanz am Boden. Fell nass und ungepflegt. Wirkt kleiner wenn nass. Knochig. Habe ihn zum ersten Mal berührt. Wollte wissen, ob er tot ist. Nicht tot. Körper noch

warm. Seltsames Gefühl, die Berührung. Sogar jetzt noch fest,
muskulös, lebendig. Berührte ihn, und er schauderte, als liefe
eine Mücke über sein Fell. Schließlich hob er den Kopf, halb im
Wasser. Lieber trinken als ertrinken. Noch besseres Zeichen:
Schwanz zuckte. Warf ihm Schildkrötenfleisch vor. Nichts.
Richtete sich endlich halb auf – um zu trinken. Trank und
trank. Fraß. Richtete sich nicht ganz auf. Leckte sich eine gute
Stunde lang am ganzen Körper. Schlief.

Es ist sinnlos. Heute sterbe ich.

Heute werde ich sterben.

Ich sterbe.

Das war mein letzter Eintrag. Ich starb dann doch nicht, ich
hielt auch weiterhin durch, aber ich schrieb nichts mehr.
Hier, die Abdrücke, unsichtbare Kringel auf den Rändern
der Seiten. Ich hatte immer befürchtet, mir würde das Papier ausgehen. Stattdessen hatten die Kugelschreiber keine Tinte mehr.

Kapitel 90

»Fehlt dir etwas, Richard Parker?«, fragte ich und fuhr mit
der Hand vor seinem Gesicht auf und ab. »Bist du blind
geworden?«

Seit ein oder zwei Tagen hatte er sich die Augen gerie-
ben und unglücklich miaut, aber ich hatte mir nichts dabei gedacht. Schmerz und Leid waren ja für uns die einzige Ration, die immer reichlich vorhanden war. Ich fing
eine Dorade. Seit drei Tagen hatten wir nichts mehr gegessen. Am Tag zuvor war eine Schildkröte vorbeigekommen, aber ich hatte nicht die Kraft gehabt, sie an Bord zu
ziehen. Ich teilte den Fisch in zwei Hälften. Richard Par-

ker blickte in meine Richtung. Ich warf ihm seinen Anteil zu. Ich hatte erwartet, dass er ihn elegant auffing. Er flog ihm mitten ins Gesicht. Er suchte den Boden ab. Er schnüffelte links und rechts, schließlich fand er ihn und machte sich langsam darüber her. Wir waren beide bedächtige Esser geworden.

Ich untersuchte seine Augen. Sie sahen nicht anders aus als am Tag zuvor. Vielleicht waren sie ein wenig stärker verklebt in den Ecken, aber es war nichts Dramatisches, jedenfalls gewiss nicht so dramatisch wie seine Erscheinung insgesamt. Wir waren beide nur noch Haut und Knochen.

Aber die bloße Tatsache, dass ich ihm ins Gesicht blickte, war ja schon die Antwort auf meine Frage. Ich starrte ihm in die Augen wie ein Augenarzt, und er blickte nur ausdruckslos zurück. Eine Wildkatze konnte nur blind sein, wenn sie sich ein solches Starren gefallen ließ.

Richard Parkers Schicksal bekümmerte mich. Unser Ende war nah.

Am nächsten Tag spürte ich ein Jucken in meinen eigenen Augen. Ich rieb und rieb, aber das Jucken ging nicht weg. Im Gegenteil, es wurde immer schlimmer, und anders als bei Richard Parker trat bei mir eine eitrige Flüssigkeit aus. Dann kam, so sehr ich die Augen auch zusammenkniff, die Dunkelheit. Zunächst war es nur ein schwarzer Punkt, direkt vor mir, immer genau in der Mitte. Daraus wurde ein Fleck, der wuchs, bis er mein ganzes Gesichtsfeld ausgefüllt hatte. Am nächsten Morgen sah ich von der Sonne nur noch einen schmalen Lichtstreif oben im linken Auge, wie ein winziges Fenster viel zu weit oben im Raum. Am Mittag war alles pechschwarz.

Ich klammerte mich ans Leben. Eine kraftlose Panik. Die Hitze war entsetzlich. Ich war so schwach geworden, dass ich nicht mehr auf den Beinen stehen konnte. Meine Lippen waren hart und schrundig. Der Mund war ausgetrocknet wie Pappe, überzogen mit einem zähflüssigen Speichel, der ebenso widerwärtig schmeckte wie er roch.

Ich hatte Sonnenbrand am ganzen Körper. Jeder geschrumpfte Muskel tat mir weh. Meine Glieder, besonders die Füße, waren geschwollen und schmerzten ständig. Ich war hungrig, und wieder hatte ich nichts gefangen. Richard Parker brauchte so viel Wasser, dass ich meinen Anteil auf fünf Löffelvoll pro Tag beschränkte. Aber diese körperlichen Qualen waren nichts im Vergleich zu den seelischen, die jetzt erst begannen. Der Tag, an dem ich das Augenlicht verlor, war der erste Tag meiner neuen Leiden. An welchem Punkt unserer Seefahrt es geschah, könnte ich nicht sagen. Zeit spielte, wie gesagt, bald keine Rolle mehr. Irgendwann zwischen dem hundertsten und dem zweihundertsten Tag muss es gewesen sein. Und ich war sicher, dass jener Tag mein letzter sein würde.

Am nächsten Morgen hatte ich alle Furcht vor dem Tod überwunden, und ich beschloss zu sterben.

Ich kam zu dem traurigen Schluss, dass ich nicht mehr in der Lage war, für Richard Parker zu sorgen. Als Zoowärter hatte ich versagt. Dass er sterben sollte, machte mir mehr aus als mein eigener nahender Tod. Aber ich musste es einsehen, dass ich, mutlos und krank wie ich war, nichts mehr für ihn tun konnte.

Meine Kräfte nahmen rapide ab. Ich spürte, wie die Schwäche des Todes in mich hineinkroch. Den Nachmittag würde ich nicht überleben. Ich beschloss, dass ich mir den Abschied ein wenig leichter machen und wenigstens den quälenden Durst lindern würde, mit dem ich so lange gelebt hatte. Ich goss so viel Wasser in mich hinein, wie ich schlucken konnte. Hätte ich doch nur einen allerletzten Bissen zu essen gehabt. Aber das sollte wohl nicht sein. Ich lehnte mich an das zusammengerollte Ende der Plane. Ich schloss die Lider und wartete auf meinen letzten Seufzer. »Leb wohl, Richard Parker«, murmelte ich. »Verzeih mir, dass ich dich verlasse. Ich habe getan, was ich konnte. Behüt dich Gott. Vater, Mutter, Ravi, seid mir gegrüßt. Euer liebender Sohn und Bruder kehrt zu euch heim. Keine Stunde ist vergangen, in der ich nicht an euch gedacht hätte. Der Augenblick, in dem ich euch wiedersehe, wird der glücklichste meines Lebens sein. Und nun lege ich alles in die Hände Gottes, der Liebe ist und den ich liebe.«

Ich hörte eine Stimme sagen: »Ist da jemand?«

Es ist erstaunlich, was man alles hört, allein in der Finsternis eines sterbenden Verstands. Ein Geräusch ohne Form oder Farbe hört sich merkwürdig an. Blinde hören anders als Sehende.

Die Stimme fragte noch einmal: »Ist da jemand?«

Ich kam zu dem Schluss, dass ich den Verstand verloren hatte. Traurig, aber es konnte nicht anders sein. Das Elend wünscht sich einen Gefährten, und der Wahnsinn ruft ihn herbei.

»Ist da jemand?«, fragte die Stimme zum dritten Mal, nun schon strenger.

Verblüffend, wie klar mein Verstand im Delirium war. Die Stimme hatte ein ganz eigenes Timbre, einen schweren, müden, schleppenden Klang. Ich ging auf sie ein.

»Natürlich ist da jemand. *Jemand* ist immer da. Woher sollte denn sonst die Frage kommen?«

»Ich hatte gehofft, dass da vielleicht *noch* jemand ist.«

»Was soll das heißen, noch jemand? Begreifst du eigentlich, wo du hier bist? Wenn dir diese Frucht deiner Phantasie nicht schmeckt, dann pflück dir eben eine andere. Die sind hier so reichlich wie dein Entbehren.«

Hmmm. *Ent*behren? *Erd*beeren. Das wäre jetzt genau das Richtige.

»Da ist also niemand?«

»Pssst ... ich träume von Erdbeeren.«

»Erdbeeren! Hast du etwa welche? Bitte, kann ich eine haben? Ich flehe dich an. Oder ein Stückchen. Ich bin fast verhungert.«

»Und ob ich welche habe. Es könnte ein Erdbeben geben von so viel Erdbeeren.«

»Ein Erdbeben von Erdbeeren! Bitte, kann ich welche haben? Mein Entbehren …«

Die Stimme, oder was es sonst als Täuschung von Wind und Wellen sein mochte, verklang.

»Dicke, runde, saftige, duftende Erdbeeren«, fuhr ich fort. »Ich habe sie direkt hier vor meinem Mund, so schwer hängen sie an ihren Stängeln. Die ganze Pflanze liegt am Boden, so schwer lasten sie auf ihr. Da sind bestimmt dreihundert Erdbeeren in meinem Beet.«

Schweigen.

Die Stimme kehrte zurück. »Lass uns über Essen reden …«

»Das ist eine gute Idee.«

»Was würdest du gern essen, wenn du haben könntest, was du willst?«

»Ausgezeichnete Frage. Ich würde mir ein riesiges Büfett aufbauen. Anfangen würde ich mit Reis und Sambar. Es gäbe Reis mit Kichererbsen und Pulau-Reis und —«

»Ich hätte gern —«

»Ich bin noch nicht fertig. Zu meinem Reis gäbe es einen würzigen Tamarindensambar und einen Frühlingszwiebelsambar und —«

»Noch mehr?«

»Wart's nur ab. Ich würde noch Sagu mit gemischten Gemüsen nehmen und Gemüsekorma und Kartoffelmasala und Weißkohlvadai und Masala Dosai und scharfen Linsenrasam und —«

»Ah ja.«

»Warte. Und Porial mit gefüllten Auberginen und Kokosnuss-Jamswurzel-Kootu und Idlireis und Dani Vadai und Gemüsebhaji und —«

»Das hört sich —«

»Und Chutneys, habe ich das schon gesagt? Kokosnusschutney und Minzchutney und eingelegte Paprika und eingelegte Stachelbeeren, alles natürlich mit Nans, Papadams, Parathas und Puris serviert, wie es sich gehört.«

»Hört sich —«

»Die Salate! Mango- und Okrasalat und frischer Gurkensalat. Und als Nachtisch Mandelhalva und Bananenhalva und gezuckerte Pfannkuchen Und Erdnusstoffee und Kokosnussburfi und Vanilleeis mit dicker, heißer Schokoladensoße.«

»Sonst noch etwas?«

»Abschließen würde ich den Imbiss mit einem Zehnliterglas frischen, sauberen, kühlen Wassers mit Eisstückchen drin und einer Tasse Kaffee.«

»Hört sich wunderbar an.«

»Allerdings.«

»Was ist ein Kokosnuss-Jamswurzel-Kootu?«

»Das ist das Paradies auf Erden. Man braucht Jamswurzeln dazu, Kokosraspeln, grüne Bananen, Chilipulver, zerstoßenen schwarzen Pfeffer, Kurkuma, Kreuzkümmel, Senfkörner und ein wenig Kokosnussöl. Man röstet die Kokosraspeln, bis sie goldbraun sind —«

»Darf ich etwas vorschlagen?«

»Was?«

»Wie wäre es statt Kokosnuss-Jamswurzel-Kootu mit gekochter Ochsenzunge in Senfsoße?«

»Hört sich nicht vegetarisch an.«

»Alles andere als das. Als zweiten Gang Kutteln.«

»Kutteln? Zuerst isst du die Zunge des armen Tiers und dann auch noch seine *Innereien*?«

»Und ob! Ich träume von *tripes à la mode de Caen* – warm – mit Kalbsmilch.«

»Kalbsmilch? Schon besser. Was ist Kalbsmilch?«

»Kalbsmilch wird aus der Bauchspeicheldrüse des Kalbs gemacht.«

»Der Bauchspeicheldrüse!«

»Geschmort mit Champignonsoße – eine Delikatesse.«

Woher kamen diese ekelerregenden, gotteslästerlichen Vorschläge? War ich wirklich mittlerweile so verroht, dass ich davon träumte, mich an einer *Kuh und ihrem Kalb* zu vergreifen? Was waren das für entsetzliche Abwege, auf die ich da geraten war? War das Rettungsboot womöglich zurück in den Müllhaufen gedriftet?

»Und die nächste Beleidigung?«

»Kalbshirn mit brauner Butter.«

»Aha, noch mehr vom Kopf?«

»Hirnsoufflé!«

»Mir wird schlecht. Gibt es überhaupt etwas, was du *nicht* essen würdest?

»Ach, was gäbe ich für Ochsenschwanzsuppe. Für Spanferkel, gefüllt mit Reis, Würsten, Aprikosen und Rosinen. Für Kalbsnierchen in einer Soße aus Butter, Senf und Salbei. Für mariniertes Kaninchen, in Rotwein gedünstet. Für gebratene Hühnerleber. Für Leberpastete mit Kalbfleisch. Für Froschschenkel. Gebt mir Froschschenkel, gebt mir Froschschenkel!«

»Jetzt aber genug!«

Die Stimme schwand. Ich bebte am ganzen Leib vor Ekel. Ein irrsinniger Verstand, das mochte angehen, aber es war wirklich nicht fair, dass er einem auch noch auf den Magen schlug.

Mit einem Mal begriff ich, was vorging.

»Würdest du dein Rindfleisch auch roh essen?«, fragte ich.

»Aber natürlich! Ein blutiges Steak, was gibt es Besseres?«

»Würdest du das geronnene Blut eines toten Schweins essen?«

»Jederzeit, mit Apfelmus!«

»Würdest du *alles* von einem Tier essen, auch das letzte Fitzelchen?«

»Schweinskopfsülze! Davon hätte ich jetzt gern einen Riesenteller!«

»Und eine Karotte? Wie wäre es mit einer einfachen rohen Karotte?«

Keine Antwort.

»Hast du gehört? Würdest du auch eine Karotte essen?«

»Ich habe dich gehört. Um ehrlich zu sein, wenn ich die Wahl hätte, lieber nicht. So etwas ist nicht mein Fall. Ich finde sogar, es schmeckt grässlich.«

Ich lachte. Jetzt wusste ich es. Ich hörte keine Geisterstimmen. Ich war nicht verrückt geworden. Das war Richard Parker, der da mit mir sprach! Der alte Räuber. Die ganze Zeit hatten wir zusammengesessen, und erst jetzt, in unserer Todesstunde, macht er den Mund auf. Ich war begeistert, dass ich mich mit einem Tiger unterhalten konnte. Mit einem Mal war ich schrecklich neugierig, die Art von Neugier, mit der Verehrer den Filmstars das Leben schwer machen.

»Sag mal, hast du schon einmal einen Menschen umgebracht?«

Ich konnte es mir nicht vorstellen. Menschenfresser unter den Tieren sind genauso rar wie Mörder unter den Menschen, und Richard Parker war ja schon als Baby in den Zoo gekommen. Aber war es nicht denkbar, dass seine Mutter, bevor sie Durstig in die Falle ging, einen Menschen getötet hatte?

»Was ist denn das für eine Frage?«, protestierte Richard Parker.

»Liegt doch nahe.«

»Tatsächlich?«

»Ja.«

»Warum?«

»Es wird euch nachgesagt.«

»Uns?«

»Ja natürlich. Wusstest du das nicht?«

»Nein.«

»Dann lass es dir gesagt sein. Ihr geltet als Menschenfresser. Also, hast du schon einmal einen umgebracht?«

Schweigen.

»Antworte.«

»Ja.«

»Oh! Da läuft es mir kalt den Rücken herunter. Wie viele?«

»Zwei.«

»Du hast zwei Menschen getötet?«

»Einen Mann und eine Frau.«

»Zusammen?«

»Nein. Zuerst den Mann, dann die Frau.«

»Du Untier! Und wahrscheinlich hat es dir auch noch Spaß gemacht. Du fandest es lustig, wie sie schrien und strampelten.«

»Eigentlich nicht.«

»Und wie schmeckten sie?«

»Wie sie *schmeckten*?«

»Ja. Nun tu doch nicht so. Schmecken sie gut?«

»Nein, überhaupt nicht.«

»Dachte ich mir schon. Ich habe mir erzählen lassen, dass ihr sie nur mit Widerwillen fresst. Und warum hast du sie dann umgebracht?«

»Aus Not.«

»Die Not eines Untiers. Und tut es dir jetzt Leid?«

»Entweder sie oder ich.«

»Das nenne ich Not in all ihrer amoralischen Schlichtheit. Aber heute, tut es dir da Leid?«

»Es war ein Impuls. Die Umstände.«

»Instinkt nennt man das. Aber die Frage bleibt: Tut es dir heute Leid?«

»Ich denke nicht daran.«

»Du bist wirklich ein Tier, weißt du das?«

»Und du, was bist du?«

»Ich bin ein Mensch, darauf bestehe ich.«

»Was für ein Hochmut.«

»Die reine Wahrheit.«

»Und du bist also einer von denen, die den ersten Stein werfen.«

»Hast du mal Oothappam probiert?«

»Nein, aber erzähl mir davon. Oothappam, was ist das?«

»Oh, das schmeckt wunderbar.«

»Hört sich gut an. Erzähl mehr.«

»Oothappam wird aus übrig gebliebenem Teig gemacht, aber ich kann mir kein Resteessen vorstellen, das besser schmeckt.«

»Ich spüre es schon auf der Zunge.«

Ich schlief ein. Oder besser gesagt, ich verfiel in das Delirium des Todes.

Aber etwas beschäftigte mich. Ich wusste nicht was, aber ein quälender Gedanke störte mich beim Sterben.

Ich kam wieder zu mir. Jetzt wusste ich, was es war.

»Sag mal.«

»Ja?«, fragte Richard Parkers Stimme schwach.

»Wieso sprichst du mit diesem Akzent?«

»Tue ich überhaupt nicht. *Du* sprichst mit Akzent.«

»Stimmt nicht. Aber du, du kannst kein *h* sprechen. Du hast eben *'ochmut* statt *Hochmut* gesagt.«

»Ich sage *'ochmut*, wie es sich gehört. *Du*, du sprichst, als 'ättest du Murmeln verschluckt. Du 'ast einen *in*dischen *accent*.«

»Und du sprichst, als wären die Wörter aus Holz und du wolltest sie zersägen. Du sprichst wie ein Franzose.«

Ich verstand überhaupt nichts mehr. Richard Parker stammte aus Bangladesh und war in Tamil Nadu aufgewachsen. Woher hätte er denn da einen französischen Akzent haben sollen? Zugegeben, Pondicherry war ja einmal eine französische Kolonie gewesen, aber das konnte mir nun wirklich keiner weismachen, dass unsere Zootiere bei der Alliance Française an der rue Dumas ein- und ausgegangen waren.

Verblüffend. Meine Sinne versanken wieder im Nebel.

Mit einem Mal war ich hellwach, erschrocken. Da war jemand dort draußen! Diese Stimme, die ich da hörte, das war kein Wind mit Akzent und auch kein Tier, das plötzlich sprach. Da *war* jemand! Mein Herz raste wie wild, versuchte ein letztes Mal, noch Blut durch den fast zerfallenen

Körper zu pumpen. Noch einmal bäumte mein Verstand sich auf und versuchte zu begreifen.

»Wohl nur ein Echo, mehr nicht«, hauchte die Stimme, kaum noch zu hören.

»Warte«, rief ich, »hier bin ich!«

»Ein Echo, nichts als Flausen ...«

»Nein, ich bin hier draußen!«

»Nach wie vor bin ich allein.«

»Nein, wir sind zu zwein!«

»Was bleibt, ist immer nur der Tod.«

»Hier drüben bin ich, hier im Boot!«

Die Stimme verlor sich.

Ich stieß einen Schrei aus.

Er schrie zurück.

Es war zu viel. Ich verlor den Verstand.

Dann kam mir ein Gedanke.

»ICH HEISSE«, brüllte ich mit letzten Kräften hinaus aufs Meer, »PISCINE MOLITOR PATEL.« Das würde ihm klarmachen, dass ich kein Echo war. »Hörst du mich? Ich bin Piscine Molitor Patel, genannt Pi Patel!«

»Was? Ist da jemand?«

»Ja, hier draußen!«

»Was! Ist das denn die Möglichkeit! Bitte, hast du etwas zu essen? Ganz egal was. Ich habe überhaupt nichts mehr. Schon seit Tagen habe ich nichts mehr gegessen. Ich muss etwas essen. Alles, was du entbehren kannst, ganz egal was. Ich flehe dich an.«

»Aber ich habe auch nichts mehr«, antwortete ich verzweifelt. »Ich habe auch schon seit Tagen nichts mehr gegessen. Ich hatte gehofft, dass *du* vielleicht etwas hast. Hast du Wasser? Ich habe kaum noch etwas.«

»Nein, ich habe nichts mehr. Und du hast überhaupt nichts zu essen? Keinen Bissen?«

»Nichts.«

Es folgte Schweigen, ein bedrückendes Schweigen.

»Wo bist du?«, fragte ich.

»Hier drüben«, antwortete er schlaff.

»Wo drüben? Ich kann dich nicht sehen.«

»Wieso kannst du mich nicht sehen?«

»Ich bin blind geworden.«

»Was!«, rief er.

»Ich bin blind. Um mich ist nur noch Dunkel. Ich spüre meine Lider, aber ich sehe nichts. Seit zwei Tagen, wenn die Haut zum Zeitmessen taugt. Sie sagt mir ja nur, ob die Sonne scheint oder nicht.«

Ich hörte ein entsetzliches Heulen.

»Was ist?«, fragte ich. »Was hast du, mein Freund?«

Noch einmal stieß er sein Heulen aus.

»Antworte mir, bitte. Was ist? Ich bin blind, wir haben keine Nahrung und kein Wasser, aber wir haben einander. Das ist doch auch etwas. Ein Geschenk. Was fehlt dir, mein Bruder?«

»Auch ich bin blind!«

»Was?«

»Auch ich spüre, wie du sagst, meine Lider und sehe nichts.«

Wieder kam der Klagelaut. Ich war fassungslos. Ich hatte einen zweiten blinden Schiffbrüchigen in einem zweiten Rettungsboot gefunden, mitten auf dem Pazifik!

»Aber wieso bist du blind geworden?«, murmelte ich.

»Vermutlich aus dem gleichen Grund wie du. Zu wenig Hygiene, zu viele Entbehrungen.«

Das war für uns beide zu viel. Er heulte, ich schluchzte. Es war nicht mehr auszuhalten, wir waren endgültig am Ende.

»Lass mich eine Geschichte erzählen«, sagte ich nach einer Weile.

»Eine Geschichte?«

»Ja.«

»Was soll ich denn mit einer Geschichte? Ich will essen.«

»Es ist eine Geschichte über Essen.«

»Worte haben keinen Nährwert.«

»Suche deine Nahrung, wo du sie finden kannst.«

»Da hast du Recht.«

Schweigen. Ein hungriges Schweigen.

»Wo bist du?«, fragte er.

»Hier. Und du?«

»Hier.«

Ich hörte Platschen. Ein Ruder wurde ins Wasser gestochen. Ich griff selbst nach einem der Ruder, die ich von dem untergegangenen Floß gerettet hatte. Es war entsetzlich schwer. Ich tastete, bis ich eine Dolle fand. Ich legte das Ruder hinein. Ich zog an der Stange. Ich hatte keine Kraft mehr. Aber ich ruderte, so gut es ging.

»Lass deine Geschichte hören«, keuchte er.

»Es war einmal eine Banane, die hing an einem Baum. Sie wuchs und reifte, bis sie groß, fest, gelb und duftend war. Dann fiel sie zu Boden, jemand fand sie und aß sie.«

Er hielt im Rudern inne. »Was für eine schöne Geschichte!«

»Danke.«

»Ich habe Tränen in den Augen.«

»Sie geht noch weiter«, sagte ich.

»Und wie?«

»Die Banane fiel zu Boden, jemand fand sie und aß sie – und danach *ging es ihm besser*.«

»Atemberaubend!«, rief er.

»Danke.«

Eine Pause.

»Aber du hast keine Bananen, oder?«

»Nein. Der Orang-Utan hat mich abgelenkt.«

»Wer?«

»Das ist eine lange Geschichte.«

»Hast du Zahnpasta?«

»Nein.«

»Fisch mit Zahnpasta, eine Delikatesse. Zigaretten?«

»Die habe ich gegessen.«

»Gegessen?«

»Die Filter sind noch da. Die kannst du haben, wenn du willst.«

»Die Filter? Was soll ich denn mit Zigarettenfiltern ohne Tabak? Wie kann man Zigaretten *essen*?«

»Was hätte ich sonst damit tun sollen? Ich rauche nicht.«

»Du hättest sie aufheben sollen, zum Tauschen.«

»Tauschen? Mit wem?«

»Mit mir!«

»Aber Bruder, als ich sie aß, war ich allein in einem Boot mitten auf dem Pazifik.«

»Und?«

»Da habe ich mir keine großen Chancen ausgerechnet, dass ich jemanden treffe, der etwas gegen meine Zigaretten tauschen will.«

»Du musst doch auch an die Zukunft denken, Dummkopf! Jetzt hast du nichts, womit du handeln kannst.«

»Aber selbst wenn ich etwas zum Tauschen hätte, was würde ich denn bekommen? Was hast du, was ich brauchen könnte?«

»Ich habe einen Stiefel«, antwortete er.

»Einen Stiefel?«

»Ja, einen schönen Lederstiefel.«

»Was soll ich denn mit einem Lederstiefel in einem Rettungsboot mitten auf dem Pazifik? Meinst du, ich gehe nach Feierabend wandern?«

»Du könntest ihn essen!«

»Einen Stiefel essen? Was für eine Idee.«

»Du isst Zigaretten – warum da nicht auch Stiefel?«

»Das ist ja ekelhaft. Wem gehört er überhaupt?«

»Woher soll ich das wissen?«

»Du erwartest von mir, dass ich den Stiefel eines Wildfremden esse?«

»Wo ist denn da der Unterschied?«

»Ich kann es nicht fassen. Ein Stiefel. Ganz abgesehen davon, dass ich Hindu bin und uns Hindus die Kühe heilig sind, würde ich doch, wenn ich einen Stiefel äße, all den

Schmutz essen, den der Fuß abgesondert hat, und dazu all den Schmutz, in den er getreten ist.«

»Also kein Stiefel.«

»Lass ihn mal ansehen.«

»Nein.«

»Was? Soll ich ihn etwa blind kaufen?«

»Wir sind beide blind, vergiss das nicht.«

»Dann beschreib mir den Stiefel. Was bist du denn für ein Kaufmann? Kein Wunder, dass du nach Kundschaft hungerst.«

»Genau das. Genau das.«

»Also, wie sieht er aus?«

»Es ist ein Lederstiefel.«

»*Was* für ein Lederstiefel?«

»Ein ganz normaler.«

»Und das heißt?«

»Mit Schnürsenkel und Ösen und Lasche. Innensohle. Ein ganz normaler Stiefel eben.«

»Welche Farbe?«

»Schwarz.«

»Zustand?«

»Getragen. Das Leder weich und biegsam, schmiegt sich in die Hand.«

»Und wie riecht er?«

»Er duftet warm nach Leder.«

»Ich muss sagen – ich muss sagen – es hört sich verlockend an.«

»Dann schlag ihn dir aus dem Kopf.«

»Wieso?«

Schweigen.

»Willst du nicht antworten, Bruder?«

»Es ist kein Stiefel mehr da.«

»Kein Stiefel?«

»Nein.«

»Das macht mich traurig.«

»Ich habe ihn gegessen.«

»Du hast den Stiefel gegessen?«

»Ja.«

»Hat er geschmeckt?«

»Nein. Haben die Zigaretten geschmeckt?«

»Nein. Mir ist schlecht davon geworden.«

»Mir von dem Stiefel auch.«

»Es war einmal eine Banane, die hing an einem Baum. Sie wuchs und reifte, bis sie groß, fest, gelb und duftend war. Dann fiel sie zu Boden, jemand fand sie und aß sie, und danach ging es ihm besser.«

»Verzeih mir. Ich möchte um Verzeihung bitten für alles, was ich gesagt und getan habe. Ich bin ein schlechter Mensch«, schluchzte er.

»Aber nein. Du bist der wertvollste, wunderbarste Mensch auf Erden. Komm, Bruder, lass uns zusammen sein. Lass uns einander ein Festmahl sein.«

»O ja!«

Der Pazifik ist nicht der rechte Ort für Ruderer, schon gar nicht wenn sie blind und schwach sind, wenn sie in großen, störrischen Rettungsbooten sitzen und wenn der Wind nicht seinen Teil tut. Er war ganz nahe, dann war er wieder weit fort. Er war links von mir, dann wieder rechts. Er war vor mir, dann hinter mir. Aber schließlich kamen wir doch noch zusammen. Der Schlag, mit dem die Bootsrümpfe sich trafen, war Musik in meinen Ohren, mehr noch als das Platschen einer Schildkröte. Er warf mir ein Seil zu, und ich band sein Boot an meinem fest. Ich breitete die Arme, damit wir uns umarmen konnten. Tränen standen mir in den Augen, und ich lächelte ihn an. Er war direkt vor mir; ich spürte ihn, auch wenn ich ihn nicht sehen konnte.

»Mein lieber Bruder«, flüsterte ich.

»Ich bin hier«, antwortete er.

Ich hörte ein leises Knurren.

»Bruder, eins habe ich vergessen.«

Er landete mit solcher Wucht auf mir, dass wir halb auf

die Plane, halb auf die Mittelbank fielen. Er umfasste mit beiden Händen meinen Hals.

»Bruder«, keuchte ich und wand mich in seiner allzu heftigen Umarmung, »mein Herz ist dein, aber ich rate dringend, dass wir in einen anderen Teil meiner bescheidenen Behausung ziehen.«

»Und ob dein Herz mein ist!«, antwortete er. »Und deine Leber und dein Fleisch auch!«

Ich spürte, wie er sich von der Plane auf die Mittelbank gleiten ließ und von dort – ein tödlicher Fehler – einen Fuß auf den Bootsboden setzte.

»Nicht, mein Bruder, tu das nicht! Wir sind nicht —«

Ich wollte ihn zurückhalten. Aber es war zu spät. Bevor ich das Wort *allein* herausbrachte, war ich bereits wieder allein. Ich hörte nur ein leises Klicken der Krallen unten im Boot, nicht lauter als wenn eine Brille auf den Boden fällt, und schon im nächsten Moment stieß mein lieber Bruder direkt vor mir einen Schrei aus, wie ich noch nie einen Menschen habe schreien hören. Er ließ mich los.

Das war der hohe Preis, den ich für Richard Parker zahlen musste. Er rettete mir das Leben, aber er nahm ein anderes dafür. Er riss dem Mann die Muskeln vom Leib und brach ihm die Knochen. Blutgeruch stieg auf. Damals starb etwas in mir, das nie wieder zum Leben erwacht ist.

Kapitel 91

Ich kletterte hinüber auf das Boot meines Bruders und erkundete es mit den Händen. Wie sich herausstellte, hatte er mich belogen. Er hatte etwas Schildkrötenfleisch, den Kopf einer Dorade und – welch köstlicher Leckerbissen – sogar ein paar Zwiebackkrümel. Und er hatte Wasser. All das wanderte in meinen Mund. Dann kehrte ich zurück in mein Boot und ließ seines davontreiben.

Die Tränen, die ich vergossen hatte, taten meinen Augen gut. Das kleine Fenster in der linken oberen Ecke meines Gesichtsfelds öffnete sich einen Spaltbreit. Ich spülte die Augen mit Salzwasser aus, und mit jedem Mal ging das Fenster ein wenig weiter auf. Innerhalb von zwei Tagen kehrte mein Augenlicht zurück.

Doch bei dem Anblick, der sich mir bot, wünschte ich fast, ich wäre blind geblieben. Der zerfleischte, verstümmelte Leib lag am Boden des Bootes. Richard Parker hatte sich ausgiebig darüber hergemacht, auch über das Gesicht, und so erfuhr ich nie, wer mein Bruder gewesen war. Die gebrochenen Rippen sahen aus wie die Spanten eines Schiffs, und der blutlose, entsetzlich zugerichtete Torso kam mir wie ein Modell unseres Rettungsboots vor.

Ich will gestehen, dass ich einen seiner Arme mit dem Fischhaken angelte und das Fleisch als Köder verwendete. Und ich will auch gestehen, dass ich in meiner entsetzlichen Not und dem Wahnsinn, in den sie mich trieb, etwas von seinem Fleisch aß. Kleine Stückchen wohlgemerkt, schmale Streifen, die ich eigentlich auf den Fischhaken spießen wollte und die, nachdem sie in der Sonne getrocknet waren, aussahen wie gewöhnliches Tierfleisch. Sie rutschten mir beinahe unbemerkt in den Mund. Die Not war erbarmungslos, und er war schließlich schon tot. Ich aß nichts mehr von ihm, als ich wieder Fisch hatte.

Ich bete jeden Tag für seine Seele.

Kapitel 92

Ich machte eine bemerkenswerte botanische Entdeckung. Viele werden der folgenden Episode keinen Glauben schenken. Ich erzähle sie trotzdem, weil sie Teil meiner Geschichte ist und sich tatsächlich so zugetragen hat.

Ich lag auf der Seite. Es war ein oder zwei Stunden nach Mittag an einem ruhigen, sonnigen Tag, und es wehte eine sanfte Brise. Ich hatte ein Weilchen geschlafen – ein leichter Schlaf, der mir weder Erquickung noch Träume bescherte. Ich drehte mich auf die andere Seite, vorsichtig, damit es so wenig Energie wie möglich kostete. Dann schlug ich die Augen auf.

Nicht weit von uns sah ich Bäume. Ich reagierte nicht. Ich war sicher, dass es eine Illusion war, die nach ein paar Lidschlägen verschwinden würde.

Die Bäume verschwanden nicht. Im Gegenteil: es wurde ein ganzer Wald daraus. Sie standen auf einer flachen Insel. Ich richtete mich auf. Noch immer traute ich meinen Augen nicht. Doch es war aufregend – eine Sinnestäuschung von solcher Perfektion. Die Bäume waren wunderschön. Ich hatte solche Bäume noch nie gesehen. Ihre Rinde war blass, die gleichmäßig verteilten Äste mit erstaunlich dichtem Laub besetzt. Das Laub war leuchtend grün, ein so intensives Smaragdgrün, dass selbst das Grün der Monsunmonate im Vergleich matt und bräunlich schien.

Ich blinzelte mit den Augen und rechnete damit, dass mein Lidschlag die Bäume zu Fall bringen würde. Aber sie fielen nicht.

Ich ließ den Blick nach unten schweifen. Was ich sah, bestätigte mir meine Erwartung, enttäuschte mich aber auch. Die Insel hatte keinen Grund. Nicht dass die Bäume im Wasser gestanden hätten. Sie wuchsen anscheinend auf einem undurchdringlichen Geflecht von Pflanzen, die ebenso leuchtend grün waren wie das Laub. Wer hatte je von einem Land ohne Erdboden gehört? Wo Bäume auf anderen Pflanzen wuchsen? Ich war erleichtert, denn das bestätigte meine Überzeugung, dass diese Insel nur eine Chimäre sein konnte, ein reines Hirngespinst. Zugleich aber war ich enttäuscht, denn eine Insel, jede noch so merkwürdige Insel, wäre mir hochwillkommen gewesen.

Da die Bäume blieben, blieb auch mein Blick. Nach so viel Blau war der Anblick von etwas Grünem wie Musik für meine Augen. Grün ist eine wunderbare Farbe. Die Farbe des Islam. Meine Lieblingsfarbe.

Eine sanfte Strömung trug das Rettungsboot näher an die Illusion heran. Von einem Strand konnte nicht die Rede sein, denn es gab weder Sand noch Kiesel und auch keine Brandung, weil die Wellen, sobald sie auf die Insel trafen, einfach in der porösen Oberfläche versickerten. Von einer rund dreihundert Meter landeinwärts gelegenen Anhöhe fiel das Land zum Meer hin und bis etwa vierzig Meter über den Uferstreifen hinaus sanft ab, danach ging es steil hinab in die Tiefen des Pazifiks; es musste der kleinste Kontinentalsockel der Welt sein.

Allmählich gewöhnte ich mich an die Sinnestäuschung. Ich stellte sie nicht auf die Probe, denn ich wollte sie nicht vertreiben, und als das Rettungsboot sanft an die Insel stieß, regte ich mich nicht und träumte einfach weiter. Das Material, aus dem die Insel bestand, war offenbar ein dichtes Knäuel aus röhrenförmigem Seetang, im Durchmesser gut zwei Finger dick. Was für eine verrückte Insel, dachte ich.

Nach einigen Minuten kroch ich auf die Seite des Bootes. »Halten Sie Ausschau nach allem, was grün ist«, riet das Überlebenshandbuch. Nun, grün war diese Insel allerdings. Ein wahres Chlorophyllparadies. Ein Grün, das intensiver leuchtete als Lebensmittelfarben und Leuchtreklamen. Ein Grün, das trunken machte. »Letztlich kann nur der Fuß beurteilen, ob Sie auf festem Boden stehen«, fuhr das Handbuch fort. Wenn ich den Fuß ausstreckte, konnte ich die Insel berühren. Probieren – und enttäuscht werden – oder nicht probieren, das war die Frage.

Ich entschied mich für das Probieren. Ich vergewisserte mich, dass keine Haie in der Nähe waren. Ich drehte mich auf den Bauch, hielt mich an der Plane fest und streckte langsam ein Bein nach unten. Mein Fuß tauchte ins Wasser. Es war angenehm kühl. Die Insel lag nur ein klein wenig tiefer und schimmerte im Wasser. Ich streckte mich. Ich rechnete damit, dass die Illusion jeden Augenblick zerplatzen würde wie eine Seifenblase.

Aber das tat sie nicht. Mein Fuß tauchte ins klare Wasser und traf auf federnden, doch festen Grund. Ich verlagerte mehr Gewicht auf den Fuß. Die Illusion verschwand noch immer nicht. Jetzt stellte ich mich ganz darauf. Und sank nach wie vor nicht ein. Ich konnte es nicht glauben.

Am Ende war es doch nicht der Fuß, sondern die Nase, die entschied, dass ich Land gefunden hatte. Üppig und frisch und überwältigend eroberte er meine Geruchsnerven: der Duft der Vegetation. Ich sog ihn tief ein. Nach Monaten, in denen alles, was meine Nase zu riechen bekam, nach Salzwasser gerochen hatte, war der organische Geruch von grünen Pflanzen geradezu betörend. Nun war ich überzeugt, und das Einzige, was ins Schwimmen geriet, war mein Verstand; meine Gedanken wurden immer wirrer. Das Bein zitterte.

»Mein Gott! Mein Gott!«, stöhnte ich.

Ich fiel über Bord.

Der doppelte Schock von festem Untergrund und kühlem Wasser brachte mich genügend zur Besinnung, dass ich mich auf die Insel schleppen konnte. Ich stammelte noch ein paar unzusammenhängende Worte als Dank an Gott, dann sank ich zusammen.

Aber ich konnte nicht ruhig liegen bleiben. Dazu war ich zu aufgeregt. Ich mühte mich, wieder auf die Beine zu kommen. Alles Blut strömte aus meinem Kopf. Der Boden unter mir schwankte heftig. Die Welt verschwamm mir vor den Augen. Ich dachte, ich würde ohnmächtig. Ich atmete tief durch. Zu mehr als Keuchen schien ich nicht fähig. Immerhin konnte ich mich wieder aufsetzen.

»Land, Richard Parker!«, rief ich. »Land! Wir sind gerettet!«

Der Pflanzengeruch war außerordentlich stark. Und das Grün hatte etwas so Frisches, Beruhigendes, dass es war, als strömten Trost und Stärke im wahrsten Sinne des Wortes durch meine Augen in mich ein.

Was war dieses merkwürdige Röhren-Seegras mit seinen

endlosen Windungen? Konnte man es essen? Es schien eher eine Art Alge, aber weitaus kräftiger als die Algen, die man sonst im Meer findet. Wenn man es anfasste, fühlte es sich feucht und frisch an. Ich zog daran. Ranken ließen sich ohne allzu große Mühe abbrechen. Sie bestanden aus zwei konzentrischen Röhren: der feuchten, ein wenig rauen und so betörend grünen äußeren Hülle und einer zweiten etwa auf halbem Wege zwischen Außenwand und Mittelpunkt. Da die innere weiß war, war deutlich zu sehen, wo die eine Röhre endete und die andere begann; die Intensität des Grüns der äußeren Röhre nahm nach innen hin ab. Ich roch an einem Stück Alge. Es roch angenehm nach Gemüse, aber einen besonderen Geruch hatte es nicht. Ich leckte daran. Mein Puls schlug schneller. Süßwasser tropfte heraus.

Ich biss hinein. Es war ein Schock. Die innere Röhre war bitter und salzig – aber die äußere war nicht nur genießbar, sie schmeckte wunderbar. Meine Zunge zitterte wie ein Finger, der in einem Wörterbuch blättert, auf der Suche nach einem lang vergessenen Wort. Ich fand es, und ich schloss die Augen vor Verzückung, als ich es hörte: *süß*. Nicht im Sinne von Süßwasser, sondern zuckersüß. Man kann vieles über den Geschmack von Fischen und Schildkröten sagen, aber niemals, unter keinen Umständen, sind sie süß. Die leichte Süße des Algensafts war noch köstlicher als der Sirup, den wir hier in Kanada aus unseren Ahornbäumen gewinnen. Den Biss der äußeren Röhre würde ich am ehesten mit Wasserkastanien vergleichen.

Speichel bahnte sich einen Weg durch das dick verkrustete Innere meines Munds. Unter lauten Begeisterungsrufen rupfte ich ein Algenstück nach dem anderen ab. Die beiden Röhren ließen sich ohne weiteres voneinander trennen. Mit beiden Händen stopfte ich mir die süßen Stücke in den Mund, der schon lange nicht mehr so schnell und so heftig gearbeitet hatte. Ich aß so viel, dass bald um mich herum ein regelrechter Graben klaffte.

Ein einzelner Baum stand etwa sechzig Meter weit entfernt. Es war der einzige Baum nahe am Wasser; die anderen standen oben auf der Anhöhe, die recht weit fort schien. Obwohl das Wort *Anhöhe* vielleicht eine zu große Erhebung erwarten lässt. Die Insel war, wie gesagt, flach. Der Anstieg zur Mitte hin war sanft, und die Höhe mag fünfzehn oder zwanzig Meter betragen haben. Aber bei der Verfassung, in der ich war, war mir, als türme sich ein Berg über mir. Den Baum fand ich einladender. Er warf einen Schatten. Noch einmal versuchte ich, auf die Beine zu kommen. Ich kam bis in die Hocke, doch sobald ich versuchte mich aufzurichten, drehte sich mir alles und ich verlor das Gleichgewicht. Und selbst wenn ich die Balance gehalten hätte, wären meine Beine zu schwach gewesen. Aber ich war fest entschlossen. Ich kroch, schleppte mich, hüpfte zu dem Baum wie ein entkräfteter Frosch.

Ich weiß, ich werde nie wieder so froh sein wie in dem Augenblick, in dem ich in den flirrenden, schimmernden Schatten des Baumes eintauchte und das kühle, trockene Rauschen der Blätter hörte. Der Baum war nicht so groß und so hoch wie die Bäume weiter landeinwärts, und da er auf der falschen Seite der Anhöhe stand, da wo er Wind und Wetter mehr ausgesetzt war, sah er ein wenig zerzaust aus und nicht ganz so ebenmäßig wie seine Artgenossen. Aber es war ein Baum, und ein Baum ist ein wunderbarer Anblick, wenn man so lange Zeit schiffbrüchig auf dem Ozean getrieben ist. Ich sang ein Loblied auf diesen Baum, auf seine ruhige, unerschütterliche Reinheit, seine gelassene Schönheit. Könnte ich doch nur sein wie er, tief verwurzelt in der Erde und die Hände gen Himmel erhoben, um Gott zu preisen! Ich weinte.

Im Herzen pries ich Allah, doch mein Verstand hatte sich bereits an die Arbeit gemacht und studierte Allahs Werke. Die Bäume wuchsen tatsächlich auf den Algen, so wie ich es vom Rettungsboot aus gesehen hatte. Nirgendwo eine Spur von Erde. Entweder konnte man sie von oben nicht sehen, oder diese Bäume waren ein bemerkenswertes Beispiel für Schmarotzertum. Der Stamm hatte etwa den gleichen Durchmesser wie der Brustkorb eines erwachsenen Mannes. Die Rinde war graugrün gefärbt, dünn und glatt und so weich, dass ich sie mit dem Fingernagel einritzen konnte. Die breiten herzförmigen Blätter endeten in einer Spitze. Die Krone des Baumes war rund und ebenmäßig wie die eines Mangobaums, aber es war kein Mangobaum. Der Geruch erinnerte mich an einen Lotosbaum, aber es war auch kein Lotosbaum. Und auch keine Mangrove. Einen solchen Baum hatte ich noch nie gesehen. Ich weiß nur, dass er schön und grün und üppig belaubt war.

Ich hörte ein Knurren. Ich wandte mich um. Richard Parker beobachtete mich vom Rettungsboot aus. Auch er musterte die Insel. Offenbar wollte er an Land kommen und traute sich nicht. Nachdem er eine Zeit lang fauchend auf- und abgewandert war, sprang er schließlich von Bord. Ich setzte die orangefarbene Trillerpfeife an die Lippen. Aber er führte nichts Böses im Schilde. Er hatte große Mühe, das Gleichgewicht zu halten, und war ebenso unsicher auf den Beinen wie ich. Er kroch geduckt über den Boden und zitterte wie ein Neugeborenes. Er machte einen weiten Bogen um mich und bewegte sich auf die Anhöhe zu, dann verschwand er im Inneren der Insel.

Ich verbrachte den Tag mit Essen, Ausruhen und vorsichtigen Stehversuchen und fühlte mich wie im siebten Himmel. Wenn ich mich zu sehr anstrengte, wurde mir übel. Und ich hatte ständig das Gefühl, als schwanke der Boden unter meinen Füßen, als würde ich jeden Moment umfallen, sogar wenn ich still saß.

Am späten Nachmittag machte ich mir allmählich Gedanken über Richard Parker. In dieser neuen Umgebung, wo alte Reviergrenzen nicht mehr galten, war schwer zu sagen, wie er sich verhalten würde, wenn wir uns wieder begegneten.

Widerstrebend, nur der Sicherheit halber, schleppte ich mich zurück zum Boot. Wie auch immer Richard Parker von der Insel Besitz ergriff, der Bug und die Plane blieben mein Territorium. Ich suchte nach einer Möglichkeit, wie ich das Rettungsboot festmachen konnte. Offenbar war das gesamte Ufer von einer dicken Algenschicht bedeckt, denn ich fand nichts anderes. Schließlich löste ich die Aufgabe, indem ich ein Ruder mit dem Stiel voraus tief in den Algenteppich stieß und das Boot daran vertäute.

Ich kroch auf die Plane. Ich war todmüde. Mein Körper war erschöpft von so viel Nahrung, und die unerwartete Wendung meines Schicksals machte mich nervös und angespannt. Ich erinnere mich dunkel, dass ich irgendwann abends Richard Parker in der Ferne brüllen hörte, doch dann übermannte mich der Schlaf.

Ich erwachte in der Nacht von einem unangenehmen Ziehen im Unterbauch. Ich hielt es für einen Krampf und dachte, die Algen seien womöglich giftig gewesen. Dann hörte ich ein Geräusch und blickte auf. Richard Parker war an Bord. Er war zurückgekehrt, während ich schlief. Er miaute und leckte sich die Ballen an den Füßen. Ich staunte, dass er wieder da war, dachte aber nicht weiter darüber nach – die Krämpfe verschlimmerten sich immer mehr. Ich krümmte mich vor Schmerz, fing an zu zittern, als ein für die meisten Menschen ganz normaler, für mich jedoch längst vergessener Vorgang einsetzte: mein Darm entleerte sich. Es war eine schmerzhafte Prozedur, aber danach sank ich in den tiefsten, erquickendsten Schlaf seit der Nacht bevor die *Tsimtsum* untergegangen war.

Als ich am Morgen erwachte, fühlte ich mich spürbar stärker. Nun kroch ich schon viel energischer zu dem einzelnen Baum. Meine Augen genossen von neuem seinen Anblick, mein Magen genoss die Algen. Ich frühstückte so ausgiebig, dass ein großes Loch entstand.

Wieder zögerte Richard Parker stundenlang, bevor er vom Boot sprang. Als er es am späten Vormittag schließlich wagte, sprang er, als er den Algenboden berührte, sofort zurück und landete halb im Wasser; er schien äußerst nervös. Er zischte und schlug mit den Pranken in die Luft. Es war ein seltsamer Anblick. Ich hatte keine Ahnung, was er da tat. Schließlich verflog seine Furcht, und wieder verschwand er hinter dem Hügel, schon sichtlich besser auf den Beinen als am Vortag.

Diesmal nahm ich den Baumstamm zu Hilfe und richtete mich auf. Mir war schwindlig. Nur wenn ich die Augen schloss und mich am Stamm festhielt, hörte der Boden auf zu schwanken. Ich stieß mich ab und versuchte zu gehen. Ich stürzte schon beim ersten Schritt. Der Boden kam mir entgegen, bevor ich mich überhaupt gerührt hatte. Weh tat ich mir nicht. Die Insel mit ihrem federnden Pflanzenboden war genau der richtige Ort, um das Gehen neu zu lernen. Ich konnte fallen, wie ich wollte, und würde mich nicht verletzen.

Am nächsten Tag, nach einer weiteren erholsamen Nacht auf dem Boot – wohin auch Richard Parker wiederum zurückgekehrt war –, gelang es mir. Ich fiel ein halbes Dutzend mal, aber ich schaffte es bis zum Baum. Ich spürte, wie meine Kräfte stündlich wuchsen. Ich hatte einen Fischhaken mitgebracht und zog damit einen Ast zu mir herunter. Ich pflückte ein paar Blätter. Sie waren weich und fein, aber sie schmeckten bitter. Richard Parker sah die Höhle auf dem Rettungsboot als sein Quartier – das war meine Erklärung dafür, dass er auch diesmal zurückgekehrt war.

Am Abend sah ich ihn kommen, bei Sonnenuntergang. Ich hatte das Boot an dem eingesteckten Ruder noch einmal neu festgemacht. Ich stand am Bug und überprüfte eben, ob das Seil auch gut am Vorderende angebunden war. Mit einem Male war er da. Anfangs erkannte ich ihn gar nicht. Das prachtvolle Tier, das da vom Hügel herabgaloppiert kam, konnte doch nicht der abgehärmte struppige Tiger sein, der mit mir übers Meer gekommen war? Aber er war es. Es war Richard Parker, und er stürmte in vollstem Tempo auf mich zu. Zielstrebig. Den Kopf hatte er geduckt, sodass der mächtige Nacken in die Höhe stand. Fell und Muskeln bebten bei jedem Schritt, das Grün vibrierte unter seinen Pranken. Es klang wie ein Trommeln.

Ich habe gelesen, dass es zwei Angstreaktionen gibt, die man einem Menschen nicht abtrainieren kann: das Zusammenfahren bei einem unerwarteten Geräusch und der Schwindel. Ich möchte eine dritte hinzufügen, nämlich die Panik, die einen packt, wenn man etwas auf sich zukommen sieht, das tödliche Macht hat.

Ich angelte nach meiner Pfeife. Als er noch zehn Meter vom Boot entfernt war, blies ich mit aller Macht hinein. Ein markerschütternder Pfiff zerriss die Luft.

Er tat seine Wirkung. Richard Parker blieb abrupt stehen. Aber sofort machte er Anstalten weiterzulaufen. Ich blies noch einmal. Er drehte sich halb um und hüpfte seltsam auf der Stelle, wie eine Antilope, und fauchte dabei wild. Ich blies noch einmal. Jedes Haar seines Körpers sträubte sich. Alle Krallen waren ausgestreckt. Er war in äußerster Erregung. Ich hatte das Gefühl, dass der Schutzwall, den ich mir mit meiner Trillerpfeife gebaut hatte, jeden Moment einstürzen und dass Richard Parker mich angreifen würde.

Stattdessen tat er das, womit ich am wenigsten gerechnet hätte: Er sprang ins Wasser. Ich war verblüfft. Gerade das, was ich immer für undenkbar gehalten hatte, tat er, und ohne zu zögern. Mit energischen Zügen schwamm er zum Bootsheck. Ich überlegte, ob ich noch einmal blasen sollte, klappte aber dann lieber den Deckel zum Stauraum auf und verschanzte mich in meinem eigenen Revier.

Triefend kletterte er an Bord, sodass mein Ende des Bootes sich in die Höhe hob. Einen Moment lang balancierte er auf Bootsrand und Heckbank und musterte mich. Mein Herz setzte aus. Ich hätte nicht mehr die Kraft gehabt, die Trillerpfeife zu blasen. Ich sah ihn einfach nur an.

Er glitt hinunter auf den Bootsboden und verschwand unter der Plane. Rechts und links vom Deckel konnte ich ihn sehen. Ich warf mich auf die Plane, außerhalb seines Gesichtsfelds – aber unmittelbar über ihm. Der Wunsch, mir mögen Flügel wachsen und ich könne davonfliegen, war übermächtig.

Schließlich beruhigte ich mich. Ich führte mir vor Augen, dass ich ja schließlich schon die ganze Zeit so lebte: auf engstem Raum mit einem ausgewachsenen Tiger.

Als mein Atem gleichmäßiger wurde, schlief ich ein.

Irgendwann in der Nacht wachte ich auf; die Angst war vergessen, und ich sah zu Richard Parker hinunter. Er träumte: Er zuckte und knurrte im Schlaf, so laut, dass ich davon wach geworden war.

Am Morgen verschwand er wiederum hinter der Anhöhe.

Ich nahm mir vor, die Insel zu erkunden, sobald ich wieder bei Kräften war. Der Küstenlinie nach zu urteilen war sie recht groß; links und rechts erstreckte sich das Ufer weithin und machte nur eine leichte Biegung, was auf einen beträchtlichen Umfang schließen ließ. Ich verbrachte den ganzen Tag damit, meine Beine zu stärken, indem ich immer wieder zwischen Ufer und Baum hin- und herging – und immer wieder stürzte. Nach jedem Sturz genehmigte ich mir eine ausgiebige Algenmahlzeit.

Als Richard Parker gegen Abend zurückkehrte, etwas früher als am Vortag, wartete ich schon auf ihn. Ich saß unbewegt da und griff diesmal nicht zur Trillerpfeife. Er kam ans Ufer und sprang mit einem mächtigen Satz auf das Boot. Er betrat sein Revier, ohne in das meine einzudringen, nur das Boot neigte sich heftig zur Seite. Es war beängstigend, wie er wieder zu Kräften gekommen war.

Am folgenden Morgen ließ ich Richard Parker einen guten Vorsprung und machte mich dann an die Erkundung der Insel. Ich stieg hinauf zur Anhöhe. Ich erreichte mein Ziel mühelos, setzte stolz einen Fuß vor den anderen, und mein Gang war beschwingt, wenn auch noch etwas steif. Wären meine Beine schwächer gewesen, wäre ich wohl in die Knie gegangen, als ich zum ersten Mal auf die andere Seite des Höhenzugs blickte und sah, was es dort zu sehen gab.

Um mit den Einzelheiten anzufangen: Ich sah, dass die gesamte Insel mit Algen bedeckt war, nicht nur die Küste. Ich sah eine große grüne Ebene mit einem grünen Wald in der Mitte. Rings um diesen Wald sah ich – in gleichmäßigen Abständen – Hunderte von gleichgroßen Teichen mit gleichmäßig dazwischen verteilten Bäumen. Alles sah ganz danach aus, als folge es einem Plan.

Das Unvergesslichste aber waren die Erdmännchen. Selbst bei vorsichtiger Schätzung sah ich auf einen Blick Hunderttausende von ihnen. Die ganze Gegend wimmelte von Erdmännchen. Und es hatte den Anschein, als drehten sie sich bei meiner Ankunft allesamt um und blickten mich verblüfft an, wie die Hühner in einem Hühnerhof, und als stünden sie zu meiner Begrüßung auf.

In unserem Zoo hatte es keine Erdmännchen gegeben. Aber ich hatte darüber gelesen. Ich kannte sie aus Büchern und aus der Fachliteratur. Das Erdmännchen ist ein kleines südafrikanisches Säugetier, ein Verwandter des Mungo, ein fleischfressender Bewohner von Erdhöhlen. Erwachsene Tiere werden etwa dreißig Zentimeter lang und wiegen bis zu zwei Pfund; sie haben einen schlanken, wieselartigen Körper und eine spitze Schnauze; die Augen sitzen weit vorn am Kopf; sie haben kurze Beine, vierzehige Pfoten mit langen, feststehenden Krallen und einen zwanzig Zentimeter langen Schwanz. Das Fell ist hellbraun oder grau, mit schwarzen oder braunen Rückenstreifen; Schwanzspitze, Ohren und die charakteristischen Augenringe sind immer schwarz. Das Erdmännchen ist ein flinkes Tier mit sehr guten Augen; es ist tagaktiv und gesellig und ernährt sich in seiner Heimat – der Wüste Kalahari im südlichen Afrika – unter anderem von Skorpionen, gegen deren Gift es völlig immun ist. Wenn es nach Feinden Ausschau hält, stellt das Erdmännchen sich aufrecht auf die Hinterpfoten und stützt sich mit dem Schwanz ab. Oft nehmen mehrere Erdmännchen gleichzeitig diese eigentümliche Position ein; dann stehen sie in einer Gruppe beisammen und starren alle in die gleiche Richtung wie Pendler an einer Bushaltestelle. Mit ihren ernsten Mienen und der Art, wie sie die Vorderpfoten vor den Körper halten, sehen sie aus wie Kinder, die widerwillig und unnatürlich für einen Fotografen posieren, oder wie nackte Patienten in einer Arztpraxis, die verschämt versuchen, ihre Blöße zu bedecken.

Das war der Anblick, der sich mir bot: Hunderttausende – nein, eine Million – von Erdmännchen, die sich zu mir umdrehten und strammstanden, als warteten sie auf meine Befehle. Selbst auf die Zehenspitzen gereckt ist ein Erdmännchen höchstens fünfundvierzig Zentimeter groß; nicht die Größe dieser Tiere beeindruckte so, sondern ihre schier unendliche Zahl. Ich stand wie angewurzelt da, sprachlos. Wenn ich eine Million Erdmännchen zu panischer Flucht aufscheuchte, wäre das Chaos unbeschreiblich. Aber ihr Interesse an mir verflog schnell. Ein paar Sekunden, dann ließen sie sich wieder auf die Vorderpfoten fallen und machten mit dem weiter, womit sie vor meiner Ankunft beschäftigt gewesen waren, das heißt, entweder knabberten sie an den Algen, oder sie starrten in die Teiche. Alle neigten sich gleichzeitig zu Boden, wie die Gläubigen in einer Moschee.

Die Tiere kannten anscheinend keine Furcht. Als ich den Hügel hinunterkam, ergriff keines die Flucht oder zeigte auch nur die kleinste Anspannung darüber, dass ich da war. Wenn ich gewollt hätte, hätte ich eins berühren, sogar in die Höhe heben können. Aber das tat ich nicht. Ich spazierte einfach mitten hinein in das, was mit Sicherheit die größte Erdmännchenkolonie der Welt war, eines der seltsamsten, aber auch wunderbarsten Erlebnisse meines Lebens. Die Luft war erfüllt von einem unablässigen Geräusch. Es war ihr Quietschen, Zirpen, Schnattern und Schnauben. So groß war ihre Zahl, so vielfältig ihre Erregung, dass es an- und abschwoll wie die Laute eines Vogelschwarms, manchmal ein lautstarkes Schwirren rundum, dann plötzlich leiser, wenn die Erdmännchen, bei denen ich stand, verstummten und dafür andere, weiter fort, losschnatterten.

Hatten sie keine Furcht vor mir, weil *ich* Furcht vor *ihnen* haben sollte? Der Gedanke kam mir. Aber die Antwort – dass sie harmlos waren – lag auf der Hand. Um an einen der Teiche zu kommen, um die sie dicht gepackt standen, musste ich einige mit dem Fuß beiseite schieben, damit ich nicht auf sie trat. Sie ließen sich meine Drängelei ohne Grollen gefallen und machten mir Platz wie eine gutmütige Menschenmenge. Ich spürte die warmen, pelzigen Körper an meinen Waden und beugte mich vor zum Teich.

Alle Teiche waren kreisrund und ungefähr gleich groß – etwa zwölf Meter im Durchmesser. Ich hatte erwartet, dass sie flach sein würden, aber ich blickte in tiefes, klares Wasser. Ja, sie schienen sogar unendlich tief. Und soweit ich hinunterblicken konnte, bestanden die Seiten aus grünen Algen. Die Algenschicht auf der Insel musste sehr dick sein.

Ich sah nichts, was die gebannte Aufmerksamkeit der Erdmännchen erklärte, und ich hätte das Rätsel wohl ungelöst gelassen, wäre nicht großes Quietschen und Schnattern an einem Nachbarteich ausgebrochen. Erdmännchen hüpften in sichtlicher Erregung auf und ab. Und plötzlich sprangen sie zu Hunderten in den Teich. Ein großes Gedränge setzte ein, denn die weiter hinten Stehenden wollten nun alle gleichzeitig ans Ufer. Der Drang steckte alle an, und selbst die kleinsten Erdkinder drängelten zum Wasser, von Müttern oder Kindergärtnern gerade noch zurückgehalten. Ich schaute ungläubig zu. Das waren nicht die Erdmännchen, wie man sie aus der Kalahariwüste kannte. Wüsten-Erdmännchen führten sich nicht auf wie

Frösche. Was ich hier vor mir hatte, war eindeutig eine eigene Untergattung, die hier ihre ebenso kuriose wie faszinierende Nische gefunden hatte.

Ich ging hinüber zu dem Teich, vorsichtig, damit ich auf keinen von ihnen trat, und als ich über die Kante blickte, sah ich Erdmännchen, die darin schwammen – tatsächlich schwammen – und Dutzende von Fischen ans Ufer holten, und zwar nicht nur kleine Fische. Manche waren Doraden, die uns auf dem Rettungsboot als Festmahl gegolten hätten. Sie waren größer als die Erdmännchen. Es war mir unbegreiflich, wie Erdmännchen solche Fische fangen konnten.

Erst als sie mit bemerkenswerter Teamarbeit die Fische an Land hievten, fiel mir etwas auf: Jeder davon, jeder einzelne Fisch, war tot. Noch nicht lange, aber eindeutig tot. Die Erdmännchen bargen Fische, die sie nicht selbst gefangen hatten.

Ich kniete mich ans Ufer, wozu ich einige nasse, aufgeregte Erdmännchen beiseite schieben musste. Ich tauchte die Hand ins Wasser. Es war kälter als ich erwartet hatte. Eine Strömung brachte kühles Wasser von unten herauf. Ich schöpfte ein wenig Wasser mit der Hand und führte sie an den Mund. Ich probierte.

Es war Süßwasser. Das erklärte, woran die Fische gestorben waren – denn jeder Salzwasserfisch, der ins Süßwasser kommt, quillt binnen kurzem auf und stirbt. Aber was taten denn Meeresfische in diesem Teich? Wie kamen sie dorthin?

Ich bahnte mir einen Weg durch die Erdmännchen zu einem weiteren Teich. Auch er enthielt Süßwasser. Genau wie der nächste. Und der vierte ebenfalls.

Sämtliche Teiche waren voll mit Süßwasser. Doch woher kam all dieses Wasser, fragte ich mich. Die Antwort lag auf der Hand: von den Algen. Die Algen entzogen dem Meerwasser beständig auf natürlichem Wege das Salz, deswegen waren sie im Inneren salzig und außen mit Süßwasser benetzt: Sie schwitzten sozusagen das Süßwasser aus. Ich fragte mich nicht, warum die Algen das taten oder wie sie es taten oder was mit dem Salz geschah. Solche Fragen stellte mein Verstand einfach nicht mehr. Ich lachte nur darüber und sprang in einen Teich. Ich konnte mich nur mit Mühe an der Wasseroberfläche halten; ich war noch immer sehr schwach und hatte keine Fettpolster, die für Auftrieb gesorgt hätten. Ich hielt mich am Ufer des Teiches fest. Es war ein unbeschreibliches Gefühl, so ein Bad in klarem, sauberem, salzfreiem Wasser. Nach der langen Zeit auf dem Meer war meine Haut wie Leder, und die Haare waren lang, verfilzt und klebrig wie ein Fliegenfänger. Mir war, als hätte das Salz sogar meine Seele zerfressen. So genoss ich mein Bad unter den Blicken von tausend Erdmännchen und wartete, bis das Süßwasser mich von allem, was an mir klebte, gereinigt hatte.

Die Erdmännchen wandten den Blick ab. Sie drehten sich wie auf Kommando alle zum gleichen Zeitpunkt in die gleiche Richtung. Ich stieg aus dem Wasser, um zu sehen, was geschah. Es war Richard Parker. Er bestätigte meine Vermutung, dass diese Erdmännchen schon seit so vielen Generationen ohne natürliche Feinde lebten, dass jede Vorstellung von Fluchtabstand, überhaupt von Flucht oder Angst aus ihren Erbanlagen getilgt war. Richard Parker schritt durch die Menge und hinterließ eine Spur von Mord und Gewalt. Er verschlang ein Erdmännchen nach dem anderen, das Blut troff ihm aus dem Maul, und seine Opfer, Auge in Auge mit einem wilden Tiger, hüpften auf der Stelle, als wollten sie rufen »Ich bin dran! Ich bin dran! Ich bin dran!« Solche Szenen sollte ich immer wieder sehen. Nichts konnte die Erdmännchen aus ihrem gewohnten Leben reißen, das sie mit In-den-Teich-Starren und Algenknabbern verbrachten. Ob Richard Parker sich formvollendet anschlich, wie es sich für einen Tiger gehört, bevor er mit donnerndem Gebrüll über sie herfiel, oder ob er nur gleichgültig angeschlendert kam, für die Erdmännchen machte es keinen Unterschied. Sie waren nicht aus der Ruhe zu bringen und ließen sich alles gefallen.

Er tötete mehr, als er brauchte. Er tötete Erdmännchen, die er nicht fraß. Bei Tieren ist der Trieb zum Töten unabhängig vom Hunger. Nachdem ihm so lange kein Beutetier begegnet war, war nun, wo plötzlich so viele auf einmal zu haben waren, sein aufgestauter Jagdtrieb nicht zu bremsen.

Er war weit weg. Ich war nicht in Gefahr. Zumindest für den Augenblick.

Am nächsten Morgen, nachdem er verschwunden war, reinigte ich das Rettungsboot. Es war dringend nötig. Ich will mir die Beschreibung dieser Ansammlung von Menschen- und Tierskeletten, umgeben von den Überresten zahlloser Fische und Schildkröten, ersparen. Ich warf die ganze stinkende, ekelhafte Masse über Bord. Da ich nicht wagte, den Boden des Bootes zu betreten, aus Angst, Richard Parker könne Spuren meines Eindringens finden, musste ich alles mit dem Fischhaken von der Plane aus oder im Wasser stehend von der Seite erledigen. Gerüche und Flecken – gegen die der Fischhaken nichts nützte – spülte ich mit Eimern voll Meerwasser ab.

Am Abend bezog er kommentarlos sein neues, sauberes Quartier. Im Maul hatte er eine Reihe von toten Erdmännchen, die er im Laufe der Nacht verspeiste.

Ich verbrachte die folgenden Tage mit Essen und Trinken und Baden, beobachtete die Erdmännchen, machte Spaziergänge und Dauerläufe, ruhte mich aus und sammelte neue Kräfte. Wenn ich lief, bewegte ich mich geschmeidig und locker, und das Laufen versetzte mich in eine euphorische Stimmung. Meine Haut heilte. Die Schmerzen und Beschwerden verschwanden. Kurz gesagt: ich kehrte ins Leben zurück.

Ich erkundete die Insel. Eigentlich wollte ich sie umrunden, doch den Versuch gab ich auf. Ihren Durchmesser würde ich auf zehn bis elf Kilometer schätzen, und daraus ergab sich ein Umfang von rund dreißig Kilometern. So weit ich sah, war das Ufer überall gleich. Überall das gleiche, intensive Grün, der gleiche Höhenzug, der zum Ufer hin abfiel, und als Unterbrechung der Monotonie hie und da ein zerzauster Baum. Bei der Erkundung des Ufers machte ich eine außergewöhnliche Beobachtung: Je nach Wetter waren die Algen, und folglich die Insel selbst, unterschiedlich dicht und hoch. An sehr heißen Tagen war das Algengeflecht fest und dicht, die Insel wurde höher und der Aufstieg zur Mitte hin steiler. Die Veränderung ging langsam vonstatten und begann erst nach mehreren heißen Tagen hintereinander. Aber sie war unübersehbar. Ich glaube, sie hatte etwas mit dem Wasserhaushalt zu tun, damit, dass dann ein geringerer Teil der Algenoberfläche den Sonnenstrahlen ausgesetzt war.

Das umgekehrte Phänomen – dass die Insel schlaffer wurde – stellte sich schneller ein, es war dramatischer anzusehen und leichter zu erklären. Zu solchen Zeiten senkte sich der Hügel, und der Kontinentalschelf, wenn wir ihn so nennen wollen, war weniger steil; am Ufer wurde die Alge so schlaff, dass ich mit den Füßen darin hängen blieb. Dieses Abschlaffen wurde von trübem Wetter verursacht und noch schneller von stürmischer See.

Einmal erlebte ich auf der Insel einen größeren Sturm, und nach den Erfahrungen dabei würde ich vermuten, dass sie auch dem schlimmsten Hurrikan standhält. Es war ein atemberaubendes Schauspiel. Ich saß in einem Baum und sah zu, wie gewaltige Wellen auf die Insel einstürmten, offenbar im Begriff, über die Uferkante zu schlagen und alles niederzuwalzen – und konnte mit ansehen, wie jede einzelne davon verschwand, als sei sie auf Treibsand gekommen. Das hatte die Insel mit Gandhi gemein: sie widerstand, indem sie keinen Widerstand leistete. Jede Welle wurde lautlos von der Insel aufgefangen, und nur ein wenig Schaum blieb zurück. Ein Beben im Boden und ein leichtes Schwappen der Teichoberflächen waren das einzige Zeichen, was für eine Kraft durch die Insel hindurchging.

Und hindurch ging sie tatsächlich: auf der Windschatten-
seite traten, deutlich gedämpft, Wellen wieder aus und zogen ihres Weges. Es war ein äußerst kurioser Anblick, Wellen, die vom Ufer *fort*zogen. Der Sturm und die kleinen
Erdbeben, die er mit sich brachte, erschütterte die Erdmännchen nicht im Geringsten. Sie gingen ihren Geschäften nach, als existierten die Elemente gar nicht.

Noch unverständlicher war, wie karg die Insel war. Noch
nie war mir ein dermaßen reduziertes Ökosystem begegnet. In der Luft gab es keine Fliegen, keine Schmetterlin-
ge, keine Bienen, überhaupt keine Insekten. Kein Vogel
sang in den Bäumen. In der Ebene gab es keinen Nager,
keine Made, keinen Wurm; keine Schlange und kein Skor-
pion verbarg sich dort, kein anderer Baum wuchs, kein
Busch, keine Gräser, keine Blumen. In den Teichen lebten
keine Süßwasserfische. Am Ufer gab es weder Tang noch
Krabben noch Krebse, keine Kiesel, keine Korallen, keine
Felsen. Mit der einen, allerdings großen Ausnahme der
Erdmännchen gab es keine einzige andere Materie auf der
Insel, ob organisch oder anorganisch. Sie bestand aus nichts
als leuchtend grünen Algen mit leuchtend grünen Bäumen
darauf.

Parasiten waren die Bäume nicht. Das stellte ich fest, als
ich einmal unter einem jungen Baum saß und so viel Algen
aß, dass ich seine Wurzeln freilegte. Ich sah, dass die Wurzeln nicht als eigenständige Gebilde in die Algen hinein-
wuchsen, sondern aus diesen heraus, dass sie eins mit ihnen waren. Es musste also entweder eine symbiotische
Beziehung zwischen Baum und Alge sein, bei der beide zu
beider Vorteil gaben und nahmen, oder, einfacher noch,
der Baum war schlichtweg Bestandteil der Alge. Ich würde
vermuten, dass es Letzteres war, denn die Bäume trugen
anscheinend keine Blüten oder Früchte. Ich kann mir
nicht vorstellen, dass ein eigenständiger Organismus, auch
wenn er sich auf eine noch so enge Symbiose einlässt, einen so entscheidenden Teil des Lebens wie die Fortpflan-

zung aufgeben würde. Die Blätter liebten das Sonnenlicht, sonst wären sie nicht so reichlich, so groß und so chlorophyllgrün gewesen, und daraus schließe ich, dass sie hauptsächlich zur Energiegewinnung da waren. Aber das ist Vermutung.

Eine letzte Beobachtung möchte ich noch anfügen. Sie beruht eher auf Intuition als auf echten Beweisen. Und zwar bin ich der Ansicht, dass die Insel gar keine Insel im herkömmlichen Sinne des Wortes war – keine Landmasse, die fest mit dem Ozeanboden verbunden ist –, sondern eher ein schwimmender Organismus, ein Algenknäuel von gigantischen Ausmaßen. Ich würde auch vermuten, dass die Teiche bis auf die Unterseite dieser gewaltigen schwimmenden Masse reichten und mit dem Meer in Verbindung standen, denn anders ist die Gegenwart von Doraden und anderen Hochseefischen nicht zu erklären.

All das wäre weitere Untersuchung wert, aber leider habe ich die Algen, die ich mitnahm, verloren.

Genau wie ich erwachte auch Richard Parker zu neuem Leben. So wie er sich mit Erdmännchen vollstopfte, setzte er bald wieder Fleisch an, sein Fell glänzte von neuem, und schließlich sah er wieder genauso gesund aus wie zu Anfang unserer Reise. Er blieb seiner Gewohnheit treu und kehrte am Ende jedes Tages zum Rettungsboot zurück. Ich achtete immer darauf, dass ich vor ihm dort war, und markierte mein Revier reichlich mit Urin, damit auch klar war, wer von uns welchen Rang hatte und was wem gehörte. Aber er verließ das Boot immer schon im ersten Morgenlicht und machte weitaus größere Ausflüge als ich; da die Insel ja überall gleich aussah, blieb ich meistens, wo ich war. Den Tag über sah ich ihn nur selten. Und ich machte mir Sorgen. Ich sah, wie er mit den Vorderpranken an den Bäumen kratzte – tiefe Furchen in den Stämmen. Ich hörte sein heiseres Brüllen, den *Aaonh*-Schrei, so mächtig wie Gold und Honig, so angsteinflößend wie der Schacht einer brüchigen Mine oder tausend wütende Bienen. Dass er auf der Suche nach einer Gefährtin war, beunruhigte mich nicht als solches; aber es bedeutete, dass er sich auf der Insel wohl genug fühlte, dass er an Nachwuchs dachte. Der Gedanke beschäftigte mich, dass er in dieser Stimmung wohl keinen anderen männlichen Tiger in seinem Territorium dulden würde, schon gar nicht nachts und schon gar nicht wenn seine Rufe unbeantwortet blieben, wie es mit Sicherheit geschehen würde.

Einmal machte ich einen Spaziergang im Wald. Ich ging recht schnell und war ganz in Gedanken. Ich kam an einem Baum vorbei – und wäre beinahe mit Richard Parker zusammengestoßen. Wir waren beide erschrocken. Er fauchte und stellte sich drohend auf die Hinterbeine, die riesigen Pranken zum Schlag erhoben. Ich stand wie angewurzelt, gelähmt vor Angst und Entsetzen. Er ließ sich wieder auf alle viere fallen und entfernte sich. Nach drei, vier Schritten, drehte er sich um und richtete sich erneut auf, diesmal begleitet von Knurren. Ich stand noch immer reglos wie eine Statue. Er machte erneut ein paar Schritte und wiederholte die Drohgebärde ein drittes Mal. Als er sicher war, dass ich ihm nicht gefährlich werden konnte, machte er sich davon. Sobald ich wieder Luft bekam und nicht mehr zitterte, setzte ich die Trillerpfeife an die Lippen und stürmte hinterher. Er hatte schon ein gutes Stück Vorsprung, war aber noch in Sichtweite. Ich rannte schnell. Er drehte sich um, sah mich, duckte sich – und ergriff die Flucht. Ich pfiff so laut ich konnte und hoffte, dass das Geräusch ebenso weit im Umkreis zu hören war wie der Schrei eines einsamen Tigers.

In der Nacht, als er wieder einen halben Meter unter mir lag, beschloss ich, dass ich noch einmal in die Manege steigen musste.

Die größte Schwierigkeit bei der Dressur ist, dass Tiere entweder instinktiv handeln oder gewohnheitsmäßig. Die Möglichkeit, auf dem kurzen Weg über die Intelligenz neue, nicht angeborene Verbindungen zu schaffen, ist nur im Ansatz vorhanden. Daher kann man einem Tier nur durch endlose, nervenaufreibende Wiederholungen beibringen, dass ein bestimmtes Verhalten – das Wälzen am Boden zum Beispiel – eine Belohnung nach sich zieht. Es ist ein mühsamer, langwieriger Prozess, der ebenso viel Glück wie harte Arbeit braucht, erst recht, wenn es sich um ein erwachsenes Tier handelt. Ich blies in die Trillerpfeife, bis meine Lungen schmerzten. Ich schlug mir an die Brust, bis sie mit blauen Flecken übersät war. Ich rief »Hep! Hep! Hep!«, mein Wort in der Tigersprache für »Los!« – viele tausendmal. Ich warf ihm Hunderte von Fleischstückchen hin, Fleischstückchen, die ich liebend gern selbst gegessen hätte. Eine Tigerdressur ist keine leichte Aufgabe. Tiger sind geistig längst nicht so beweglich wie andere Tiere, die gern im Zirkus oder Zoo dressiert werden – Seelöwen und Schimpansen beispielsweise. Aber ich will mich nicht zu sehr mit meinen Erfolgen bei Richard Parker brüsten. Ein glückliches Schicksal, dem ich auch mein Leben verdanke, wollte es, dass er nicht nur noch recht jung war, sondern dazu sehr gefügig, ein Omegatier. Ich machte mir Sorgen, dass die Verhältnisse auf der Insel das Blatt gegen mich wenden könnten – dass er angesichts eines solchen Überangebots an Nahrung, Wasser und Raum entspannt und selbstbewusst werden könnte, weniger leicht zu beeinflussen. Aber er blieb nervös. Ich kannte ihn gut genug, um das zu spüren. Nachts im Rettungsboot war er unruhig und reizbar. Ich schrieb seine Anspannung der neuen Umgebung auf der Insel zu; jede Veränderung, auch zum Positiven, macht ein Tier nervös. Was immer die Ursache sein mochte, die Anspannung, unter der er stand, bedeutete, dass er auch weiterhin bereit war, meinen Wünschen nachzukommen, ja dass er es sogar für *notwendig* hielt.

Ich brachte ihm bei, durch einen Reifen zu springen, den ich aus dünnen Zweigen gebastelt hatte. Es war eine einfache Folge von vier Sprüngen. Für jeden bekam er einen Bissen Erdmännchen. Wenn er auf mich zugetrabt kam, hielt ich den Reifen zuerst in der ausgestreckten linken Hand, etwa einen Meter über dem Boden. Sobald er hindurchgesprungen war und langsamer wurde, nahm ich den Reifen in die rechte Hand und befahl ihm zurückzukommen und erneut durch den Reifen zu springen; dabei wandte ich ihm jetzt den Rücken zu. Für den dritten Sprung kniete ich mich auf den Boden und hielt mir den Reifen über den Kopf. Es war ein entsetzliches Gefühl, wenn ich ihn so auf mich zukommen sah. Ich lebte in ständiger Furcht, dass er mich angreifen könnte statt zu springen. Zum Glück sprang er jedes Mal. Danach stand ich auf und gab dem Reifen einen Schubs, sodass er rollte wie ein Rad. Richard Parker sollte hinterherlaufen und noch einmal hindurchspringen, bevor der Reifen zu Boden fiel. Er war nie sonderlich erfolgreich bei diesem letzten Teil, entweder weil ich den Reifen nicht ordentlich warf oder weil er ungeschickt dagegenlief. Immerhin folgte er ihm, und das bedeutete, dass er sich von mir entfernte. Er war jedes Mal erstaunt, wenn der Reifen umfiel. Er musterte ihn ausgiebig, als sei er ein anderes Tier, mit dem er um die Wette gelaufen und das plötzlich zusammengebrochen war. Er blieb in der Nähe und beschnüffelte den Reifen. Dann warf ich ihm seinen letzten Leckerbissen zu und zog mich zurück.

Schließlich suchte ich mir einen Platz außerhalb des Boots. Ich sah nicht ein, warum ich meine Nächte auf so engem Raum mit einem Tier verbringen sollte, das immer mehr Platz beanspruchte, wo ich doch eine ganze Insel für mich hatte. Allerdings konnte ich es nur riskieren, wenn ich auf einem Baum schlief. Richard Parker verbrachte zwar seine Nächte an Bord, aber ich konnte mich nicht darauf verlassen, dass es eine unumstößliche Gewohnheit war. Und wenn er sich zu einem nächtlichen Spaziergang entschloss und mich am Boden schlafend, wehrlos außerhalb meines Reviers vorfand, würde mir das nicht gut bekommen.

So machte ich mich denn eines Tages mit dem Packnetz, einem Seil und einigen Decken auf den Weg. Ich suchte mir einen hübschen Baum am Waldrand und warf das Seil über den untersten Ast. Inzwischen waren meine Kräfte schon so gut zurückgekehrt, dass ich ohne Mühe an diesem Seil hinaufkletterte. Ich fand zwei kräftige Äste, die auf einer Höhe und nahe genug beieinander lagen, und band das Netz daran fest. Am Ende des Tages kehrte ich zurück. Ich hatte eben die Decken gefaltet, die mir als Lager dienen sollten, als mir eine Unruhe unter den Erdmännchen auffiel. Ich sah nach. Ich schob ein paar Zweige beiseite, damit ich besser sehen konnte, und suchte alle Richtungen ab, bis an den Horizont. Es war unmissverständlich: Die Erdmännchen verließen die Teiche – ja, die ganze Ebene – und liefen in Windeseile zum Wald. Ein ganzes Erdmännchenvolk auf der Flucht, mit gekrümmten Rücken und flitzenden Füßen. Ich fragte mich noch, welche Überraschung diese Tiere nun wieder für mich parat haben mochten, da sah ich, dass diejenigen vom nächstgelegenen Teich sich um meinen Baum geschart hatten und den Stamm heraufgeklettert kamen. Es war ein solcher Ansturm eifriger Erdmännchen, dass der Baumstamm schon ganz unter ihnen verschwunden war. Zuerst dachte ich, sie wollten mich angreifen; ich dachte, das sei die Erklärung dafür, dass Richard Parker auf dem Boot schlief: Tagsüber waren die Erdmännchen freundlich und harmlos, doch in der Nacht kamen sie und erdrückten ihre Feinde erbarmungslos mit ihrem kollektiven Gewicht. Angst packte mich, aber auch etwas wie Empörung. Ich hatte so vieles in einem Rettungsboot auf dem Ozean überlebt, mit einem 450 Pfund schweren Königstiger an Bord, und nun sollte ich auf einem Baum und durch die Pfoten von zwei Pfund schweren Erdmännchen sterben – das war nicht nur tragisch, es war dermaßen lächerlich, dass es nicht auszuhalten war.

Sie wollten mir nichts Böses. Sie kamen zu mir heraufgeklettert, setzten sich neben mich, auf mich – und kletterten weiter. Sie stiegen in den Baum, bis jeder Ast dicht besetzt war. Der Baum bog sich unter ihrem Gewicht. Auch mein Bett übernahmen sie. Und so ging es überall, so weit das Auge reichte. Sie stiegen auf jeden Baum in Sicht. Der ganze Wald wurde braun, wie ein Herbst, der binnen Minuten hereinbricht. Alle zusammen, wie sie in großen Scharen vorbeigestürmt kamen, um unbesetzte Bäume tiefer im Wald zu erobern, machten mehr Lärm als eine Elefantenherde in wilder Panik.

Die Ebene lag leer und verlassen da.

Von der Koje, die ich mit einem Tiger teilte, zum entschieden überbelegten Schlafsaal der Erdmännchen – wer würde mir da widersprechen, wenn ich sage, dass das Leben schon manche Überraschung parathält? Ich musste mit Erdmännchen rangeln, damit ich einen Platz in meinem eigenen Bett bekam. Rundum kuschelten sie sich an mich. Kein Daumenbreit blieb frei.

Sie richteten sich ein, und das Quietschen und Zirpen verstummte. Stille kehrte ein im Baum. Wir schliefen.

In der Morgendämmerung erwachte ich und fand mich unter einer lebendigen Pelzdecke. Ein paar Erdmännchenkinder hatten die wärmeren Stellen meines Körpers entdeckt. Mir war heiß von dem dichten Fellkragen um meinen Hals – und was sich so wohlig an meine Schläfe kuschelte, musste dann wohl die Mutter sein –, und andere hatten es sich zwischen meinen Beinen bequem gemacht.

Ebenso rasch und ohne Umschweife, wie sie ihn erobert hatten, verließen sie den Baum wieder. Und genauso ging es bei sämtlichen anderen Bäumen weit und breit. Die Ebene war zusehends von Erdmännchen bevölkert, und die Luft füllte sich mit den Geräuschen ihres neuen Tags. Der Baum sah verlassen aus. Und ich fühlte mich auch ein wenig verlassen. Es war schön gewesen, bei den Erdmännchen zu schlafen.

Von da an schlief ich jede Nacht in dem Baum. Ich nahm ein paar nützliche Dinge aus dem Boot mit und richtete mir ein hübsches Baumhaus ein. Ich gewöhnte mich an die Kratzer, die mir die Erdmännchen oft unabsichtlich zufügten, wenn sie über mich kletterten. Meine einzige Beschwerde wäre, dass diejenigen, die weiter oben im Baum saßen, mich manchmal bekackten.

Eines Nachts weckten mich die Erdmännchen. Sie schnatterten und waren in heller Aufregung. Ich setzte mich auf und schaute in die Richtung, in die sie blickten. Der Himmel war wolkenlos, und es herrschte Vollmond. Sämtliche Farbe war aus der Landschaft gewichen. Alles schimmerte in geheimnisvollen Schwarz-, Grau- und Weißtönen. Es war der Teich. Darin bewegten sich silberne Formen, sie tauchten auf und durchbrachen die schwarze Oberfläche des Wassers.

Fische. Tote Fische. Sie kamen aus der Tiefe an die Oberfläche. Der Teich – sein Durchmesser betrug, wie gesagt, immerhin zwölf Meter – füllte sich mit toten Fischen, bis die Oberfläche nicht mehr schwarz, sondern silbern war. Und da das Wasser nicht zur Ruhe kam, mussten wohl immer noch mehr tote Fische nachkommen.

Als schließlich ein toter Hai lautlos aus der Tiefe auftauchte, waren die Erdmännchen außer sich vor Erregung und machten einen Lärm wie tropische Vögel. Die Hysterie griff auch auf die benachbarten Bäume über. Es war ohrenbetäubend. Ich fragte mich, ob ich wohl gleich mit ansehen würde, wie sie die Fische auf die Bäume holten.

Aber kein einziges Erdmännchen kletterte hinunter zum Teich. Sie zeigten keinerlei Anstalten dazu. Sie machten nur lauthals ihrer Enttäuschung Luft.

Mir war der Anblick von so vielen toten Fischen unheimlich. Sinister.

Ich legte mich wieder hin und versuchte trotz allem Erdmännchengezeter wieder einzuschlafen. Beim ersten Tageslicht wurde ich aus dem Schlaf gerissen von dem Tumult, den sie veranstalteten, als sie alle gleichzeitig den Baum verließen. Ich gähnte und streckte mich und sah hin-

334

unter zu dem Teich, der in der Nacht für so viel Aufregung gesorgt hatte.

Er war leer. Zumindest beinahe. Aber es war nicht das Werk der Erdmännchen. Die schickten sich eben erst an, die Reste herauszufischen.

Die Fische waren verschwunden. Nun war ich vollends verblüfft. War es der falsche Teich? Nein, es war eindeutig der, den ich in der Nacht gesehen hatte. War ich sicher, dass nicht die Erdmännchen ihn leergefischt hatten? Ja, vollkommen sicher. Ich konnte mir nicht vorstellen, dass sie einen ganzen Hai aus dem Wasser gezogen und auf ihren Rücken abtransportiert hatten. Und Richard Parker? Dem hätte ich es zugetraut, aber nicht einen ganzen Teich in einer einzigen Nacht.

Es war ein völliges Rätsel. So sehr ich auch in den Teich und auf seine grünen Flanken starrte, es gab keine Erklärung, was mit den Fischen passiert war. In der nächsten Nacht blieb ich wach, aber es tauchten keine neuen Fische auf.

Die Lösung des Rätsels fand ich einige Zeit später, tief im Wald.

In der Mitte des Waldes waren die Bäume höher und standen dicht beieinander. Darunter wuchs nichts, denn es gab keinerlei Unterholz, oben aber war das Blätterdach so dicht, dass der Himmel nicht zu sehen war, oder, um es anders auszudrücken, der Himmel war einfarbig grün. Der Abstand zwischen den Bäumen war so gering, dass ihre Äste sich berührten; sie wuchsen ineinander und bildeten ein dichtes Geflecht, sodass man kaum noch sagen konnte, wo ein Baum endete und der nächste begann. Mir fiel auf, dass sie glatte, unversehrte Stämme hatten, ohne die vielen winzigen Kratzspuren, die die Erdmännchen sonst auf der Rinde hinterließen. Ich erriet schnell, warum das so war: Die Erdmännchen mussten hier nicht hinauf- oder hinunterklettern, wenn sie von einem Baum zum anderen gelangen wollten. Den Beweis lieferten zahlreiche Bäume am äußeren Rand des dichten Waldes, deren Rinde in Fetzen herabhing. Diese Bäume dienten also als Eingangstore zu einer Baumstadt der Erdmännchen, in der es hektischer zuging als in Kalkutta.

Und dort fand ich den Baum. Es war weder der größte im Wald noch lag er genau in der Mitte, und er war auch sonst nicht bemerkenswert. Er hatte gute, waagerechte Äste, mehr nicht. Ein idealer Baum für jemanden, der den Himmel ansehen oder das nächtliche Treiben der Erdmännchen beobachten wollte.

Ich weiß noch genau, an welchem Tag ich diesen Baum entdeckte: es war der Tag bevor ich die Insel verließ.

Der Baum fiel mir auf, weil er anscheinend Früchte trug. Wo ansonsten das Blätterdach gleichförmig grün war, hoben sich diese Früchte schwarz ab. Die Zweige, an denen sie hingen, waren in seltsamen Formen gewunden. Ich sah mich genauer um. Eine ganze Insel voller Bäume, die keine Frucht trugen – bis auf diesen einen. Und auch dieser nicht einmal ganz. Die Früchte konzentrierten sich auf eine einzige Stelle des Baums. Vielleicht war er unter den Bäumen eine Art Bienenkönigin; ich fragte mich, welche Überraschungen die eigentümliche Biologie dieser Algen wohl noch für mich bereit halten mochte.

Ich hätte gern eine Frucht probiert, aber sie hingen zu weit oben. Ich ging ein Seil holen. Wenn die Algen schon so gut schmeckten, wie würden dann erst ihre Früchte sein?

Ich schlang das Seil um den untersten Ast und zog mich hinauf, und von da drang ich Ast um Ast, Zweig um Zweig zu dem kleinen geheimnisvollen Obstgarten vor.

Von nahem betrachtet waren die Früchte dunkelgrün. In Form und Größe ähnelten sie Orangen. Jede war von einem Geflecht von Zweigen umgeben, die bis ganz an sie heranreichten – als Schutz, nahm ich an. Als ich näher kam, sah ich, dass diese Zweige die Frucht auch hielten. Sie hing nicht an einem einzelnen Stiel, sondern an Dutzenden. Die Oberfläche war übersät mit Stängeln, die sie mit den umgebenden Zweigen verbanden. Früchte, die so viel Verankerung brauchten, waren mit Sicherheit schwer und saftig. Ich kam oben an.

Ich fasste eine Frucht und wog sie in der Hand. Ich war enttäuscht, wie leicht sie war. Sie wog so gut wie nichts. Ich zog daran und pflückte sie von all ihren Stängeln.

Ich machte es mir auf einem kräftigen Ast bequem, den Rücken an den Baumstamm gelehnt, über mir ein grünes Blätterdach, das sich im Winde wiegte und einzelne Sonnenstrahlen einließ. Rundum erstreckten sich, so weit das Auge reichte, die vielfach gewundenen Straßen der großen Baumstadt. Ein angenehmes Lüftchen wehte. Gespannt wandte ich mich der Frucht zu und untersuchte sie.

Ach, hätte es doch diesen Augenblick nie gegeben! Ohne ihn hätte ich noch jahrelang – ja, für den Rest meines Lebens – auf dieser Insel bleiben können. Nie hätte ich gedacht, dass etwas mich zurück aufs Rettungsboot treiben würde, zu dem Leid und der Entbehrung, die ich darauf erlebt hatte – nichts auf der Welt! Was sollte ich denn für einen Grund haben, die Insel zu verlassen? War nicht für all meine körperlichen Bedürfnisse gesorgt? Gab es nicht mehr Süßwasser als ich in meinem ganzen Leben trinken konnte? Mehr Algen als ich essen konnte? Und hatte ich nicht, wenn mir nach Abwechslung war, Erdmännchen und Fisch, so viel das Herz begehrte? Wenn es eine schwimmende Insel war, schwamm sie dann nicht womöglich sogar in meine Richtung? Brachte mich nicht vielleicht am Ende mein grünes Schiff sogar an Land? Und hatte ich nicht die sympathischen Erdmännchen, die mir bis dahin Gesellschaft leisteten? Hatte ich nicht Richard Parker, der noch viel üben musste, bis er den vierten Sprung beherrschte? Nicht ein einziges Mal seit meiner Ankunft war ich auf den Gedanken gekommen, dass ich wieder abfahren sollte. Ich war nun schon seit vielen Wochen dort – seit wie vielen hätte ich nicht sagen können –, und es würde immer so weitergehen. Das stand fest.

Wie sehr sollte ich mich täuschen.

Wenn in dieser Frucht ein Samenkorn war, dann war es der Same meiner neuerlichen Seefahrt.

Die Frucht war gar keine Frucht. Sie war eine dicke Kugel aus dicht gepackten Blättern. Jeder unter den Dutzenden von Stängeln war ein Blattstängel. Und mit jedem, den ich zog, löste sich ein Blatt.

Nach ein paar Schichten kam ich an Blätter, die ihre Stiele verloren hatten und die flach aneinander zur Kugel verklebt waren. Ich fasste sie mit den Fingernägeln und zog sie ab. Schicht um Schicht löste ich, wie die Häute einer Zwiebel. Ich hätte die »Frucht« auch einfach auseinanderrupfen können – ich sage weiterhin Frucht, weil ich nicht weiß, wie ich sie sonst nennen sollte –, aber gar zu sehr wollte ich meiner Neugier doch nicht nachgeben.

Von der Apfelsinen- schrumpfte sie zur Mandarinengröße. Mein Schoß und die Zweige unter mir waren mit den dünnen, weichen Blattschichten bedeckt.

Jetzt war sie nur noch so groß wie eine Pflaume.

Noch heute läuft es mir kalt den Rücken hinunter, wenn ich daran denke.

So groß wie eine Kirsche.

Und dann kam sie ans Licht, die unaussprechliche Perle im Herzen dieser grünen Auster.

Der Zahn eines Menschen.

Ein Backenzahn, um genau zu sein. Die Oberfläche grün gefärbt und fein durchlöchert.

Das Entsetzen stellte sich erst nach und nach ein. Es blieb Zeit genug, weitere Früchte zu pflücken.

In jeder einzelnen davon war ein Zahn.

Der eine ein Eckzahn.

Der nächste ein Vorderzahn.

Hier ein Schneidezahn.

Dort ein weiterer Backenzahn.

Zweiunddreißig Zähne. Das komplette Gebiss eines Menschen. Nicht ein einziger fehlte.

Allmählich dämmerte es mir.

Aufgeschrien habe ich nicht. Ich glaube, Schreckensschreie gibt es nur in Filmen. Mich überlief nur ein Schaudern, und dann machte ich mich an den Abstieg.

Es folgte ein Tag voller Qualen, an dem ich die Möglichkeiten abwog, die ich hatte. Sie waren allesamt schlecht.

In der Nacht, als ich wieder in meiner Matte im gewohnten Baum lag, prüfte ich, ob meine Schlussfolgerung stimmte. Ich griff mir ein Erdmännchen und ließ es in die Tiefe fallen.

Quiekend ging es zu Boden. Unten angekommen, lief es sofort wieder zum Baum.

Mit typischer Treuherzigkeit kehrte es an seinen Platz neben mir zurück. Dort leckte es eifrig an seinen Pfoten. Es schien in Panik. Es keuchte heftig.

Das hätte als Beweis genügt. Aber ich wollte es selbst erfahren. Ich kletterte nach unten und ließ mich am Seil herab. Ich hatte es mit Knoten versehen, damit das Klettern leichter wurde. Als ich ans untere Ende kam, hielt ich inne, die Füße ein paar Zentimeter über dem Boden. Ich zögerte.

Dann ließ ich los.

Anfangs spürte ich nichts. Plötzlich durchzuckte ein brennender Schmerz meine Füße. Ich schrie auf. Beinahe wäre ich gestürzt. Es gelang mir, das Seil zu packen und mich daran hochzuziehen, bis ich den Boden nicht mehr berührte. Wie von Sinnen rieb ich die Fußsohlen an dem Baumstamm. Es half, aber es war nicht genug. Ich kletterte zurück auf meinen Ast. Ich tauchte meine Füße in den Eimer mit Wasser neben meinem Bett. Ich rieb meine Füße mit Blättern ab. Ich nahm das Messer, tötete zwei Erdmännchen und versuchte, den Schmerz mit ihrem Blut und ihren Innereien zu lindern. Aber meine Füße brannten noch immer. Sie brannten die ganze Nacht. Das Brennen und die Angst raubten mir den Schlaf.

Es war eine Fleisch fressende Insel. Deswegen waren

die Fische aus dem Teich verschwunden. Die Insel lockte Meeresfische in ihre unterirdischen Gänge – wie, weiß ich nicht; vielleicht stürzten die Fische sich ebenso gierig auf die Algen wie ich. Sie gerieten in die Falle. Verirrten sie sich? Schlossen sich irgendwann die Zugänge zum Meer? Veränderte sich der Salzgehalt des Wassers so allmählich, dass die Fische es erst bemerkten, wenn es zu spät war? Wie auch immer – sie waren gefangen im Süßwasser und starben. Einige gelangten nach oben an die Oberfläche der Teiche; das waren die Reste, von denen sich die Erdmännchen ernährten. In der Nacht stieg der Säurespiegel der räuberischen Algen durch eine mir unbekannte chemische Reaktion, die offenbar tagsüber durch das Sonnenlicht unterbunden wurde, gewaltig an, und die Teiche verwandelten sich in Säuregruben, die die Fische verdauten. Deswegen kehrte Richard Parker jeden Abend auf das Rettungsboot zurück. Deswegen schliefen die Erdmännchen auf den Bäumen. Deswegen hatte ich auf der Insel nie etwas anderes als Algen gesehen.

Und das war auch die Erklärung für die Zähne. Schon einmal war eine arme Seele an diesen schrecklichen Ufern gestrandet. Wie viel Zeit hatte er – oder war es eine Sie – hier verbracht? Wochen? Monate? *Jahre?* Wie viele verzweifelte Stunden in der Baumstadt mit niemandem außer den Erdmännchen zur Gesellschaft? Wie viele Träume von einem glücklichen Leben waren hier gescheitert? Wie viele Hoffnungen zunichte geworden? Wie viele Worte waren ungesagt geblieben? Wie viel Einsamkeit hatte dieser Mensch ertragen? Wie viel Mutlosigkeit hatte er getrotzt? Und was war von all dem am Ende geblieben?

Nichts als ein bisschen Zahnschmelz, wie Kleingeld in der Hosentasche. Mein Vorgänger musste auf dem Baum gestorben sein. War es eine Krankheit? Eine Verletzung? Depression? Wie lange braucht ein gebrochener Wille, um einen Körper zu töten, der Nahrung und Wasser und Unterschlupf hat? Die Bäume bestanden aus demselben

Fleisch fressenden Stoff, doch ihr Säuregehalt war weit niedriger, ein sicherer Zufluchtsort für die Nacht, wenn der Rest der Insel brodelte. Aber als die Person erst einmal tot war und sich nicht mehr bewegte, musste der Baum den Körper langsam umschlungen und verdaut haben, den Knochen so lange die Nährstoffe entzogen, bis nichts mehr von ihnen übrig war. Im Laufe der Zeit wären auch die Zähne noch verschwunden.

Ich sah mich um und betrachtete die Algen. Bitterkeit erfüllte mein Herz. Statt der leuchtenden Verheißung des Tages sah ich jetzt nur den nächtlichen Verrat.

»Zähne«, murmelte ich. »Nichts weiter als ZÄHNE!«

Bei Tagesanbruch stand mein Entschluss fest. Lieber wollte ich in See stechen und auf der Suche nach meinesgleichen untergehen als auf dieser mörderischen Insel ein einsames Halbleben führen, bei dem es dem Körper gutging, obwohl die Seele längst tot war. Ich füllte sämtliche Vorratsbehälter mir frischem Wasser und trank wie ein Kamel. Ich stopfte mich den ganzen Tag über mit Algen voll, bis mein Magen nichts mehr aufnehmen konnte. Ich tötete und häutete so viele Erdmännchen, wie ich im Stauraum und am Boden des Rettungsboots unterbringen konnte. Ich sammelte tote Fische aus den Teichen. Mit dem Beil hackte ich ein großes Bündel Algen ab und band es mit einem Seil am Boot fest.

Ich konnte Richard Parker nicht im Stich lassen. Wenn ich ihn zurückließ, war sein Schicksal besiegelt. Er würde die erste Nacht nicht überleben. Wenn ich bei Sonnenuntergang allein in meinem Rettungsboot säße, würde ich wissen, dass er bei lebendigem Leibe verbrannte. Oder dass er sich ins Meer gestürzt hatte, wo er ertrinken würde. Ich wartete auf seine Rückkehr. Ich wusste, er würde sich nicht verspäten.

Als er an Bord war, stieß ich ab. Ein paar Stunden lang hielt die Strömung uns in der Nähe der Insel. Die Geräusche des Ozeans beunruhigten mich. Und ich war nicht mehr an das Schaukeln des Bootes gewöhnt. Die Nacht verging sehr langsam.

Am Morgen war die Insel verschwunden, genau wie die Algen, die wir im Schlepp gehabt hatten. Als die Nacht kam, hatten sie mit ihrer Säure das Seil aufgelöst.

Die See war schwer und der Himmel grau.

Kapitel 93

Ein großer Überdruss überkam mich, denn meine Fahrt war so sinnlos wie das Wetter. Aber das Leben wollte mich nicht verlassen. Der Rest dieser Geschichte ist nichts als Kummer, Schmerz und zähes Aushalten.

Das Hohe lockt das Niedere, das Niedere das Hohe. Und jeder, der sich in so elender Lage fände, wie ich mich fand, würde in seinen Gedanken nach Höherem streben. Je tiefer man steht, desto höher hinauf will der Geist. Es war nur natürlich, dass ich mich, hoffnungslos und verzweifelt, wie ich in meinem endlosen Leiden war, Gott zuwandte.

Kapitel 94

Als wir Land erreichten, Mexiko, um genau zu sein, war ich so schwach, dass ich kaum noch die Kraft hatte, mich darüber zu freuen. Die Landung war sehr mühsam. Fast wäre das Rettungsboot noch in der Brandung gekentert. Ich warf die Treibanker aus – was noch von ihnen übrig war –, in ganzer Breite, damit wir im rechten Winkel zu den Wellen blieben, und zog sie sogleich ein, wenn ein Wellenkamm uns erfasste. Auf diese Weise, durch Auswerfen und Einholen der Anker, ritten wir auf den Wellen ans Land. Es war gefährlich. Aber einmal erwischten wir eine Welle in genau dem richtigen Augenblick, und sie nahm uns ein großes

Stück mit, über die hohen und dann in sich zusammenstürzenden Wasserwände hinaus. Ein letztes Mal holte ich die Anker ein, und das letzte Stückchen Wegs trieb die Strömung uns an Land. Mit einem Knirschen kam das Boot im Sand zum Stehen.

Ich hangelte mich an der Bootswand herunter. Ich traute mich nicht loszulassen, fürchtete mich, dass ich so kurz vor der Rettung im halbmeterhohen Wasser ertrinken würde. Ich blickte hinüber zum Ufer, um zu sehen, wie weit es noch war. Dieser Blick bescherte mir zugleich eins meiner letzten Bilder von Richard Parker, denn in just diesem Moment sprang er über mich hinweg. Ich sah seinen Körper, so voller Leben, lang ausgestreckt in der Luft über mir, ein flüchtiger, pelziger Regenbogen. Er landete im Wasser, die Hinterbeine gespreizt, den Schwanz in die Höhe gereckt, und von da war er mit einigen wenigen Sätzen am Strand. Er lief zunächst nach links, und seine Pranken hinterließen Abdrücke im feuchten Sand, dann überlegte er es sich anders und machte kehrt. Auf seinem Weg nach rechts kam er direkt vor mir vorbei. Er beachtete mich gar nicht. Etwa dreißig Meter lief er am Ufer entlang, dann wandte er sich inlands. Er lief unter Mühen, stolperte über seine eigenen Beine. Mehrere Male stürzte er. Als er den Dschungel erreichte, blieb er stehen. Ich war mir sicher, dass er sich nun zu mir umdrehen würde. Er würde mich ansehen. Er würde die Ohren anlegen. Er würde knurren. Etwas in dieser Art würde er tun, zum Abschluss der Zeit, die wir miteinander verbracht hatten. Aber er dachte gar nicht daran. Sein Blick war starr auf den Dschungel gerichtet. Und dann verschwand Richard Parker, der Gefährte meiner langen Reise, der mächtige, angsteinflößende Tiger, der mich gerettet hatte, mit einem kleinen Sprung für immer aus meinem Leben.

Ich stolperte an Land und sank auf dem Sand zusammen. Ich sah mich um. Nun war ich wirklich allein, verlassen nicht nur von meiner Familie, sondern auch von Richard Parker, und beinahe auch von Gott. Nur dass Er mich nie verlassen würde. Dieser Strand, so weich, so klar, so unendlich, war wie die Wange Gottes, und irgendwo waren zwei Augen, die vor Freude funkelten, ein Mund, der lächelte, weil ich angekommen war.

Stunden vergingen, doch dann fand mich ein Vertreter meiner eigenen Art. Er lief davon und kehrte mit mehreren zurück. Sechs oder sieben waren es. Als sie sich näherten, hielten sie sich Nasen und Münder zu. Ich fragte mich, was ihnen fehlte. Sie redeten in einer Sprache mit mir, die ich noch nie gehört hatte. Sie zogen das Rettungsboot auf den Sand. Sie trugen mich mit sich fort. Das eine Stück Schildkrötenfleisch, das ich von Bord mitgebracht hatte, wanden sie mir aus den Fingern und warfen es fort.

Ich weinte wie ein Kind. Nicht weil ich überwältigt von dem Gedanken war, dass ich meine Leiden überstanden hatte. Obwohl ich auch das war. Auch nicht, weil ich wieder meine Brüder und Schwestern um mich hatte, obwohl mich das sehr rührte. Ich weinte, weil Richard Parker mich ohne einen Abschiedsgruß verlassen hatte. Es ist entsetzlich, wenn man sich nicht anständig verabschieden kann. Ich bin ein Mensch, der an Formen glaubt, an die Harmonie des geordneten Lebens. Wo immer wir können, müssen wir den Dingen eine Gestalt geben, denn Gestalt bedeutet Sinn. Ob es wohl zum Beispiel möglich wäre, meine konfuse Geschichte in genau einhundert Kapiteln zu erzählen, keins mehr und keins weniger? Das ist – nebenbei bemerkt – etwas, das ich an meinem Spitznamen hasse, die Art wie diese Zahl weiter und immer weiter ins Unendliche läuft. Es ist wichtig im Leben, dass etwas anständig zu Ende gebracht wird. Nur dann kann man es loslassen. Sonst bleibt man mit Worten zurück, die man hätte sagen sollen, aber nie herausbekam, und das Herz ist schwer vor Unglück darüber. Dass uns dieser Abschied misslang, quält mich bis zum heutigen Tag. Ich wünsche mir so sehr, dass ich noch einen letzten Blick auf ihn hätte werfen können, wie er im Rettungsboot saß, dass ich ihn noch ein klein wenig geärgert hätte, damit er mich nicht vergaß. Ich wünschte, ich hätte damals zu ihm gesagt – ja, ich weiß, dass er ein Tiger ist, aber trotzdem –, ich wünschte, ich hätte gesagt: »Richard Parker, unsere Reise ist zu Ende. Wir haben überlebt. Kannst du das glauben? Ich bin dir mehr Dank schuldig, als ich je in Worte fassen könnte. Ohne dich wäre ich jetzt nicht hier. Deshalb sage ich in aller Form: Richard Parker, ich danke dir. Ich danke dir, dass du mir das Leben gerettet hast. Und nun geh, wohin du gehen musst. Fast dein ganzes Leben hast du im freien Gefängnis des Zoos zugebracht; nun wirst du in der Freiheit des Dschungels gefangen sein. Ich wünsche dir alles Gute. Nimm dich in Acht vor den Menschen. Sie sind nicht deine Freunde. Aber ich hoffe, mich wirst du als Freund im Gedächtnis behalten. Ich werde dich nie vergessen, das steht fest. Du wirst für alle Zeiten bei mir bleiben, in meinem Herzen. Hörst du das Knirschen? Unser Boot kommt an Land. Dann lebe wohl, Richard Parker, lebe wohl. Und Gott sei mit dir.«

Die Leute, die mich fanden, nahmen mich mit in ihr Dorf, und ein paar Frauen steckten mich in eine Badewanne und schrubbten mich dermaßen ab, dass ich mich schon fragte, ob sie vielleicht nicht verstanden, dass ich von Natur aus braunhäutig war und nicht ein so schmutziger weißer Junge. Ich versuchte es ihnen zu erklären. Sie nickten und lächelten und schrubbten mich weiter wie das Deck eines Schiffs. Ich fürchtete schon fast, sie würden mir bei lebendigem Leibe die Haut abziehen. Aber sie gaben mir zu essen. Wunderbare Sachen. Als ich erst einmal angefangen hatte zu essen, konnte ich nicht mehr aufhören. Ich konnte mir nicht vorstellen, dass dieser Hunger je gestillt würde.

Am nächsten Tag kam ein Polizeiwagen und brachte mich zu einem Krankenhaus, und dort geht meine Geschichte zu Ende.

Die Großzügigkeit meiner Retter überwältigte mich.

Bettelarme Menschen gaben mir Kleider und Nahrung. Ärzte und Krankenschwestern versorgten mich wie ein frühgeborenes Kind. Staatsbeamte in Mexiko und Kanada öffneten mir sämtliche Türen, und vom Strand in Mexiko zum Haus meiner Pflegemutter zu den Lehrsälen der Universität von Toronto war alles nur ein einziger großer Spaziergang. All diesen Menschen möchte ich von Herzen danken.

DRITTER TEIL

Benito-Juárez-Krankenhaus,
Tomatlán, Mexiko

Kapitel 95

Mr Tomohiro Okamoto, vormals Angestellter der Abteilung Schifffahrt im japanischen Verkehrsministerium und mittlerweile im Ruhestand, schreibt mir, dass er und sein damaliger jüngerer Kollege, Mr Atsuro Chiba, seinerzeit wegen einer anderen Angelegenheit in Long Beach, Kalifornien, gewesen seien – dem bedeutendsten Containerhafen der amerikanischen Westküste, nicht weit von Los Angeles –, als man sie unterrichtete, dass ein einzelner Überlebender des japanischen Frachters Tsimtsum, *der einige Monate zuvor in internationalen Gewässern des Pazifiks spurlos verschwunden war, in der Nähe der kleinen Stadt Tomatlán an der Küste von Mexiko angeschwemmt worden sei. Sie erhielten von ihrer Abteilung den Auftrag, dorthin zu fahren, Kontakt mit dem Überlebenden aufzunehmen und nachzuhören, ob er ihnen Aufschlüsse über das Schicksal des Schiffes geben konnte. Sie kauften eine Landkarte von Mexiko und suchten nach Tomatlán. Unglücklicherweise verlief ein Kartenfalz genau über der kleinen Küstenstadt Tomatán auf der Halbinsel Baja California. Mr Okamoto war überzeugt, dass der mit winzigen Buchstaben gedruckte Name Tomatlán lautete. Da der Ort etwas oberhalb der Mitte von Baja California lag, beschloss er, dass sie am schnellsten mit dem Auto dorthin gelangen würden.*

Sie mieteten einen Wagen und machten sich auf den Weg. Als sie in Tomatán eintrafen, achthundert Kilometer südlich von Long Beach, und offensichtlich wurde, dass es nicht Tomatlán war, beschloss Mr Okamoto weiterzufahren bis zum zweihundert Kilometer weiter südlich gelegenen Santa Rosalia und von dort mit der

Fähre über den Golf von Kalifornien nach Guaymas überzuset-
zen. Die Fähre hatte Verspätung und war sehr langsam. Und von
Guaymas bis nach Tomatlán waren es noch einmal dreizehnhun-
dert Kilometer. Die Straßen waren schlecht. Sie hatten eine Reifen-
panne. Dann blieb das Auto liegen, und der Mechaniker, der es
reparierte, schlachtete heimlich den Motor aus und tauschte Neu-
gegen Altteile ein, für deren Ersatz die Mietwagenfirma sie später
haftbar machte und die den Wagen auf dem Rückweg noch ein
zweites Mal liegen bleiben ließen. Die zweite Werkstatt berechnete
viel zu viel für die Reparatur. Mr Okamoto gibt zu, dass sie völlig
übermüdet waren, als sie im Benito-Juárez-Krankenhaus von To-
matlán ankamen, das nicht in Baja California, sondern hundert
Kilometer südlich von Puerto Vallarta im Bundesstaat Jalisco
liegt, fast auf der Höhe von Mexiko-Stadt. Sie waren einundvier-
zig Stunden ohne Pause unterwegs gewesen. »Wir arbeiten hart«,
schreibt Mr Okamoto.

Er und Mr Chiba unterhielten sich mit Piscine Molitor Patel,
auf Englisch, fast drei Stunden lang, und zeichneten das Gespräch
auf Tonband auf. Das Folgende sind Auszüge aus dem Tonband-
protokoll. Ich danke Mr Okamoto, dass er mir eine Kopie des
Bandes und seines Abschlussberichts zur Verfügung gestellt hat.
Der Klarheit halber habe ich da, wo es nicht eindeutig ist, den Na-
men des Sprechers eingefügt. Passagen in anderer Schrifttype sind
auf Japanisch gesprochen, und ich habe sie übersetzen lassen.

Kapitel 96

»Hallo, Mr Patel. Darf ich mich vorstellen: Tomohiro Okamoto. Ich komme vom japanischen Verkehrsministerium,
Abteilung Schifffahrt. Und das ist mein Assistent, Atsuro
Chiba. Wir sind hergekommen, um Sie zum Untergang
des Schiffes *Tsimtsum* zu befragen, dessen Passagier Sie
waren. Wäre es möglich, jetzt gleich mit Ihnen zu sprechen?«

»Aber ja.«

»Danke. Sehr freundlich von Ihnen. Und nun geben Sie Acht, Atsuro-kun, Sie sollen ja schließlich etwas lernen.«

»Ja, Okamoto-san.«

»Läuft das Tonband?«

»Ja.«

»Gut. Meine Güte, was bin ich müde! So, für das Protokoll. Heute ist der 19. Februar 1978. Aktenzeichen 250663, Untergang des Frachters Tsimtsum. Sitzen Sie bequem, Mr Patel?«

»Ich sitze gut, danke. Und Sie?«

»Wir sitzen *sehr* bequem.«

»Sind Sie den ganzen Weg von Tokio gekommen?«

»Wir waren in Long Beach, Kalifornien. Wir sind mit dem Wagen hier.«

»Hatten Sie eine gute Fahrt?«

»Eine wunderbare Fahrt. Eine Freude, auf den hiesigen Straßen zu fahren.«

»Meine Fahrt war entsetzlich.«

»Ja, ich weiß. Wir haben mit der Polizei gesprochen, bevor wir herkamen, und haben das Rettungsboot besichtigt.«

»Ich bin ein wenig hungrig.«

»Möchten Sie einen Keks?«

»O ja!«

»Bitte sehr.«

»Danke.«

»Gern geschehen. Nur ein Keks. So, Mr Patel, und jetzt würden wir uns wünschen, dass Sie uns so genau wie nur möglich erzählen, was Ihnen widerfahren ist.«

»Das will ich gern tun.«

Kapitel 97

Die Geschichte.

Kapitel 98

Mr Okamoto: »Hochinteressant.«

Mr Chiba: »Was für eine Geschichte!«

»**Der hält uns wohl für blöd.** Mr Patel, wir machen eine kleine Pause und sind gleich zurück. Ist Ihnen das recht?«

»Wunderbar. Aber kann ich noch einen Keks haben?«

»Selbstverständlich.«

Mr Chiba: »**Er hat doch schon jede Menge bekommen, und die meisten hat er nicht einmal gegessen. Er hat sie alle noch hier unter der Bettdecke.**«

»**Geben Sie ihm trotzdem noch einen. Wir müssen ihn bei Laune halten.** Wir sind gleich wieder da.«

Kapitel 99

Mr Okamoto: »Mr Patel, wir glauben Ihre Geschichte nicht.«

»Bitte um Verzeihung – wunderbare Kekse, aber sie zerkrümeln leicht. Wieso denn das? Warum nicht?«

»Es gibt zu viele Ungereimtheiten.«

»Wie meinen Sie das?«

»Bananen schwimmen nicht.«

»Bitte?«

»Sie sagen, der Orang-Utan sei auf einer Insel aus Bananen geschwommen.«

»Das stimmt.«

»Bananen schwimmen nicht.«

»Doch, das tun sie.«

»Sie sind zu schwer.«

»Das sind sie nicht. Hier, versuchen Sie es selbst, ich habe zwei Bananen hier.«

Mr Chiba: »**Wo kommen die her? Was hat er denn noch alles unter seiner Bettdecke?**«

Mr Okamoto: »**Schluss jetzt.** Nein, ich glaube Ihnen schon.«

»Da drüben ist ein Waschbecken.«

»Schon in Ordnung.«

»Ich bestehe darauf. Füllen Sie das Becken mit Wasser, und wir sehen, wer Recht hat.«

»Wir würden gern weitermachen.«

»Ich bestehe darauf.«

[Schweigen]

Mr Chiba: »**Was machen wir jetzt?**«

Mr Okamoto: »**Ich fürchte, das wird auch wieder ein sehr langer Tag.**«

[Geräusch eines Stuhls, der zurückgeschoben wird. Aus der Ferne Wasserrauschen]

Pi Patel: »Was machen Sie? Ich kann es von hier aus nicht sehen.«

Mr Okamoto [von ferne]: »Ich lasse Wasser ein.«

»Haben Sie die Bananen schon drin?«

[Von ferne] »Nein.«

»Und jetzt?«

[Von ferne] »Jetzt sind sie drin.«

»Und?«

[Schweigen]

Mr Chiba: »**Schwimmen sie?**«

[Von ferne] »**Sie schwimmen.**«

»Und, schwimmen sie?«

[Von ferne] »Sie schwimmen.«

»Habe ich es Ihnen nicht gesagt?«

Mr Okamoto: »Ja doch. Aber man bräuchte schon ziemlich viele Bananen, damit ein Orang-Utan darauf sitzen könnte.«

»Es *waren* ziemlich viele. Fast eine Tonne. Das macht mich heute noch krank, wenn ich daran denke, wie all diese Bananen einfach davonschwammen, dabei hätte ich sie nur ins Boot holen müssen.«

»Ein Jammer. Aber nun —«

»Könnte ich meine Bananen zurückhaben, bitte?«

Mr Chiba: »**Ich hole sie.**«

[Geräusch eines Stuhls, der zurückgeschoben wird]

[Von ferne] »*Nicht zu fassen. Die schwimmen tatsächlich.*«

Mr Okamoto: »Was ist mit dieser Algeninsel, von der Sie erzählt haben?«

Mr Chiba: »Hier, Ihre Bananen.«

Pi Patel: »Danke sehr. Was ist damit?«

»Ich sage es nicht gern so schroff, wir wollen Ihnen ja nichts Böses, aber Sie erwarten doch nicht wirklich, dass wir Ihnen das glauben, oder? Fleischfressende Bäume? Eine Alge, die Fische verschlingt und Süßwasser daraus macht? Nager, die Fische fangen und auf Bäumen wohnen? So etwas gibt es nicht.«

»Das denken Sie nur, weil Sie sie noch nie gesehen haben.«

»Ganz richtig. Wir glauben an das, was wir sehen.«

»Genau wie Kolumbus. Was machen Sie im Dunkeln?«

»Ihre Insel ist botanisch unmöglich.«

»Sagte die Fliege, als sie in der Venusfliegenfalle landete.«

»Warum hat sie dann noch nie jemand anderes gesehen?«

»Es ist ein großer Ozean, und die Schiffe fahren schnell. Ich bin langsam gefahren und habe die Augen offen gehalten.«

»Kein Wissenschaftler würde Ihnen glauben.«

»Das sind die Wissenschaftler, die Kopernikus und Darwin ausgelacht haben. Entdeckt die Wissenschaft nicht laufend neue Pflanzen? Im Amazonasbecken zum Beispiel?«

»Aber doch keine Pflanzen, die den Gesetzen der Natur widersprechen.«

»Die Sie in- und auswendig kennen?«

»Gut genug jedenfalls, dass ich das Mögliche vom Unmöglichen unterscheiden kann.«

Mr Chiba: »Ich habe einen Onkel, der eine ganze Menge von Botanik versteht. Er lebt auf dem Land, nicht weit von Hita-Gun. Er ist ein Bonsaimeister.«

354

Pi Patel: »Ein was?«

»Ein Bonsaimeister. Sie wissen schon, Bonsai, diese kleinen Bäume.«

»Büsche, meinen Sie.«

»Nein, Bäume. Bonsais sind kleine Bäume. Sie sind nicht einmal einen halben Meter groß. Man kann sie sich unter den Arm klemmen. Aber manche davon sind uralt. Mein Onkel hat einen, der ist über dreihundert Jahre alt.«

»Ein dreihundert Jahre alter Baum, der einen halben Meter groß ist und den man sich unter den Arm klemmen kann?«

»Ja. Sie sind ungeheuer zart. Sie brauchen viel Pflege.«

»Wer hätte je von solchen Bäumen gehört? Das ist botanisch unmöglich.«

»Aber es gibt sie, Mr Patel, glauben Sie mir. Mein Onkel —«

»Ich glaube nur, was ich sehe.«

Mr Okamoto: »Einen Moment, bitte. **Atsuro, bei allem Respekt vor Ihrem Onkel, der auf dem Lande bei Hita-Gun lebt — wir sind doch nicht hier, um über Botanik zu plaudern.**«

»**Ich versuche nur zu helfen.**«

»**Fressen die Bonsais Ihres Onkels Fleisch?**«

»**Nicht dass ich wüsste.**«

»**Sind Sie schon einmal von einem Bonsai gebissen worden?**«

»**Nein.**«

»**Dann kann uns Ihr Onkel auch nicht weiterhelfen.** Wo waren wir stehengeblieben?«

Pi Patel: »Bei den hohen, ausgewachsenen, fest mit dem Boden verbundenen Bäumen, von denen ich Ihnen erzählt habe.«

»Die lassen wir jetzt erst einmal außer Acht.«

»Das wird gar nicht so einfach sein. Sie waren nämlich nicht zu übersehen.«

»Das ist lustig, Mr Patel. Ha! Ha! Ha!«

Pi Patel: »Ha! Ha! Ha!«

Mr Chiba: »Ha! Ha! Ha! **Na, so lustig auch wieder nicht.**«

Mr Okamoto: »**Lachen Sie trotzdem.** Ha! Ha! Ha!«

Mr Chiba: »Ha! Ha! Ha!«

Mr Okamoto: »Und Ihr Tiger, der macht uns auch zu schaffen.«

»Wie meinen Sie das?«

»Wir können es nicht glauben.«

»Es ist ja auch eine unglaubliche Geschichte.«

»Genau das.«

»Ich frage mich selbst, wie ich das überstanden habe.«

»Eine Tortur.«

»Kann ich noch einen Keks haben?«

»Es sind keine mehr da.«

»Was haben Sie da in der Tüte?«

»Nichts.«

»Darf ich mal sehen?«

Mr Chiba: »**Jetzt kriegt er auch noch unser Mittagessen.**«

Mr Okamoto: »Um nun auf den Tiger zurückzukommen …«

Pi Patel: »Eine grässliche Geschichte. Köstlich, die Sandwiches.«

Mr Okamoto: »Ja, sie sehen gut aus.«

Mr Chiba: »**Und ich habe solchen Hunger.**«

»Keine Spur hat sich gefunden. Sie müssen zugeben, das ist doch nicht ganz leicht zu glauben, oder? In Amerika gibt es keine Tiger. Wenn ein wilder Tiger dort draußen wäre, meinen Sie nicht, die Polizei hätte inzwischen davon erfahren?«

»Ich sollte Ihnen von einem schwarzen Panther erzählen, der einmal mitten im Winter aus dem Zürcher Zoo entwichen ist.«

»Mr Patel, ein Tiger ist ein unglaublich gefährliches, wildes Tier. Wie hätten Sie denn allein mit ihm auf einem Rettungsboot überleben können? Das ist doch —«

»Bedenken Sie, wie fremd und bedrohlich wir Menschen den wilden Tieren sind. Sie fürchten sich vor uns. Sie meiden uns, so gut es geht. Es hat Jahrhunderte gedauert, bis die Furcht in ein paar wenigen fügsamen bezwungen war – bis sie *domestiziert* waren, wie wir sagen –, aber die meisten können ihre Furcht nicht überwinden, und ich glaube nicht, dass ihnen das jemals gelingen wird. Wenn wilde Tiere uns Menschen anfallen, dann tun sie es aus schierer Verzweiflung. Sie kämpfen, wenn sie keinen anderen Ausweg mehr sehen. Es ist immer das letzte Mittel.«

»*In einem Rettungsboot?* Also wirklich, Mr Patel, wer soll denn das glauben?«

»Sie meinen, das ist schwer zu glauben? Soll ich Ihnen einmal etwas erzählen, was wirklich schwer zu glauben ist? Dann hören Sie zu. Es ist in indischen Tiergärten ein wohlgehütetes Geheimnis, dass 1971 aus dem Zoo von Kalkutta die Eisbärin Bara verschwunden ist. Keiner hat je wieder von ihr gehört, nicht die Polizei, kein Jäger, kein Wilddieb, niemand. Wir gehen davon aus, dass sie nach wie vor an den Ufern des Hugli lebt. Sehen Sie sich also vor, meine Herren, sollten Sie nach Kalkutta kommen: Riecht Ihr Atem nach Sushi, dann könnte es Ihr Verderben sein! Wenn Sie eine Stadt wie Tokio auf den Kopf stellten und schüttelten, würden Sie staunen, was da alles an Tieren herausfällt: Dachse, Wölfe, Boa Constrictors, Komodowarane, Krokodile, Strauße, Paviane, Wasserschweine, Wildsauen, Leoparden, Seekühe, Wiederkäuer aller Art. Ich habe nicht die geringsten Zweifel, dass es in Tokio schon seit Generationen wilde Giraffen und wilde Flusspferde gibt, und kein Mensch hat sie je gesehen. Vergleichen Sie einmal das, was an Ihren Schuhsohlen hängenbleibt, wenn Sie über den Bürgersteig gehen, mit dem, was Sie in Tokio im Zoo am Boden der Käfige sehen – dann blicken Sie in die Höhe! Und da wollen Sie einen Tiger im mexikanischen Dschungel finden! Lächerlich ist das, schlicht und einfach lächerlich! Ha! Ha! Ha!«

»Es mag sein, dass es wilde Giraffen und wilde Flusspferde in Tokio gibt oder einen Eisbären, der mitten in

Kalkutta lebt. Aber trotzdem glauben wir nicht, dass Sie einen Tiger auf Ihrem Rettungsboot hatten.«

»Die Arroganz von Stadtmenschen! Ihrer Metropole gestehen Sie alle Tiere des Gartens Eden zu, aber meinem Dorf nicht einmal einen bengalischen Tiger!«

»Mr Patel, bitte beruhigen Sie sich.«

»Wenn Sie nur wahrhaben wollen, was Sie glauben können, wofür leben Sie dann überhaupt? Liebe, ist die etwa glaubwürdig?«

»Mr Patel —«

»Sie wollen mich mit Ihrer Höflichkeit nur einschüchtern. Es ist gar nicht so leicht, an die Liebe zu glauben, fragen Sie einen Verliebten. Es ist nicht leicht, an das Leben zu glauben, fragen Sie einen Biologen. Es ist nicht leicht, an Gott zu glauben, das sagt Ihnen jeder Gläubige. Wollen Sie wirklich nur das wahrhaben, an das Sie leicht glauben können?«

»Wir wollen einfach nur vernünftig sein.«

»Genau wie ich! Jede Minute meiner Reise bin ich vernünftig gewesen. Die Vernunft ist ein ausgezeichnetes Mittel, mit dem man Nahrung, Kleidung, Unterkunft bekommt. Vernunft ist der beste Werkzeugkasten. Mit nichts kann man sich so gut einen Tiger vom Leibe halten. Aber übertreiben Sie es mit der Vernunft, und Sie schütten das ganze Universum mit dem Bade aus.«

»Beruhigen Sie sich, Mr Patel, beruhigen Sie sich.«

Mr Chiba: »Dem Bade? Was hat denn das Bad damit zu tun?«

»Beruhigen? Wie könnte ich ruhig sein? Sie hätten Richard Parker sehen sollen!«

»Ja doch.«

»Wie gewaltig er war! Solche Zähne! Krallen wie Krummsäbel!«

Mr Chiba: »Was sind Krummsäbel?«

Mr Okamoto: »Chiba-san, statt dass Sie dumme Fragen stellen, sollten Sie auch einmal etwas tun. An diesem Jungen werden wir uns noch die Zähne ausbeißen. Tun Sie doch etwas!«

Mr Chiba: »Schauen Sie, ich habe noch einen Schokoladenriegel!«

Pi Patel: »Oh, danke!«

[Langes Schweigen]

Mr Okamoto: »**Dabei hat er schon unser ganzes Mittagessen bekommen. Als Nächstes wird er Tempura wollen.**«

[Langes Schweigen]

Mr Okamoto: »Wir kommen vom Thema ab. Wir sind hier, um Ermittlungen zum Untergang eines Frachters anzustellen. Sie sind der einzige Überlebende. Und Sie waren ja nur Passagier. Keiner könnte Sie für das, was geschehen ist, verantwortlich machen. Wir —«

»Schokolade, einfach wunderbar!«

»Wir sind nicht hier, um Ihnen Vorwürfe zu machen. Sie sind ein unschuldiges Opfer einer Schiffstragödie. Wir wollen nur herausfinden, wie und warum die *Tsimtsum* untergegangen ist. Wir dachten, Sie können uns dabei vielleicht helfen, Mr Patel.«

[Schweigen]

»Mr Patel?«

[Schweigen]

Pi Patel: »Es gibt Tiger, es gibt Rettungsboote, es gibt Ozeane. Nur weil die drei in Ihrer begrenzten Erfahrung noch nie zusammengekommen sind, wollen Sie behaupten, es sei unmöglich. Aber Tatsache ist, dass die *Tsimtsum* die drei zusammenbrachte und dann unterging.«

[Schweigen]

Mr Okamoto: »Was ist mit dem Franzosen?«

»Was ist mit ihm?«

»Zwei blinde Schiffbrüchige in zwei Rettungsbooten begegnen sich mitten auf dem Pazifik – das ist doch nun wirklich ein unwahrscheinlicher Zufall, oder?«

»Da haben Sie Recht.«

»Die Wahrscheinlichkeit ist gleich null.«

»Das gilt für die Lotterie auch, und trotzdem gibt es immer Leute, die gewinnen.«

»Wir finden es *extrem* unwahrscheinlich.«

»Genau wie ich.«

»**Hätten wir uns doch bloß den Tag freigenommen.** Sie haben sich über Essen unterhalten?«

»So war es.«

»Er hatte eine Menge Ahnung von der Kochkunst.«

»Wenn Sie das Kochkunst nennen wollen.«

»Die *Tsimtsum* hatte einen französischen Koch.«

»Franzosen gibt es überall.«

»Aber der Franzose, dem Sie begegnet sind, könnte doch der Koch gewesen sein.«

»Denkbar. Aber woher soll ich es wissen? Ich habe ihn ja nicht gesehen. Ich war blind. Und dann hat Richard Parker ihn bei lebendigem Leibe aufgefressen.«

»Wie praktisch.«

»Überhaupt nicht. Es war entsetzlich und es stank. Übrigens, wie erklären Sie die Erdmännchenknochen im Boot?«

»Es fanden sich tatsächlich Skelettteile eines kleinen Tieres —«

»Nicht nur eines.«

»—Skelettteile *mehrerer* kleiner Tiere auf dem Rettungsboot. Die Tiere stammten vermutlich vom Schiff.«

»Wir hatten keine Erdmännchen in unserem Zoo.«

»Dass es Erdmännchenknochen waren, ist nicht bewiesen.«

Mr Chiba: »Vielleicht waren es Bananenknochen! Ha! Ha! Ha! Ha! Ha!«

»**Schnauze, Atsuro!**«

»**Bitte um Verzeihung, Okamoto-san. Das ist die Erschöpfung.**«

»**Sie bringen unser ganzes Büro in Verruf!**«

»**Bitte um Verzeihung, Okamoto-san.**«

Mr Okamoto: »Die Knochen könnten auch von einem anderen kleinen Tier kommen.«

»Es waren Erdmännchen.«

»Einem Mungo zum Beispiel.«

»Unsere Mungos wollte niemand haben. Die sind in Indien geblieben.«

»Sie könnten an Bord gewesen sein, genau wie Ratten. Mungos sind doch in Indien weit verbreitet.«

»Mungos als Schiffsratten?«

»Warum nicht?«

»Und dann schwammen sie im stürmischen Pazifik, gleich zu mehreren, und brachten sich auf dem Rettungsboot in Sicherheit? Das klingt auch nicht gerade glaubwürdig, oder?«

»Aber nicht so unglaubwürdig wie manches, was wir in den letzten beiden Stunden gehört haben. Vielleicht waren die Mungos ja schon an Bord, genau wie die Ratte, von der Sie erzählt haben.«

»Schon erstaunlich, die Menge an Tieren, die da auf dem Rettungsboot war.«

»Erstaunlich.«

»Ein regelrechter Dschungel.«

»In der Tat.«

»Es sind Erdmännchenknochen. Lassen Sie sie von einem Experten untersuchen.«

»Viele waren ja nicht mehr da. Und keine Köpfe.«

»Die habe ich als Köder genommen.«

»Selbst ein Experte könnte vielleicht Mungo- nicht von Erdmännchenknochen unterscheiden.«

»Sie bräuchten einen forensischen Zoologen dafür.«

»Gut, Mr Patel! Wir geben es zu. Wir können nicht erklären, wie Erdmännchenknochen, wenn es denn Erdmännchenknochen sind, in das Rettungsboot kommen. Aber darum geht es ja auch nicht. Wir sind hier, weil ein japanischer Frachter, Eigentum der Oika Shipping Company, unter Panamaflagge, im Pazifik gesunken ist.«

»Etwas, das ich nicht vergesse, keine Minute lang. Schließlich ist meine ganze Familie mit ihm untergegangen.«

»Das tut uns Leid.«

»Nicht so sehr wie mir.«

[Langes Schweigen]

Mr Chiba: »Was machen wir jetzt?«

Mr Okamoto: »Ich weiß es nicht.«

[Langes Schweigen]

Pi Patel: »Möchten Sie einen Keks?«

Mr Okamoto: »O ja, gern. Danke.«

Mr Chiba: »Danke.«

[Langes Schweigen]

Mr Okamoto: »Ein schöner Tag.«

Pi Patel: »Ja. Sonnig.«

[Langes Schweigen]

Pi Patel: »Sind Sie das erste Mal in Mexiko?«

Mr Okamoto: »Ja.«

»Ich auch.«

[Langes Schweigen]

Pi Patel: »Meine Geschichte hat Ihnen also nicht gefallen?«

Mr Okamoto: »Aber nein, sie hat uns sogar sehr gefallen. Nicht wahr, Atsuro? Sie wird uns lange im Gedächtnis bleiben. Lange Zeit.«

Mr Chiba: »Mit Sicherheit.«

[Schweigen]

Mr Okamoto: »Aber für unsere Untersuchung wüssten wir gern, wie es wirklich war.«

»Wie es wirklich war?«

»Ja.«

»Sie hätten gern eine andere Geschichte?«

»Ähm ... nein. Wir wüssten gern, was *wirklich* geschehen ist.«

»Aber wenn man von etwas berichtet, wird es dann nicht immer eine Geschichte?«

»Ähm ... im Englischen vielleicht. Im Japanischen wäre es nur eine Geschichte, wenn etwas *Erfundenes* daran wäre. Aber wir wollen nichts Erfundenes. Wir wollen die ›reinen Fakten‹, wie Sie im Englischen sagen.«

»Aber wenn man von etwas erzählt – mit Worten, ganz egal ob auf Englisch oder auf Japanisch –, ist denn dann nicht immer Erfindung dabei? Wenn man diese Welt auch nur ansieht, ist denn dann nicht schon Erfindung im Spiel?«

»Ähm …«

»Die Welt ist doch nicht einfach wie sie ist. Es kommt doch darauf an, wie wir sie verstehen, oder nicht? Und wenn wir sie verstehen, fügen wir doch auch etwas hinzu, oder nicht? Und wenn das so ist, ist dann nicht das ganze Leben eine Geschichte?«

»Ha! Ha! Ha! Sehr geistreich, Mr Patel.«

Mr Chiba: »**Wovon redet er?**«

»**Keine Ahnung.**«

Pi Patel: »Sie wollen Worte, in denen sich die Wirklichkeit spiegelt?«

»Ja.«

»Worte, die nicht der Wirklichkeit widersprechen?«

»Genau das.«

»Aber Tiger *sind* doch Wirklichkeit.«

»Oh, bitte, keine Tiger mehr.«

»Ich weiß, was Sie wollen. Sie wollen eine Geschichte, die Sie nicht überrascht. Eine, die Ihnen bestätigt, was Sie schon wissen. Eine, die Sie nicht weiter und nicht tiefer blicken lässt, eine, die Sie nicht mit neuen Augen betrachten müssen. Sie wollen eine zweidimensionale Geschichte. Eine leblose Geschichte. Die Dürre der Wirklichkeit, in der keine Saat aufgeht.«

»Ähm …«

»Sie wollen eine Geschichte ohne Tiere.«

»Ja!«

»Ohne Tiger und ohne Orang-Utans.«

»Richtig.«

»Ohne Hyänen und ohne Zebras.«

»Kein Einziges davon.«

»Ohne Erdmännchen und Mungos.«

»Von denen wollen wir nichts mehr hören.«

»Ohne Giraffen und Flusspferde.«

»Wir stopfen uns die Ohren zu!«

»Da hatte ich Sie also recht verstanden. Sie wollen eine Geschichte ohne Tiere.«

»Wir wollen eine Geschichte ohne Tiere, die uns erklärt, warum die *Tsimtsum* untergegangen ist.«

»Lassen Sie mich nachdenken.«

»Natürlich. Ich glaube, jetzt geht es voran. Jetzt wird er endlich vernünftig.«

[Langes Schweigen]

»Dann erzähle ich Ihnen eine andere Geschichte.«

»Gut.«

»Das Schiff sank. Es gab einen Ton von sich wie ein gewaltiges metallisches Rülpsen. Sachen blubberten an der Oberfläche, dann verschwanden sie. Ich trieb im Pazifischen Ozean. Ich schwamm zum Rettungsboot. Noch nie im Leben war ich mit solcher Macht geschwommen. Ich hatte des Gefühl, ich kam überhaupt nicht vom Fleck. Immer wieder schluckte ich Wasser. Mir war furchtbar kalt. Meine Kräfte ließen rasch nach. Ich hätte es nicht geschafft, hätte der Koch mir nicht einen Rettungsring zugeworfen und mich an Bord gezogen. Ich kletterte ins Boot und sank zusammen.

Vier von uns überlebten. Mutter klammerte sich an ein Bananennetz und erreichte so das Rettungsboot. Der Koch war schon an Bord, der Matrose ebenfalls.

Er aß die Fliegen. Der Koch, nicht der Matrose. Wir waren noch keinen Tag im Boot, wir hatten genügend Proviant und Wasser für Wochen, wir hatten Angelruten und Solardestillen, es gab keinen Grund anzunehmen, dass wir nicht bald gerettet würden. Und doch stand er da, fuchtelte mit den Armen und fing Fliegen, die er gierig verschlang. Vom ersten Augenblick an hatte er eine geradezu panische Angst vor dem Verhungern. Er nannte uns Narren und Idioten, weil wir an seinem Festmahl nicht teilhaben wollten. Wir fanden ihn widerwärtig und ekelhaft, aber wir zeigten es nicht. Wir waren äußerst höflich. Er war ein Fremder und ein Ausländer. Mutter lächelte und schüttelte den Kopf und hob nur abwehrend die Hände. Er war ein widerlicher Kerl. Sein Gaumen war so wählerisch wie eine Müllhalde. Er aß auch die Ratte. Er schnitt sie in Stücke und trocknete sie in der Sonne. Ich – nun, um ehrlich zu sein – ich habe auch ein kleines Stückchen probiert, ein winzig kleines, als Mutter nicht hinsah. Ich war so hungrig. Er war wirklich eine Bestie, dieser Koch, übellaunig und heuchlerisch.

Der Matrose war jung. Genau genommen war er älter als ich, wohl Anfang zwanzig, aber er hatte sich beim Sprung vom Schiff das Bein gebrochen, und der Schmerz machte ihn wieder zum Kind. Er war schön. Das Gesicht völlig bartlos, die Haut glatt und glänzend. Seine Züge – das breite Gesicht, die flache Nase, die schmalen Augen mit der auffälligen Lidfalte – wirkten so elegant. Ich fand, er sah aus wie ein chinesischer Kaiser. Er litt entsetzlich. Er sprach kein Englisch, nicht ein einziges Wort, nicht einmal *ja* oder *nein* oder *hallo* oder *danke*. Nur Chinesisch. Wenn er etwas sagte, verstanden wir kein Wort. Er muss sich sehr einsam gefühlt haben. Wenn er weinte, bettete Mutter seinen Kopf in ihren Schoß und hielt ihm die Hand. Es war sehr, sehr traurig. Er litt, und wir konnten nichts tun.

Am rechten Oberschenkel hatte er einen komplizierten Bruch. Der Knochen ragte aus dem Fleisch. Er schrie vor Schmerz. Wir richteten sein Bein so gut wir konnten und gaben ihm zu essen und zu trinken. Aber sein Bein entzündete sich. Obwohl wir den Eiter jeden Tag entfernten, wurde es schlimmer. Sein Fuß schwoll an und wurde schwarz.

Die Idee stammte vom Koch. Er war eine Bestie. Er tyrannisierte uns. Er flüsterte, dass der Brand immer weiter um sich greifen würde und dass nur eine Amputation den Matrosen retten könne. Da der Knochen im Oberschenkel bereits gebrochen sei, müsse man nur noch das Fleisch durchtrennen und eine Aderpresse anlegen. Ich habe seine widerlichen Einflüsterungen noch im Ohr. Er wolle die Aufgabe übernehmen, um das Leben des Matrosen zu retten, sagte er, aber wir müssten ihn festhalten. Als Betäubungsmittel hätten wir nichts als die Überraschung. Wir stürzten uns auf ihn. Mutter und ich hielten seine Arme fest, der Koch setzte sich auf das gesunde Bein. Der Matrose bäumte sich auf und schrie. Sein Brustkorb hob und senkte sich. Der Koch war geschickt mit dem Messer. Das Bein fiel herunter. Sofort ließen Mutter und ich den Matrosen los. Wir dachten, vielleicht bäumt er sich nicht mehr so auf, wenn wir ihn nicht mehr festhalten. Wir hatten uns vorgestellt, dass er still liegen blieb. Aber das tat er nicht. Er setzte sich sofort auf. Seine Schreie waren umso entsetzlicher, weil wir sie nicht verstehen konnten. Er schrie, und wir starrten ihn wie gebannt an. Alles war voller Blut. Es war entsetzlich anzusehen, wie panisch der Matrose zuckte und wie still sein Bein am Boden lag. Er sah das Bein unverwandt an, als flehe er es an, zu ihm zurückzukommen. Schließlich sank er nach hinten. Wir gingen in aller Eile zu Werke. Der Koch bedeckte den Knochen mit etwas Haut. Wir wickelten den Stumpf in ein Stück Stoff und banden ihn oberhalb der Wunde mit einem Seil ab, um die Blutung zu stillen. Wir betteten den Matrosen so bequem wie möglich auf eine Matratze aus Schwimmwesten und hielten ihn warm. Ich hatte längst allen Glauben verloren, dass wir ihn retten könnten. Ich konnte mir nicht vorstellen, dass ein menschliches Wesen so viel Schmerz ertragen konnte, ein solches Gemetzel. Den ganzen Abend und die ganze Nacht über stöhnte er, und er atmete schwer und unregelmäßig. Manchmal phantasierte er wild. Ich rechnete damit, dass er im Laufe der Nacht sterben würde.

Er klammerte sich ans Leben. Bei Tagesanbruch lebte er immer noch. Immer wieder verlor er das Bewusstsein. Mutter gab ihm Wasser. Mein Blick fiel auf das amputierte Bein. In der ganzen Aufregung war es beiseite geschubst worden und in der Dunkelheit in Vergessenheit geraten.

Eine Flüssigkeit war herausgesickert, und es sah dünner aus. Ich nahm eine Schwimmweste wie einen Handschuh. Ich packte das Bein und hob es hoch.

›Was hast du vor?‹, fragte der Koch

›Ich will es über Bord werfen‹, erwiderte ich.

›Bist du verrückt? Das brauchen wir als Köder. Deswegen haben wir es doch gemacht.‹

Offenbar merkte er, dass er sich verplappert hatte, denn plötzlich wurde er leiser. Er wandte sich ab.

›*Deswegen* haben wir es gemacht?‹, fragte Mutter. ›Was wollen Sie damit sagen?‹

Er tat, als sei er beschäftigt.

Mutter hob die Stimme. ›Wollen Sie damit sagen, wir haben diesem armen Jungen ein Bein abgeschnitten, um *Angelköder* zu bekommen, und nicht um sein Leben zu retten?‹

Die Bestie schwieg.

›Antworten Sie!‹, schrie Mutter.

Wie ein in die Enge getriebenes Tier hob er den Blick und funkelte sie an. ›Unsere Vorräte gehen zur Neige‹, fauchte er. ›Wir brauchen mehr zu essen, sonst sterben wir.‹

Mutter starrte ihn nicht minder hasserfüllt an. ›Unsere Vorräte gehen *nicht* zur Neige! Wir haben reichlich Proviant und Wasser. Wir haben große Mengen Schiffszwieback, mit denen wir durchhalten können, bis Hilfe kommt.‹ Sie ergriff das Kunststoffgefäß, in dem wir die geöffneten Zwiebackpackungen aufbewahrten. Es fühlte sich unerwartet leicht an. In seinem Inneren rasselten nur einige wenige Krümel. ›Was!‹ Sie öffnete das Gefäß. ›Wo sind die Zwiebacke? Gestern Abend war die Dose noch voll!‹

Der Koch wandte den Blick ab. Und ich ebenfalls.

›Sie selbstsüchtiges Scheusal!‹, schrie Mutter. ›Wenn unsere Vorräte zur Neige gehen, dann nur wegen *Ihrer* Gefräßigkeit!‹

›Er hat auch davon gegessen‹, sagte er und nickte in meine Richtung.

Mutter sah mich an. Mir rutschte das Herz in die Hose.

›Stimmt das, Piscine?‹

›Es war Nacht, Mutter. Ich schlief ja halb und hatte solchen Hunger. Er hat mir einen Zwieback gegeben. Ich habe ihn gegessen und mir nichts dabei gedacht …‹

›So, so, nur einen?‹, spottete der Koch.

Jetzt war es Mutter, die den Blick abwandte. Ihr Zorn verebbte. Wortlos wandte sie sich wieder dem Matrosen zu.

Ich sehnte mich nach ihrem Zorn. Ich sehnte mich danach, dass sie mich bestrafte. Alles, nur nicht dieses Schweigen. Ich machte mich an den Schwimmwesten zu schaffen, auf denen der Matrose lag, nur um in ihrer Nähe zu sein. Ich flüsterte: ›Es tut mir Leid, Mutter, es tut mir Leid.‹ Mir standen die Tränen in den Augen. Als ich aufblickte, sah ich, dass es ihr ebenso ging. Aber sie sah mich nicht an. Ihre Augen waren auf eine Erinnerung gerichtet, irgendwo in weiter Ferne.

›Wir sind ganz allein, Piscine, ganz allein‹, sagte sie mit einer Stimme, die alle Hoffnung in mir sterben ließ. Nie im Leben habe ich mich so einsam gefühlt wie in diesem Augenblick. Wir waren schon seit zwei Wochen im Boot, und es forderte seinen Tribut. Wir konnten nicht mehr so tun, als ob wir hofften, dass Vater und Ravi überlebt hatten.

Als wir uns umdrehten, hielt der Koch das Bein am Knöchel über das Wasser und ließ die Flüssigkeit heraustropfen. Mutter legte dem Matrosen die Hand über die Augen.

Er starb friedlich. Das Leben sickerte aus ihm heraus wie die Flüssigkeit aus seinem Bein. Der Koch machte sich sofort über ihn her. Das Bein hatte keine brauchbaren Köder ergeben. Das tote Fleisch war verfault und hielt nicht am Angelhaken: Es löste sich im Wasser einfach auf. Das Scheusal ließ nichts verkommen. Er schnitt alles klein, sogar die Haut des Matrosen und jeden Zentimeter seiner Därme. Selbst die Genitalien verarbeitete er. Als er mit dem Torso fertig war, kamen die Arme und Schultern und das verbliebene Bein an die Reihe. Mutter und mir war schwindlig vor Schmerz und Entsetzen. Mutter schrie ihn an: ›Wie können Sie so etwas tun, Sie Scheusal? Sind Sie kein Mensch? Haben Sie keinen Anstand? Was hat der arme Junge Ihnen getan? Sie Scheusal! Sie Scheusal!‹ Der Koch antwortete mit einer Unflätigkeit.

›Mein Gott, bedecken Sie doch wenigstens sein Gesicht!‹, schrie Mutter. Es war ein unerträglicher Anblick: das schöne Gesicht, so edel und reglos, und dann das, was nun mit ihm geschah. Der Koch stürzte sich auf den Kopf des Matrosen; vor unseren Augen skalpierte er ihn und riss ihm das Gesicht vom Schädel. Mutter und ich übergaben uns.

Als er fertig war, warf er die Überreste des Gemetzels über Bord. Wenig später lagen überall im Boot Fleischstreifen und Stücke von inneren Organen zum Trocken in der Sonne. Wir schauderten entsetzt zurück. Wir versuchten, nicht hinzusehen. Aber der Geruch blieb.

Als er das nächste Mal in ihre Nähe kam, gab Mutter dem Koch eine Ohrfeige, und der laute Knall ließ die Luft erzittern. Es war erschreckend, dass meine Mutter so etwas tat. Und es war heroisch. Es war ein Akt des Zorns und des Mitleids, der Trauer und der Tapferkeit. Sie tat es im Gedenken an den armen Matrosen. Sie tat es zur Rettung seiner Würde.

Ich war verblüfft, und der Koch ebenfalls. Er stand reglos und stumm, und Mutter blickte ihm zornig ins Gesicht. Mir fiel auf, dass er ihr nicht in die Augen sah.

Wir zogen uns in unsere getrennten Bereiche zurück. Ich blieb in ihrer Nähe. Ich bewunderte sie abgöttisch dafür, aber umso tiefer war auch meine Angst um sie.

Mutter behielt ihn im Auge. Zwei Tage später ertappte sie ihn. Er wollte es heimlich tun, aber sie sah, wie er die Hand zum Munde führte. Sie schrie: ›Ich habe Sie gesehen! Sie haben gerade ein Stück gegessen! Sie haben gesagt, es sind Köder! Ich habe es gewusst. Sie Scheusal! Sie Bestie! Wie können Sie so etwas tun? Er ist ein *Mensch*! Er ist Ihresgleichen!‹ Wenn sie erwartet hatte, dass er den Bissen reumütig ausspucken und sich entschuldigen würde, hatte sie sich geirrt. Er kaute seelenruhig weiter. Ja, er hob sogar den Kopf und schob sich den Rest des Fleischstreifens demonstrativ in den Mund. ›Schmeckt wie Schweinefleisch‹, brummte er. Mutter wandte sich abrupt ab – anders konnte sie ihre Empörung und ihren Abscheu nicht zum Ausdruck bringen. Er aß einen weiteren Streifen. ›Ich fühle mich schon kräftiger‹, raunte er. Er konzentrierte sich auf seine Angel.

Wir hatten jeder ein Ende des Rettungsboots für uns. Es ist erstaunlich, wie die Willenskraft Mauern errichten kann. Ganze Tage lebten wir, als sei er gar nicht da.

Aber wir konnten ihn nicht völlig ignorieren. Er war eine Bestie, aber eine schlaue. Er war geschickt mit den Händen, und er kannte das Meer. Er steckte voller guter Ideen. Er war es, der auf den Gedanken kam, ein Floß zu bauen, damit wir besser fischen konnten. Dass wir überhaupt längere Zeit überlebten, verdankten wir ihm. Ich half ihm nach Kräften. Er war sehr aufbrausend, schrie mich an und beschimpfte mich.

Mutter und ich aßen nichts von dem Fleisch des Matrosen, nicht einen einzigen Bissen, obwohl wir immer schwächer wurden, aber wir aßen von den Meerestieren, die der Koch fing. Meine Mutter, die zeitlebens Vegetarierin gewesen war, zwang sich dazu, rohen Fisch und rohes Schildkrötenfleisch zu essen. Es fiel ihr sehr schwer. Sie überwand ihren Widerwillen nie. Für mich selbst war es nicht ganz so schlimm. Der Hunger sorgte dafür, dass ich es herunterbrachte.

Wenn man dem sicheren Tod entrinnt, dann wird man dem, dem man die Gnadenfrist verdankt, mit Sympathie begegnen – man kann nicht anders. Es war sehr aufregend, wenn der Koch eine Schildkröte an Bord hievte oder eine große Dorade fing. Es zauberte ein strahlendes Lächeln auf unsere Gesichter und eine Wärme in unsere Brust, die stundenlang vorhielt. Mutter und der Koch plauderten miteinander und scherzten sogar. Manchmal, wenn die Sonne besonders spektakulär unterging, war das Leben im Rettungsboot beinahe angenehm. Bei solchen Gelegenheiten betrachtete ich ihn – ja – geradezu zärtlich. Liebevoll. Ich stellte mir vor, wir wären gute Freunde. Er war ein brutaler Kerl, selbst wenn er guter Laune war, aber wir taten so, als merkten wir es nicht, sogar vor uns selbst. Er prophezeite, wir würden eine Insel finden. Das war unsere größte Hoffnung. Bis zur Erschöpfung suchten wir mit den Augen den Horizont ab nach einer Insel, die niemals auftauchte. Und während wir aufs Meer spähten, stahl er Proviant und Wasser.

Der flache, endlose Pazifik umringte uns wie eine hohe Mauer. Ich dachte, wir würden sie nie überwinden.

Er hat sie getötet. Der Koch hat meine Mutter getötet. Der Hunger quälte uns. Ich war schwach. Ich konnte eine Schildkröte nicht festhalten. Ich war schuld, dass sie uns entwischte. Er schlug mich. Mutter schlug ihn. Er schlug zurück. Sie drehte sich zu mir um und sagte: ›Geh!‹ Sie stieß mich zum Floß. Ich sprang. Ich dachte, sie würde nachkommen. Ich landete im Wasser. Ich kletterte auf das Floß. Sie kämpften. Ich saß einfach da und sah zu. Meine Mutter kämpfte mit einem erwachsenen Mann. Er war gemein und sehr stark. Er packte sie am Handgelenk und verdrehte ihr den Arm. Sie schrie auf und stürzte. Er beugte sich über sie. Dann sah ich das Messer. Er hob es empor. Es stach zu. Als es das nächste Mal nach oben kam, war es rot. Mehrere Male fuhr es auf und nieder. Ich konnte sie nicht sehen. Sie lag am Boden des Bootes. Ich sah nur ihn. Er hielt inne. Er hob den Kopf und sah mich an. Er schleuderte etwas zu mir herüber. Blut spritzte mir ins Gesicht. Keine Peitsche hätte mir einen schlimmeren Hieb versetzen können. Ich hielt den Kopf meiner Mutter in Händen. Ich ließ ihn los. Er versank in einer Wolke aus Blut, zog ihren Haarzopf hinter sich her wie einen Schweif. Fische umkreisten ihn auf dem Weg in die Tiefe, bis der lange graue

Schatten eines Hais seinen Weg kreuzte und er verschwand. Ich blickte auf. Er war nicht zu sehen. Er versteckte sich am Boden des Boots. Er tauchte erst auf, als er die Leiche meiner Mutter über Bord warf. Sein Mund war rot verschmiert. Das Wasser brodelte vor Fischen.

Ich verbrachte den Rest dieses Tages und die Nacht auf dem Floß und beobachtete ihn. Wir sprachen kein Wort. Er hätte das Verbindungsseil kappen können. Aber er tat es nicht. Er behielt mich in seiner Nähe wie ein schlechtes Gewissen.

Am Morgen zog ich vor seinen Augen an dem Seil und bestieg das Rettungsboot. Ich war sehr schwach. Er sagte nichts. Ich bewahrte die Ruhe. Er fing eine Schildkröte. Er gab mir das Blut. Er schlachtete sie und legte die besten Teile für mich auf die Mittelbank. Ich aß.

Dann kämpften wir, und ich tötete ihn. Seine Miene war ausdruckslos, zeigte weder Verzweiflung noch Zorn, weder Angst noch Schmerz. Er gab auf. Er wehrte sich zwar, ließ aber zu, dass ich ihn tötete. Er wusste, er war zu weit gegangen, selbst nach seinen brutalen Maßstäben. Er war zu weit gegangen, und jetzt wollte er nicht mehr leben. Aber nicht ein einziges Mal sagte er: ›Es tut mir Leid.‹ Warum halten wir fest an unserem sündigen Tun?

Das Messer lag die ganze Zeit offen auf der Bank. Wir wussten es beide. Er hätte es von Anfang an in der Hand halten können. Er hatte es selbst dorthin gelegt. Ich nahm es und stieß es ihm in den Bauch. Sein Gesicht wurde zur Grimasse, doch er blieb auf den Beinen. Ich zog das Messer heraus und stieß erneut zu. Das Blut floss in Strömen. Trotzdem fiel er nicht. Er sah mir in die Augen und hob dabei fast unmerklich den Kopf. Wollte er damit etwas sagen? Ich deutete es so. Ich stieß ihm das Messer in die Kehle, direkt neben dem Adamsapfel. Er stürzte wie ein Stein. Und starb. Er sagte kein Wort. Er hatte nichts mehr zu sagen. Er hustete nur Blut. Ein Messer ist wie ein grässliches lebendiges Ding: einmal in Bewegung, ist es nicht aufzuhalten. Ich stach immer und immer wieder auf ihn ein. Sein Blut linderte den Schmerz in meinen rissigen Händen. Sein Herz war sehr widerspenstig – all die Röhren, die es mit dem Körper verbanden. Es gelang mir, es herauszulösen. Es schmeckte köstlich, viel besser als Schildkrötenfleisch. Ich aß seine Leber. Ich schnitt große Stücke von seinem Fleisch ab.

Er war ein so böser Mann. Schlimmer noch: er weckte das Böse in mir – Eigennutz, Jähzorn, Skrupellosigkeit. Damit muss ich leben.

Die Einsamkeit begann. Ich wandte mich Gott zu. Ich überlebte.«

[Langes Schweigen]

»Ist das besser? Gibt es noch Passagen, die Sie unglaubwürdig finden? Möchten Sie, dass ich etwas ändere?«

Mr Chiba: »Eine entsetzliche Geschichte.«

[Langes Schweigen]

Mr Okamoto: »Das Zebra und der taiwanesische Seemann haben sich beide ein Bein gebrochen, ist Ihnen das aufgefallen?«

»Nein.«

»Und die Hyäne hat dem Zebra das Bein abgebissen, genau wie der Koch es dem Seemann abschnitt.«

»Oooh, Okamoto-san, was Sie alles merken!«

»Der blinde Franzose, der ihnen in dem zweiten Rettungsboot begegnete – hat er nicht gestanden, dass er einen Mann und eine Frau getötet hatte?«

»Doch, das hat er.«

»Der Koch hat den Seemann und seine Mutter umgebracht.«

»Tatsächlich.«

»Die beiden Geschichten stimmen überein.«

»Dann wäre also der taiwanesische Seemann das Zebra, seine Mutter der Orang-Utan, und der Koch ... die Hyäne – und er selbst ist der Tiger!«

»Ja. Der Tiger tötet die Hyäne – und den blinden Franzosen –, so wie er den Koch getötet hat.«

Pi Patel: »Haben Sie noch einen Schokoladenriegel?«

Mr Chiba: »Aber gern!«

»Danke.«

Mr Chiba: »Aber was hat das zu bedeuten, Okamoto-san?«

»Ich habe keine Ahnung.«

»Und was ist mit der Insel? Für wen stehen die Erdmännchen?«

»Das weiß ich nicht.«

»Und die Zähne? Wessen Zähne hingen da im Baum?«

»Ich weiß es nicht. Ich kann doch nicht wissen, was der Junge im Kopf hat.«

[Langes Schweigen]

Mr Okamoto: »Verzeihen Sie, wenn ich das frage, aber hat der Koch etwas über den Untergang der *Tsimtsum* gesagt?«

»In dieser zweiten Geschichte?«

»Ja.«

»Nein, kein Wort.«

»Er hat nichts aus der Zeit vor dem frühen Morgen des 2. Juli erzählt, was Licht auf die Sache werfen könnte?«

»Nein.«

»Nichts zu den Maschinen oder dem Schiff selbst?«

»Nein.«

»Nichts über andere Schiffe oder etwas, das im Meer schwamm?«

»Nein.«

»Er hatte keinerlei Erklärung für den Untergang der *Tsimtsum*?«

»Nein.«

»Hat er vielleicht gesagt, warum kein SOS-Signal gefunkt wurde?«

»Was hätte das schon geändert? Wenn irgendwo auf dem Ozean ein schäbiger Seelenverkäufer sinkt, dann muss er schon Öl an Bord haben, und zwar so viel, dass ganze Küsten verseucht werden, bevor jemand sich darum kümmert. Sonst kann er Notrufe senden, solange er will. Da ist und bleibt man allein.«

»Als Oika erfuhr, dass das Schiff vermisst wird, war es

längst zu spät. Für Luftrettung waren Sie zu weit draußen. Alle Schiffe im Umkreis bekamen Order Ausschau zu halten. Keines fand auch nur Spuren des Unglücks.«

»Und wo wir schon bei dem Thema sind, das Schiff war ja nicht das Einzige, was schäbig war. Die Mannschaft war ein mürrischer, unfreundlicher Haufen; sie taten, als ob sie hart arbeiteten, solange ein Offizier in der Nähe war, und wenn keiner hinsah, standen sie nur faul herum. Sie sprachen kein Wort Englisch und taten keinen Handschlag für uns. Manche stanken schon am Mittag nach Schnaps. Wer weiß, was diese Schwachköpfe angerichtet haben? Die Offiziere —«

»Was meinen Sie damit?«

»Womit?«

»Wer weiß, was diese Schwachköpfe angerichtet haben?«

»Vielleicht haben sie im Säuferwahn die Tiere aus ihren Käfigen gelassen.«

Mr Chiba: »Wer hatte die Schlüssel zu den Käfigen?«

»Das war Vater.«

Mr Chiba: »Wie hätten denn die Seeleute die Käfige öffnen sollen, wenn sie keine Schlüssel hatten?«

»Was weiß ich. Mit Brecheisen wahrscheinlich.«

Mr Chiba: »Warum sollten sie das tun? Warum sollte jemand auf die Idee kommen, ein gefährliches wildes Tier aus seinem Käfig zu lassen?«

»Keine Ahnung. Wer weiß schon, auf was für Ideen ein Säufer kommt? Ich kann Ihnen nur sagen, wie es war. Die Tiere waren nicht mehr in ihren Käfigen.«

Mr Okamoto: »Entschuldigen Sie, wenn ich nachfrage. Sie hatten also Zweifel an der Tüchtigkeit der Mannschaft?«

»Große Zweifel.«

»Haben Sie auch Offiziere gesehen, die unter Alkoholeinfluss standen?«

»Nein.«

»Aber Mannschaftsmitglieder unter Alkoholeinfluss, die haben Sie gesehen?«

»Ja.«

»Und die Offiziere? Waren sie für Ihre Begriffe sachkundig und tüchtig?«

»Wir hatten kaum etwas mit ihnen zu tun. Sie kamen nie in die Nähe der Tiere.«

»Ich meine die Arbeit der Offiziere auf dem Schiff.«

»Woher soll ich das wissen? Meinen Sie, wir hätten jeden Tag mit ihnen Tee getrunken? Sie sprachen Englisch, aber besser als die Mannschaft waren sie auch nicht. Sie ließen uns spüren, dass wir in der Messe nicht willkommen waren, und sprachen bei den Mahlzeiten kaum ein Wort mit uns. Sie redeten weiter auf Japanisch miteinander, als wären wir gar nicht da. Wir waren ja nur arme Inder mit einer lästigen Ladung. Am Ende haben wir lieber allein in Vaters und Mutters Kabine gegessen. ›Das Abenteuer winkt!‹, hat Ravi immer gesagt. Nur deswegen war es überhaupt auszuhalten – weil es für uns ein Abenteuer war. Wir haben ja fast den ganzen Tag Kot geschaufelt und Käfige sauber gemacht und Tiere gefüttert, und Vater war gleichzeitig Veterinär. Solange es den Tieren gutging, ging es auch uns gut. Ob die Offiziere ihre Arbeit getan haben, weiß ich nicht.«

»Sie sagen, das Schiff hatte Schlagseite nach Backbord?«

»Ja.«

»Und hinten hing es tiefer im Wasser?«

»Ja.«

»Es sank also mit dem Heck zuerst?«

»Ja.«

»Nicht mit dem Bug voran?«

»Nein.«

»Das heißt, es ging vom Vorder- zum Hinterende abwärts, nicht umgekehrt. Sind Sie sicher?«

»Ja.«

»Ist das Schiff mit einem anderen zusammengestoßen?«

»Ich habe kein anderes Schiff gesehen.«

»Ist es mit etwas zusammengestoßen, das im Meer schwamm?«

»Nichts, was ich gesehen hätte.«

»Ist es auf Grund gelaufen?«

»Nein, es versank einfach im Meer.«

»Von Maschinenschäden nach dem Auslaufen aus Manila wissen Sie nichts?«

»Nein.«

»Hatten Sie den Eindruck, dass das Schiff sachgemäß beladen war?«

»Ich war das erste Mal auf einem Schiff. Ich habe keine Ahnung, wie ein sachgemäß beladenes Schiff aussehen müsste.«

»Sie hatten den Eindruck, Sie hätten eine Explosion gehört?«

»Ja.«

»Gab es noch andere Geräusche?«

»Tausend.«

»Geräusche, die den Untergang des Schiffes erklären könnten, meine ich.«

»Nein.«

»Sie sagen, das Schiff sei binnen kurzem gesunken.«

»Ja.«

»Könnten Sie abschätzen, wie lange es dauerte?«

»Das ist nicht leicht. Es ging sehr schnell. Weniger als zwanzig Minuten, würde ich sagen.«

»Es gab viele Trümmer?«

»Ja.«

»Wurde das Schiff von einer besonders hohen Welle getroffen?«

»Ich glaube nicht.«

»Aber es war stürmische See?«

»Mir kam sie ziemlich rau vor. Es war windig und regnete.«

»Wie hoch waren die Wellen?«

»Hoch. Acht, zehn Meter.«

»Das ist doch nicht viel.«

»Sitzen Sie dabei mal in einem Rettungsboot.«

»Ja, natürlich. Aber nicht viel für einen Frachter.«

»Vielleicht waren sie auch höher. Ich weiß es nicht. Jedenfalls war das Wetter so schlecht, dass es mir eine Heidenangst machte.«

»Sie sagen, danach sei das Wetter rasch wieder besser geworden. Das Schiff sank, und gleich danach herrschte wieder der schönste Sonnenschein. So haben Sie es uns doch beschrieben, nicht wahr?«

»Ja.«

»Hört sich eher nach einer kleinen Windbö an.«

»Immerhin ist das Schiff davon gesunken.«

»Das fragen wir uns eben.«

»Meine ganze Familie kam dabei um.«

»Das tut uns Leid.«

»Nicht so sehr wie mir.«

»Was ist also geschehen, Mr Patel? Da tappen wir immer noch im Dunkeln. Alles war ganz normal, und dann …?«

»Dann ist es untergegangen.«

»Aber warum?«

»Das weiß ich nicht. *Sie* sind doch die Experten. Das sollten Sie *mir* sagen. Denken Sie nach!«

»Wir verstehen es nicht.«

[Langes Schweigen]

Mr Chiba: »**Was nun?**«

Mr Okamoto: »**Wir geben auf. Die Erklärung für den Untergang der** *Tsimtsum* **liegt auf dem Grund des Pazifiks.**«

[Langes Schweigen]

Mr Okamoto: »**Ja. Erledigt. Kommen Sie.** Mr Patel, ich glaube, jetzt haben wir alles, was wir brauchen. Wir möchten Ihnen für Ihre Mitarbeit danken. Sie waren uns eine sehr, sehr große Hilfe.«

»Gern geschehen. Aber bevor Sie gehen, möchte ich Sie noch etwas fragen.«

»Ja?«

»Die *Tsimtsum* sank am 2. Juli 1977.«

»Ja.«

»Und ich langte als einziger menschlicher Überlebender der *Tsimtsum* am 14. Februar 1978 an der mexikanischen Küste an.«

»Richtig.«

»Ich habe Ihnen zwei Geschichten über das erzählt, was in den 227 Tagen dazwischen geschehen ist.«

»Ja, das haben Sie.«

»Keine von beiden erklärt den Untergang der *Tsimtsum*.«

»Stimmt.«

»Für Sie macht es, was die Fakten angeht, keinen Unterschied.«

»Da haben Sie Recht.«

»Sie können nicht beweisen, welche Geschichte wahr ist und welche nicht. Sie müssen auf das vertrauen, was ich Ihnen sage.«

»Tja, anscheinend.«

»In beiden Geschichten geht das Schiff unter, meine gesamte Familie kommt um und ich habe viel zu leiden.«

»Das ist wahr.«

»Dann sagen Sie mir doch – da es für Ihre Ermittlungen keinen Unterschied macht und da Sie nicht entscheiden können, ob die eine oder ob die andere Geschichte wahr ist – welche von beiden gefällt Ihnen besser? Welche ist die bessere Geschichte, die mit den Tieren oder die ohne Tiere?«

Mr Okamoto: »Das ist eine interessante Frage ...«

Mr Chiba: »Die mit den Tieren.«

Mr Okamoto: »Ja. Die Geschichte mit den Tieren ist die bessere Geschichte.«

Pi Patel: »Danke. Und genauso ist es mit Gott.«

[Schweigen]

Mr Chiba: »**Was will er damit sagen?**«

Mr Okamoto: »Keine Ahnung.«

Mr Chiba: »Schauen Sie nur – er weint.«

[Langes Schweigen]

Mr Okamoto: »Auf der Rückfahrt werden wir uns sehr in Acht nehmen. Wir wollen ja nicht Richard Parker in die Krallen geraten.«

Pi Patel: »Da machen Sie sich mal keine Sorgen. Wo er sich versteckt, werden Sie ihn nie finden.«

Mr Okamoto: »Danke, dass Sie sich so viel Zeit für uns genommen haben, Mr Patel. Und glauben Sie mir, es tut uns aufrichtig Leid, was Ihnen widerfahren ist.«

»Danke.«

»Was haben Sie jetzt vor?«

»Ich glaube, ich werde nach Kanada gehen.«

»Nicht zurück nach Indien?«

»Nein. Da habe ich niemanden mehr. Nur traurige Erinnerungen.«

»Sie werden natürlich Geld von der Versicherung bekommen.«

»Oh.«

»Ja. Oika wird sich bei Ihnen melden.«

[Schweigen]

Mr Okamoto: »Dann sollten wir jetzt gehen. Wir wünschen Ihnen alles Gute, Mr Patel.«

Mr Chiba: »Ja, alles Gute.«

»Danke.«

Mr Okamoto: »Auf Wiedersehen.«

Mr Chiba: »Auf Wiedersehen.«

Pi Patel: »Möchten Sie noch ein paar Kekse für unterwegs?«

Mr Okamoto: »Das wäre schön.«

»Hier, für jeden drei.«

»Danke.«

Mr Chiba: »Danke.«

»Gern geschehen. Lebt wohl, meine Brüder. Gott sei mit euch.«

»Danke. Und mit Ihnen auch, Mr Patel.«

Mr Chiba: »Auf Wiedersehen.«

Mr Okamoto: »Habe ich einen Hunger! Jetzt gehen wir erst mal was essen. Das Ding können Sie abstellen.«

Kapitel 100

In seinem Brief an mich erinnert sich Mr Okamoto an die Befragung als »schwierig und denkwürdig«. Piscine Molitor Patel sei ihm im Gedächtnis geblieben als »sehr dünn, sehr beharrlich, sehr klug«.

Aus seinem Abschlussbericht füge ich noch die entscheidenden Absätze an:

Einziger Überlebender konnte keinerlei Aufschlüsse über Grund für Untergang der Tsimtsum geben. Schiff sank offenbar sehr schnell, was auf größeren Schaden am Schiffskörper schließen lässt. Starkes Trümmeraufkommen untermauert diese Theorie. Ursache des Lecks jedoch nicht zu ermitteln. Keine größeren Unwetter für den fraglichen Quadranten am Unglückstag gemeldet. Wetterbericht des Überlebenden persönlich gefärbt und unzuverlässig. Wetter äußerstenfalls zusätzlicher Faktor. Ursache eher in Schiff selbst zu suchen. Überlebender glaubt, er habe Explosion gehört, eventuell Hinweis auf größeres Maschinenversagen, möglicherweise Kesselexplosion, aber spekulativ. Alter des Schiffes neunundzwanzig Jahre (Werft Erlandson und Skank, Malmö, 1948), überholt 1970. Materialermüdung im Verein mit Wetter mögliche Erklärung, bleibt jedoch Vermutung. Keine andere Havarie am fraglichen Tag im Bereich der Unglücksstelle bekannt, Schiffskollision wohl auszuschließen. Kollision mit Treibgut denkbar, jedoch nicht zu verifizieren. Kollision mit Schwimmmine würde Explosion erklären, jedoch unwahrscheinlich, zumal Schiff mit dem Heck zuerst sank, was Schaden im rückwärtigen Bereich nahe legt. Überlebender meldet Zweifel an Tüchtigkeit der Mannschaft an, keine Auskünfte über Offiziere. Oika Shipping Com-

pany versichert, dass Ladung absolut legal, kein Hinweis auf Un-regelmäßigkeiten bei Offizieren oder Mannschaft.

Unglücksursache aus den verfügbaren Informationen nicht zu ermitteln. Versicherungsansprüche Oikas bestätigt. Weitere Ermitt-lungen nicht erforderlich. Akte kann geschlossen werden.

Als persönliche Bemerkung sei hinzugefügt, dass die Geschichte des einzigen Überlebenden, Mr Piscine Molitor Patel, indischer Staatsbürger, von einem erstaunlichen Maß an Mut und Ausdau-er im Angesicht außerordentlich schwieriger und tragischer Um-stände zeugt. Nach Kenntnis des Ermittlers gibt es keinen zweiten solchen Fall in den Annalen der Seefahrt. Nur wenige Schiffbrü-chige können von sich behaupten, dass sie so lange auf See überlebt haben wie Mr Patel, und keiner davon in Gesellschaft eines er-wachsenen bengalischen Tigers.